Davi
e
Golias

Davi
e
Golias

Malcolm Gladwell

Sextante

Título original: *David and Goliath*
Copyright © 2013 por Malcolm Gladwell
Copyright da tradução © 2014 por GMT Editores Ltda.

Todos os direitos reservados. Nenhuma parte deste livro pode ser utilizada ou reproduzida sob quaisquer meios existentes sem autorização por escrito dos editores.

tradução
Ivo Korytowski

preparo de originais
Melissa Lopes Leite

revisão
Juliana Souza e Luís Américo Costa

projeto gráfico e diagramação
Ilustrarte Design e Produção Editorial

capa
Elixir Design

adaptação de capa
Miriam Lerner

impressão e acabamento
Cromosete Gráfica e Editora Ltda.

CIP-BRASIL. CATALOGAÇÃO NA PUBLICAÇÃO
SINDICATO NACIONAL DOS EDITORES DE LIVROS, RJ

G451d Gladwell, Malcolm
Davi e Golias / Malcolm Gladwell [tradução de Ivo Korytowski]; Rio de Janeiro: Sextante, 2014.
288 p.; 14 x 21 cm.

Tradução de: David and Goliath
ISBN 978-85-431-0032-6

1. Sabedoria. 2. Autodomínio. 3. Autoconsciência. 4. Sucesso. I. Título.

14-08475   CDD: 158.1
                                                 CDU: 159.947.3

Todos os direitos reservados, no Brasil, por
GMT Editores Ltda.
Rua Voluntários da Pátria, 45 – Gr. 1.404 – Botafogo
22270-000 – Rio de Janeiro – RJ
Tel.: (21) 2538-4100 – Fax: (21) 2286-9244
E-mail: atendimento@esextante.com.br
www.sextante.com.br

Para A. L. e S. F., um verdadeiro azarão

SUMÁRIO

INTRODUÇÃO
Golias, 11
"Por acaso sou um cão, para que você venha contra mim com pedaços de pau?"

PARTE I — AS VANTAGENS DAS DESVANTAGENS (E AS DESVANTAGENS DAS VANTAGENS), 23

CAPÍTULO UM
Vivek Ranadivé, 25
"Foi realmente por acaso. Quer dizer, meu pai nunca havia jogado basquete."

CAPÍTULO DOIS
Teresa DeBrito, 43
"Minha maior turma tinha 29 crianças. Ah, era divertido."

CAPÍTULO TRÊS
Caroline Sacks, 65
"Se eu tivesse ido para a Universidade de Maryland, estaria até hoje em um curso de ciências."

PARTE II — A TEORIA DA DIFICULDADE DESEJÁVEL, 97

CAPÍTULO QUATRO
David Boies, 99
Você não ia querer um filho disléxico. Ou ia?

CAPÍTULO CINCO
Emil "Jay" Freireich, 123
"Como Jay fazia isso, eu não sei."

CAPÍTULO SEIS
Wyatt Walker, 161
"O coelho é o animal mais ágil que Deus criou."

PARTE III – OS LIMITES DO PODER, 187

CAPÍTULO SETE
Rosemary Lawlor, 189
"Eu não nasci assim. Aquilo me foi imposto."

CAPÍTULO OITO
Wilma Derksen, 219
"Todos já fizemos algo terrível em nossa vida, ou sentimos o impulso de fazê-lo."

CAPÍTULO NOVE
André Trocmé, 247
"Sentimo-nos obrigados a informá-los de que existe entre nós certo número de judeus."

NOTAS, 259
AGRADECIMENTOS, 287

"O Senhor, contudo, disse a Samuel: 'Não considere sua aparência nem sua altura, pois eu o rejeitei.' O Senhor não vê como o homem: o homem vê a aparência, mas o Senhor vê o coração."
1 Samuel 16:7

INTRODUÇÃO

Golias

"POR ACASO SOU UM CÃO, PARA QUE VOCÊ
VENHA CONTRA MIM COM PEDAÇOS DE PAU?"

1.

No coração da antiga Palestina fica a região conhecida como Sefelá, uma série de cadeias de montanhas e vales ligando as montanhas da Judeia a leste com a ampla extensão da planície mediterrânea. Área de beleza estonteante, abriga vinhedos, trigais e florestas de sicômoros e terebintos. Também é de grande importância estratégica.

Ao longo dos séculos, numerosas batalhas foram travadas pelo controle da região, porque os vales que se erguem da planície mediterrânea oferecem aos moradores do litoral um caminho para as cidades de Hebron, Belém e Jerusalém, no planalto da Judeia. O vale mais importante é o Aijalon, ao norte. Mas o mais célebre é o de Elá, onde Saladino enfrentou os Cavaleiros Cruzados no século XII. O vale desempenhou um papel central nas guerras dos macabeus contra a Síria mais de mil anos antes e, mais notoriamente, durante a época do Antigo Testamento, foi ali que o nascente Reino de Israel enfrentou os exércitos dos filisteus.

Os filisteus eram de Creta. Eles haviam se mudado para a Palestina e se instalado ao longo da costa. Os israelitas estavam reunidos nas montanhas, sob a liderança do rei Saul. Na segunda metade do século XI a.C., os filisteus começaram a se deslocar para leste, seguindo rio acima ao longo do vale de Elá. Seu objetivo era capturar a cadeia montanhosa perto de Belém e dividir o reino de Saul em dois. Os filisteus eram guerreiros experientes e perigosos, inimigos jurados dos israelitas. Apreensivo, Saul reuniu seus homens e desceu as montanhas às pressas para enfrentá-los.

Os filisteus levantaram acampamento ao longo da cadeia ao sul de Elá. Os israelitas armaram suas tendas do outro lado, ao longo da cadeia ao norte, o que deixou os dois exércitos olhando um para o outro através da ravina. Nenhum deles ousava se mover. Atacar significava descer a montanha e depois fazer uma subida suicida pela cadeia do inimigo do outro lado. Finalmente, os filisteus se cansaram. Mandaram seu maior guerreiro descer para resolver o impasse cara a cara.

Tratava-se de um gigante, com mais de 2 metros de altura, usando um capacete de bronze e uma armadura de corpo inteiro. Levava uma lança de arremesso, uma lança de curto alcance e uma espada. Um auxiliar o precedia, carregando um enorme escudo. O gigante encarou os israelitas e gritou:

– Escolham um homem para lutar comigo. Se ele puder lutar e me vencer, nós seremos seus escravos; porém, se eu o vencer e o puser fora de combate, vocês serão nossos escravos e nos servirão.

No lado israelita, ninguém se moveu. Quem conseguiria vencer um oponente tão assustador? Então um jovem pastor que viera de Belém trazendo comida para seus irmãos deu um passo à frente e se apresentou como voluntário. Saul objetou:

– Você não tem condições de lutar contra esse filisteu; você é apenas um rapaz, e ele é um guerreiro desde a mocidade.

Mas o pastor foi inflexível. Disse que havia enfrentado oponentes mais violentos do que aquele.

– Quando um leão ou um urso aparece e leva uma ovelha do rebanho – contou a Saul –, eu vou atrás dele, dou-lhe golpes e livro a ovelha de sua boca.

Saul não tinha outras opções. Consentiu, e o jovem pastor desceu correndo o morro ao encontro do gigante, de pé no vale.

– Venha aqui e darei sua carne às aves do céu e aos animais do campo! – bradou o gigante ao ver o oponente se aproximando.

Assim começou um dos embates mais famosos da história. O nome do gigante era Golias. O nome do jovem pastor era Davi.

2.

Davi e Golias é um livro sobre o que acontece quando gente comum enfrenta gigantes. Por "gigantes" quero dizer oponentes poderosos de todos os tipos – de exércitos e grandes guerreiros a deficiência, infortúnio e opressão. Cada capítulo narra a história de uma pessoa diferente – famosa ou desconhecida, comum ou brilhante – que enfrentou um desafio descomunal e foi forçada a reagir. Devo me pautar pelas regras do jogo ou seguir meus próprios instintos? Devo perseverar ou desistir? Devo contra--atacar ou perdoar?

Por meio dessas histórias, quero explorar duas ideias. A primeira é que grande parte do que consideramos valioso em nosso mundo surge desses tipos de conflitos desequilibrados, porque o fato de enfrentar condições imensamente desfavoráveis produz grandeza e beleza. E a segunda é que sistematicamente entendemos errado esses tipos de conflito. Nós os interpretamos incorretamente. Gigantes não são o que julgamos serem. As mesmas qualidades que parecem fortalecê-los são, muitas vezes, fontes de grande fraqueza. E o fato de ser um *underdog* – um azarão, ou alguém em desvantagem, que todos esperam que venha a ser derrotado facilmente – pode *mudar* as pessoas de formas que costumamos não perceber: pode abrir portas, criar oportunidades, instruir, esclarecer e tornar possível o que normalmente seria impensável. Precisamos de um guia melhor para enfrentar gigantes, e não há melhor ponto para começar essa jornada do que o confronto épico entre Davi e Golias 3 mil anos atrás no vale de Elá.

Quando Golias desafiou os israelitas, estava pedindo o que se conhecia como "combate um a um". Essa era uma prática comum no mundo antigo. Os dois lados de um conflito tentavam evitar o grande derramamento de sangue da batalha aberta escolhendo, cada um, um guerreiro para representá-lo num duelo. Por exemplo, o historiador romano do século I a.C. Quinto Cláudio Quadrigário narrou uma batalha épica em que um guerreiro gaulês pôs-se a zombar de seus oponentes romanos. "Aquilo logo despertou grande indignação de um tal Tito Mânlio, um jovem de boa família", escreveu Quadrigário. Tito desafiou o gaulês para um duelo:

> Deu um passo à frente, pois não estava disposto a admitir que a bravura romana fosse vergonhosamente manchada por um gaulês. Armado com um escudo de legionário e uma espada espanhola, confrontou-o. A luta se travou numa ponte [sobre o rio Aniene] na presença dos dois exércitos, em meio a grande apreensão. Assim eles se confrontaram: o gaulês, de acordo com seu método de combate, com o escudo à frente aguardando um ataque; Mânlio, contando com a coragem mais do que com a habilidade, atacou escudo contra escudo e desequilibrou o gaulês. Enquanto este tentava voltar à mesma posição, Mânlio repetiu o primeiro ataque e forçou o homem a deslocar-se. Dessa maneira esgueirou-se sob a espada do gaulês e golpeou-o no peito com sua lâmina espanhola. [...] Depois de matá-lo, Mân-

lio cortou fora a cabeça do gaulês, arrancou sua língua e enrolou-a, ensanguentada, em seu próprio pescoço.

Era aquilo que Golias estava esperando – que um guerreiro como ele se apresentasse para um combate corpo a corpo. Jamais lhe ocorreu que a batalha seria travada em condições diferentes, e ele se preparou conforme sua expectativa. Para proteger o corpo dos golpes, vestia uma túnica elaborada feita de centenas de escamas de bronze sobrepostas, como as de um peixe. A túnica cobria seus braços e descia até os joelhos, devendo pesar mais de 50 quilos. Caneleiras protegiam suas pernas, unidas a placas de bronze cobrindo seus pés. Usava um pesado capacete de metal. Possuía três armas distintas, todas otimizadas para o combate corpo a corpo. Segurava uma lança de arremesso feita inteiramente de bronze, capaz de penetrar um escudo ou mesmo uma armadura. Tinha uma espada ao quadril. E, como sua opção principal, portava um tipo especial de lança de curto alcance com uma haste de metal tão "grossa quanto uma lançadeira de tecelão". Uma corda estava presa à lança, e um conjunto elaborado de pesos permitia que fosse lançada com extraordinária força e precisão. Como escreveu o historiador Moshe Garsiel: "Para os israelitas, aquela lança extraordinária, com sua haste pesada e uma lâmina de ferro longa e rígida, quando atirada pelo braço forte de Golias, parecia capaz de dilacerar qualquer escudo de bronze junto com a armadura de bronze." Dá para entender por que nenhum israelita se ofereceu para lutar com Golias?

Então surge Davi. Saul tenta lhe dar a própria espada e a armadura para que ao menos ele tenha uma chance na luta. Davi recusa:

– Não consigo andar com isto – diz ele –, pois não estou acostumado.

Em vez disso, abaixa-se, apanha cinco seixos lisos e coloca-os em seu alforje. Depois desce ao vale, carregando seu cajado de pastor. Golias olha o jovem se aproximando e se sente insultado. Estava esperando lutar com um guerreiro experiente. Em vez disso, vê um pastor – um rapaz cuja profissão é das mais humildes – que parece querer usar seu cajado como um porrete contra a espada de Golias.

– Por acaso sou um cão, para que você venha contra mim com pedaços de pau? – questiona Golias, apontando para o cajado.

O que acontece então é algo legendário. Davi põe uma de suas pedras na bolsa de couro de sua funda, lançando-a na testa exposta de Golias, que tomba, perplexo. Davi corre em sua direção, apanha a espada do gigante e decepa-lhe a cabeça. "Quando os filisteus viram que seu guerreiro estava morto" – reza o relato bíblico –,* "recuaram e fugiram."

A batalha é vencida milagrosamente por um azarão que, segundo todas as expectativas, não deveria ter vencido. É assim que temos contado a história uns para os outros nos vários séculos desde então. Foi assim que a expressão "Davi e Golias" se incorporou à nossa língua, como uma metáfora para a vitória improvável. E o problema dessa versão dos acontecimentos é que quase tudo nela está errado.

3.

Os exércitos antigos contavam com três tipos de guerreiros. O primeiro tipo era da cavalaria – homens armados a cavalo ou em carros de guerra. O segundo era da infantaria – soldados a pé usando armadura e carregando espadas e escudos. O terceiro eram os "guerreiros de projéteis", ou o que hoje chamaríamos de artilharia: arqueiros e, mais importante, fundibulários. Estes tinham

---

* Em 1 Samuel 17:51. (*N. do T.*)

uma bolsa de couro ligada a uma corda comprida em dois lados – a funda. Colocavam uma pedra ou bola de chumbo dentro dela, giravam-na em círculos cada vez mais amplos e rápidos e depois soltavam uma extremidade da corda, arremessando a pedra.

O uso da funda requeria habilidade e prática extraordinárias. Em mãos experientes, era uma arma devastadora. Pinturas do período medieval mostram fundibulários atingindo aves em pleno voo. Dizia-se que fundibulários irlandeses eram habilitados para atingir uma moeda de qualquer distância em que fosse visível, e no Livro dos Juízes do Antigo Testamento eles são descritos como capazes de "atirar uma pedra com uma funda num fio de cabelo sem errar". Um fundibulário experiente conseguia matar ou ferir gravemente um alvo a uma distância de quase 200 metros.* Os romanos dispunham até de um conjunto especial de tenazes justamente para remover pedras que haviam sido engastadas no corpo de um pobre soldado por uma funda. Imagine-se diante de um arremessador da liga principal de beisebol que está mirando a bola em sua cabeça. Assim era enfrentar um fundibulário – só que o que estava sendo lançado não era uma bola de cortiça e couro, mas uma pedra dura.

O historiador Baruch Halpern sustenta que a funda era tão importante na guerra antiga que os três tipos de guerreiros se equilibravam mutuamente, assim como cada um dos gestos no jogo de pedra, papel e tesoura. Com suas lanças compridas e armaduras, a infantaria conseguia resistir à cavalaria. Esta conseguia, por sua vez, derrotar os guerreiros de projéteis, porque os cavalos se moviam rápido demais para a artilharia conseguir mirá-los. E os guerreiros de projéteis eram mortais contra a infantaria, porque um grande soldado carregando muito peso, prostrado pela armadura, constituía alvo fácil para um fundibulário

---

* O recorde do mundo moderno de arremesso de uma pedra foi batido em 1981 por Larry Bray: 437 metros. Obviamente, a precisão fica prejudicada a essa distância.

lançando projéteis a 90 metros de distância. "Por isso a expedição ateniense à Sicília fracassou na Guerra do Peloponeso", Halpern escreveu. "Tucídides descreve em detalhes como a infantaria pesada de Atenas foi dizimada nas montanhas pela infantaria leve local, que usou principalmente a funda."

Golias é a infantaria pesada. Ele pensa que travará um duelo com outro soldado da infantaria pesada, da mesma forma que a luta de Tito Mânlio com o gaulês. Quando o gigante diz "Venha aqui e darei sua carne às aves do céu e aos animais do campo!", a expressão-chave é "Venha aqui". Ele quer dizer: "Aproxime-se para que possamos lutar de perto." Quando Saul tenta vestir Davi com uma armadura e lhe dar uma espada, está operando sob o mesmo pressuposto. Supõe que Davi irá combater Golias corpo a corpo.

Davi, porém, não tem a intenção de respeitar o ritual do combate esperado. Quando conta a Saul que matou ursos e leões como pastor, não está pretendendo apenas ostentar sua coragem, mas quer dizer outra coisa também: que deseja lutar contra Golias da maneira como aprendeu a enfrentar animais selvagens – como "guerreiro de projéteis".

Ele *corre* em direção a Golias, porque sem armadura possui velocidade e agilidade. Põe uma pedra em sua funda e a gira cada vez mais rápido, a seis ou sete revoluções por segundo, mirando seu projétil na testa de Golias – o único ponto vulnerável do gigante. Eitan Hirsch, um expert em balística das Forças de Defesa israelenses, recentemente fez uma série de cálculos mostrando que uma pedra de tamanho típico lançada por um fundibulário experiente a uma distância de 35 metros teria atingido a cabeça de Golias com uma velocidade de 34 metros por segundo – mais que suficiente para penetrar no crânio e deixá-lo inconsciente ou morto. Em termos de poder de penetração, isso equivale a uma pistola moderna de tamanho razoável. "Constatamos", escreveu Hirsch, "que Davi poderia ter lançado a pedra e atingido Golias em pouco mais de um segundo – um tempo tão breve que Golias não teria sido capaz de se proteger e durante o qual estaria imóvel para todos os efeitos práticos."

O que Golias poderia fazer? Carregava mais de 50 quilos de armadura. Estava preparado para uma luta corpo a corpo, em que poderia ficar imóvel, defendendo-se dos golpes com sua armadura e desferindo um ataque poderoso de sua lança. Observou Davi se aproximar, primeiro com desprezo, depois com surpresa e, por fim, com o que só pode ter sido horror – quando se deu conta de que a batalha que estava esperando havia subitamente mudado de forma.

– Você vem contra mim com espada, lança e dardos – disse Davi para Golias –, mas eu vou contra você em nome do Senhor dos Exércitos, o Deus dos exércitos de Israel, a quem você desafiou. Hoje mesmo o Senhor o entregará nas minhas mãos, eu o matarei e cortarei a sua cabeça. [...] Todos os que estão aqui saberão que não é por espada ou por lança que o Senhor concede vitória; pois a batalha é do Senhor, e ele entregará todos vocês em nossas mãos.

Duas vezes Davi menciona a espada e a lança de Golias, como para enfatizar quão profundamente diferentes são suas intenções. Depois pega uma pedra no alforje de pastor, e àquela altura ninguém observando das montanhas nos dois lados do vale consideraria a vitória de Davi improvável. Davi era um fundibulário, e os fundibulários derrotam a infantaria facilmente.

"Golias tinha tantas chances contra Davi", escreveu o historiador Robert Dohrenwend, "quanto qualquer guerreiro da Idade do Bronze com uma espada teria contra um [oponente] armado com uma pistola automática calibre 45."*

---

* O ministro da Defesa israelense Moshe Dayan – o artífice da vitória espetacular de Israel na Guerra dos Seis Dias de 1967 – também escreveu um ensaio sobre a história de Davi e Golias. De acordo com Dayan, "Davi enfrentou Golias com armamento não inferior, e sim superior, e sua grandeza não consistiu em estar disposto a enfrentar alguém bem mais forte do que ele, mas em saber como explorar uma arma pela qual uma pessoa fraca poderia obter a vantagem e tornar-se mais forte".

4.

Por que tem se sustentado tamanho mal-entendido em torno daquele dia no vale de Elá? Em um nível, o duelo revela a estupidez de nossos pressupostos sobre poder. O motivo do ceticismo do rei Saul quanto às chances de Davi é que este é pequeno e Golias, grande. O rei pensa no poder em termos de força física, então não reconhece que ele pode vir de outras formas também – ao romper as regras, ao substituir a força por velocidade e surpresa. Nas páginas seguintes, argumentarei que continuamos cometendo o mesmo erro atualmente, com consequências sobre tudo, desde a maneira como educamos nossos filhos até como combatemos o crime e a desordem.

Mas existe um segundo fator, mais profundo, aqui. Saul e os israelitas acham que sabem quem é Golias. Eles o avaliam e tiram conclusões precipitadas sobre suas capacidades, mas eles não o *veem* de fato. A verdade é que o comportamento de Golias é intrigante. Supõe-se que seja um guerreiro poderoso, mas não está agindo como tal. Ele desce até o vale acompanhado de um auxiliar – um servo caminhando à sua frente, portando um escudo. Portadores de escudos nos tempos antigos costumavam acompanhar os arqueiros nas batalhas, porque um soldado com arco e flecha não tinha mão livre para carregar qualquer outro tipo de proteção. Mas por que Golias, um homem que pede um combate corpo a corpo, precisa ser ajudado por um terceiro carregando o escudo de um arqueiro?

Além disso, por que ele diz a Davi "Venha aqui"? Por que o gigante não pode ir até o inimigo? O relato bíblico enfatiza a lentidão com que Golias se move, o que é uma descrição estranha de alguém considerado um herói das batalhas com força infinita. De qualquer modo, por que Golias não reage bem ante a visão de Davi descendo o morro sem espada, escudo ou armadura? Ao ver Davi, sua primeira reação é sentir-se insultado, quando deveria estar aterrorizado. Ele parece ignorar o que está ocorrendo à sua volta. Ainda existe aquele comentário estranho após enfim distinguir o oponente com o cajado de pastor: "Por acaso sou um cão, para que você venha contra mim com pedaços de pau?" Pedaços de pau? Davi está segurando um só pau.

Muitos especialistas médicos acreditam que Golias tinha alguma doença grave. Ele parece e soa como alguém sofrendo da chamada acromegalia – doença causada por um tumor benigno da glândula pituitária. O tumor causa uma superprodução do hormônio do crescimento humano, o que explicaria o tamanho extraordinário de Golias. (A pessoa mais alta do mundo, Robert Wadlow, sofria disso. Morreu medindo 2,70 metros, e aparentemente continuaria crescendo.)

Além disso, um dos efeitos colaterais mais comuns da acromegalia são problemas de visão. Os tumores pituitários podem crescer a ponto de comprimirem os nervos ópticos, e por isso pessoas com essa doença com frequência sofrem de uma visão severamente restrita e de diplopia, ou visão dupla. Por que Golias foi conduzido ao vale por um auxiliar? Porque o auxiliar era seu guia visual. Por que avança tão devagar? Porque o mundo à sua volta é um borrão. Por que leva tanto tempo para entender que Davi mudou as regras? Porque só o vê depois que este se aproxima. "Venha aqui e darei sua carne às aves do céu e aos animais do campo!", ele brada, e nesse pedido existe um sinal de vulnerabilidade. *Preciso que venha a mim, senão não consigo localizá-lo.* E depois vem o aparentemente inexplicável: "Por acaso sou um cão, para que você venha contra mim com pedaços de pau?" Davi possui apenas um pau. Golias vê dois.

O que os israelitas viram, do alto da montanha, foi um gigante intimidador. Na verdade, o que dava ao gigante seu tamanho também era a fonte de sua maior fraqueza. Existe uma lição importante aqui para batalhas contra todos os tipos de gigantes. Os fortes e poderosos nem sempre são o que parecem.

Davi, fortalecido pela coragem e pela fé, foi correndo em direção a Golias. O gigante estava cegado para sua aproximação – e aí foi derrubado: um homem grande e lento demais, com uma visão borrada, incapaz de compreender que o jogo havia virado. Ao longo de todos esses anos, temos contado errado esses tipos de história. Este livro pretende acertar as coisas.

PARTE I
AS VANTAGENS DAS DESVANTAGENS
(E AS DESVANTAGENS DAS VANTAGENS)

ALGUNS FINGEM QUE SÃO RICOS E NADA TÊM; OUTROS FINGEM QUE SÃO POBRES, E TÊM GRANDE RIQUEZA.

PROVÉRBIOS 13:7

CAPÍTULO UM

Vivek Ranadivé

"FOI REALMENTE POR ACASO. QUER DIZER, MEU PAI NUNCA HAVIA JOGADO BASQUETE."

1.

Quando Vivek Ranadivé decidiu treinar o time de basquete da filha Anjali, fixou-se em dois princípios. O primeiro foi que jamais elevaria a voz. Aquela era a National Junior Basketball – a Liga de Basquete Júnior. O time era constituído predominantemente de meninas de 12 anos, e adolescentes nessa idade, ele sabia pela experiência, não reagem bem a gritos. Decidiu que conduziria as coisas na quadra de basquete da mesma forma que fazia com seus negócios em sua empresa de software. Falaria calma e suavemente, e persuadiria as meninas da sabedoria de sua abordagem apelando para a razão e o bom senso.

O segundo princípio era mais importante. Ranadivé estava intrigado com a maneira como os americanos jogam basquete. Ele é de Mumbai, onde críquete e futebol são os esportes mais populares. Nunca esqueceria a primeira vez que assistiu a uma partida de basquete. Achou idiota. O Time A fazia cesta e imediatamente recuava para seu próprio lado da quadra. O Time B arremessava a bola da linha lateral e ia fazendo dribles até o lado da quadra do Time A, onde este aguardava paciente. Depois o processo se invertia.

Uma quadra oficial de basquete tem 28 metros de comprimento. Na maioria do tempo, um time defende apenas uns 7 metros desse espaço, concedendo ao outro 21 metros. Ocasionalmente os oponentes jogam com marcação cerrada – ou seja, se opõem à tentativa do adversário de avançar com a bola. Mas fazem aquilo por apenas alguns minutos. É como se houvesse um tipo de conspiração no mundo do basquete sobre como o jogo deve ser disputado, Ranadivé pensou, e essa conspiração tinha o efeito de aumentar a distância entre os times bons e os times fracos. Os bons, afinal, tinham jogadores que eram altos e conseguiam driblar e arremessar bem. Podiam executar com agilidade seus lances cuidadosamente preparados no lado de seu oponente. Por que, então, os times fracos jogavam de uma forma que facilitava aos times melhores fazerem exatamente aquilo em que eram bons?

Ranadivé olhou para suas meninas. Morgan e Julia eram genuínas jogadoras de basquete. Mas Nicky, Angela, Dani, Holly, Annika e sua própria filha, Anjali, nunca haviam praticado o esporte. Nem eram tão altas assim. Não sabiam arremessar. Não eram particularmente hábeis em quicar a bola. Não eram do tipo que joga uma partida no quintal toda noite. Ranadivé mora em Menlo Park, no coração do vale do Silício, na Califórnia. Seu time era formado de, nas palavras de Ranadivé, "menininhas lourinhas". Tratava-se de filhas dos nerds e programadores de computador: trabalhavam em projetos de ciências, liam livros longos e complicados e sonhavam em ser biólogas marinhas quando crescessem. Ranadivé sabia que, se jogassem da forma convencional – se deixassem as oponentes quicarem a bola quadra acima sem serem detidas –, com certeza perderiam para as meninas para quem o basquete era uma paixão. Ranadivé chegara aos Estados Unidos aos 17 anos com 50 dólares no bolso. Não era alguém que aceitasse facilmente uma derrota. Seu segundo princípio, então, foi que seu time aplicaria uma marcação cerrada – a cada partida, o tempo todo. O time foi parar nos campeonatos nacionais. "Foi realmente por acaso", contou Anjali Ranadivé. "Quer dizer, meu pai nunca havia jogado basquete."

2.

Vamos supor que você fizesse um levantamento de todas as guerras que ocorreram nos últimos 200 anos entre países muito grandes e muito pequenos. Digamos que um lado precise ter uma população e um poder bélico ao menos 10 vezes maiores que os do outro. Quantas vezes você acha que o lado maior venceu? A maioria de nós, eu presumo, estimaria esse número perto de cem por cento. Uma diferença de 10 vezes é *muita coisa*. Mas a verdadeira resposta poderá surpreendê-lo. Quando o cientista político Ivan Arreguín-Toft fez o cálculo alguns anos atrás, o resultado a que chegou foram 71,5%. O país mais fraco vence em pouco menos de um terço das vezes.

Arreguín-Toft, então, fez a pergunta de forma ligeiramente diferente. O que acontece nas guerras entre os fortes e os fracos quando o lado fraco faz como Davi e se recusa a lutar da forma como o lado maior deseja, preferindo táticas não convencionais ou de guerrilha? A resposta é: nesses casos, a porcentagem de vitórias da parte mais fraca sobe de 28,5% para 63,6%. Colocando isso sob outra perspectiva: a população dos Estados Unidos é 10 vezes maior que a do Canadá. Se os dois países entrassem em guerra e o Canadá optasse por lutar de forma não convencional, a história sugeriria que você deveria apostar no Canadá.

Pensamos nas vitórias dos azarões e das "zebras" como eventos improváveis, e por isso a história de Davi e Golias repercutiu tão fortemente todos esses anos. Mas Arreguín-Toft argumenta que não são nada improváveis. Os *underdogs* vencem o tempo todo. Por que, então, ficamos tão chocados cada vez que um Davi derrota um Golias? Por que pressupomos que alguém que é menor, mais pobre ou menos habilidoso está *necessariamente* em desvantagem?

Um dos desfavorecidos vitoriosos da lista de Arreguín-Toft, por exemplo, foi T. E. Lawrence – ou, como é mais conhecido, Lawrence da Arábia –, que liderou a revolta árabe contra o exército turco que ocupava a Arábia perto do fim da Primeira Guerra Mundial. Os britânicos estavam ajudando os árabes em seu levante, e seu objetivo era destruir a longa ferrovia que os turcos haviam construído de Damasco até as profundezas do deserto de Hejaz.

Foi uma tarefa hercúlea. Os turcos tinham um exército poderoso, com equipamentos modernos. Lawrence, em contraste, comandava um bando indisciplinado de beduínos. Não eram soldados capacitados; eram nômades. Reginald Wingate, um dos comandantes britânicos na região, chamou-os de "uma ralé destreinada, cuja maioria jamais atirou com um rifle". Mas eram durões e tinham mobilidade. O soldado beduíno típico carregava nada mais do que um rifle, 100 cartuchos de munição e 20 quilos de farinha de trigo, o que significava que conseguia percorrer quase 180 quilômetros por dia pelo deserto, mesmo no verão. Levava consigo cerca de meio litro de água potável, já que era exímio em achar água no deserto. "Nossos trunfos eram velocidade e tempo, e não o poder ofensivo", Lawrence escreveu. "Nossos maiores recursos disponíveis eram os homens das tribos – nada habituados à guerra formal –, cujos talentos eram a mobilidade, a resistência, a inteligência individual, o conhecimento da região, a coragem."

O general do século XVIII Maurice de Saxe fez a afirmação famosa de que a arte da guerra dependia das pernas, não das armas, e as tropas de Lawrence foram um bom exemplo disso. Em um período típico na primavera de 1917, seus homens dinamitaram 60 trilhos e cortaram uma linha telegráfica em Buair em 24 de março, sabotaram um trem em Abu al-Naam em 25 de março, dinamitaram 15 trilhos e cortaram uma linha telegráfica em Istabl Antar em 27 de março, depois atacaram uma guarnição turca e descarrilaram um trem em 29 de março, retornaram a Buair e sabotaram a via férrea de novo em 31 de março, dinamitaram 11 trilhos em Hedia em 3 de abril, atacaram a via férrea de Wadi Daiji em 4 e 5 de abril, e atacaram duas vezes em 6 de abril.

O golpe de mestre de Lawrence foi um ataque à cidade portuária de Aqaba. Os turcos esperavam um assalto dos navios britânicos patrulhando as águas do golfo de Aqaba a oeste. Lawrence decidiu, em vez disso, atacar do leste, chegando à cidade pelo deserto desprotegido, e para isso liderou seus homens num circuito audacioso de quase mil quilômetros – subindo de Hejaz ao deserto sírio no norte e depois descendo de volta a Aqaba. Isso foi no verão, através de uma das terras mais inóspitas do Oriente Médio, e Lawrence acrescentou uma incursão secundária à periferia de Damasco para enganar os turcos sobre suas intenções. "Naquele ano o vale parecia repleto de cerastas e biútas, najas e serpentes negras", Lawrence escreveu em *Os sete pilares da sabedoria* sobre um estágio de sua viagem:

> Não era fácil apanhar água após escurecer, pois havia cobras nadando nos lagos ou reunidas em grupos em torno de suas margens. Duas vezes biútas vieram serpenteando até um grupo que debatia durante o café da manhã. Três de nossos homens morreram das picadas; quatro se recuperaram após grande medo e dor e um inchaço no membro envenenado. O tratamento de Howeitat era enfaixar a parte com emplastro de pele de cobra e ler capítulos do Alcorão ao sofredor até ele morrer.

Quando enfim chegou a Aqaba, o bando de Lawrence, constituído de várias centenas de guerreiros, matou ou capturou 1.200

turcos e perdeu apenas dois homens. Os turcos simplesmente não haviam imaginado que seu oponente seria tão louco a ponto de atacá-los vindo do deserto.

Reginald Wingate tachou os homens de Lawrence de uma "ralé destreinada". Ele achava que os turcos venceriam de lavada. Mas você consegue ver a estranheza disso? Dispor de montes de soldados, armas e recursos – o caso dos turcos – é uma vantagem. Mas deixa você imóvel e na defensiva. Nesse ínterim, mobilidade, resistência, inteligência individual, conhecimento da região e coragem – de que os homens de Lawrence dispunham em abundância – permitiram que "a ralé" fizesse o impossível: atacasse Aqaba do leste, uma estratégia tão audaciosa que os turcos jamais a previram. Existem vantagens relacionadas aos recursos materiais e aquelas relacionadas à *ausência* deles – e o motivo por que os prováveis perdedores vencem com tamanha frequência é que às vezes estas últimas são tão poderosas quanto as primeiras.

Por alguma razão, temos dificuldade em aprender essa lição. Acredito que temos uma definição muito rígida e limitada do que constitui uma vantagem. Achamos úteis coisas que na verdade não são, e inúteis coisas que na verdade nos deixam mais fortes e sábios. A Parte 1 de *Davi e Golias* é uma tentativa de explorar as consequências desse erro. Quando vemos o gigante, por que supomos automaticamente que ele vencerá a batalha? E o que faz com que alguém seja aquela pessoa que desafia a ordem convencional das coisas – como Davi, Lawrence da Arábia ou, por sinal, Vivek Ranadivé e seu time de meninas nerds do vale do Silício?

3.

O time de basquete de Vivek Ranadivé jogou na divisão do sétimo e oitavo anos da Liga de Basquete Júnior representando Redwood

City. As meninas treinaram no Paye's Place, um ginásio na cidade vizinha San Carlos. Como Ranadivé jamais jogara basquete, recrutou um grupo de experts para ajudá-lo. O primeiro foi Roger Craig, ex-atleta profissional que trabalhava para a empresa de software de Ranadivé.* Depois disso, Ranadivé recrutou a filha de Craig, Rometra, que jogara basquete na faculdade. Ela era o tipo de pessoa que você escalaria para marcar o melhor jogador adversário, inutilizando-o. As meninas do time a adoravam. "Ela era como uma irmã mais velha para mim", disse Anjali Ranadivé.

A estratégia do Redwood City girou em torno dos dois prazos que todos os times de basquete devem cumprir para avançar com a bola. O primeiro é o tempo destinado ao *inbounds pass* (passe da linha lateral). Quando um time faz cesta, um jogador do outro time leva a bola para fora da quadra e tem cinco segundos para passá-la a um companheiro de equipe na quadra. Se esse prazo não for cumprido, a bola vai para o outro time. Geralmente, isso não é problema, porque os adversários não ficam perdendo tempo tentando bloquear essa jogada. Eles saem correndo para o seu lado da quadra. Mas o Redwood City agia diferente. Cada menina fazia marcação cerrada de sua adversária. Quando alguns times jogam na pressão, normalmente o defensor se posiciona atrás do atacante que está marcando a fim de detê-lo assim que ele pegar a bola. As meninas do Redwood City, ao contrário, aplicavam uma estratégia mais agressiva, de alto risco. Elas se posicionavam na frente de suas adversárias para impedir que apanhassem o *inbounds pass*, e ninguém ficava marcando a jogadora que arremessava a bola nesse momento. Por que se preocupar com ela? Ranadivé usou sua jogadora que não precisava marcar a que ia dar o passe como uma segunda defensora contra a melhor jogadora do outro time.

---

* Roger Craig, cabe dizer, é mais do que um simples ex-atleta profissional. Agora aposentado, foi um dos maiores *running backs* na história da Liga Nacional de Futebol Americano dos Estados Unidos.

"Pense no futebol americano", disse Ranadivé. "O *quarterback* pode correr com a bola. Ele tem o campo inteiro para arremessá-la, mas mesmo assim é bem difícil completar um passe."

No basquete era mais difícil ainda. Uma quadra menor. Um prazo de cinco segundos. Uma bola maior e mais pesada. Com frequência, os times que Redwood City enfrentava não conseguiam fazer o *inbounds pass* no limite de cinco segundos. Ou a jogadora adversária entrava em pânico porque seus cinco segundos estavam se esgotando e o lance seria desperdiçado. Ou seu passe era interceptado por uma das jogadoras de Redwood City. As meninas de Ranadivé eram frenéticas.

O segundo prazo no basquete estabelece que um time avance com a bola pelo meio da quadra até a extremidade do seu oponente em 10 segundos; se as adversárias de Redwood City cumpriam o primeiro prazo e conseguiam fazer o *inbounds pass* em tempo, as meninas voltavam sua atenção ao segundo prazo. Elas atacavam a que tinha recebido o *inbounds pass* e a "encurralavam". Anjali foi escalada para ser a "encurraladora". Ela saía correndo e, junto com uma colega, atacava a jogadora que estava com a bola, estendendo seus longos braços ao redor dela. Talvez roubasse a bola. Ou podia ser que a outra jogadora a arremessasse em pânico – ou ficasse imobilizada, levando o juiz a enfim soprar o apito.

"Quando começamos, ninguém sabia como jogar na defesa nem nada", contou Anjali. "Então meu pai dizia durante toda a partida: 'O seu papel é marcar uma jogadora e se certificar de que ela nunca pegará a bola no *inbounds pass*.' A melhor sensação do mundo *é* roubar a bola de alguém. A gente pressionava e roubava, e repetia isso várias vezes. Aquilo deixava as adversárias supernervosas. Havia times bem melhores do que o nosso, que estavam jogando há muito tempo, mas nós os derrotávamos."

As jogadoras de Redwood City conseguiam vantagens de 4 a 0, 6 a 0, 8 a 0, 12 a 0. Certa vez chegaram a liderar por 25 a 0.

Como normalmente obtinham a bola sob a cesta do adversário, raramente precisavam tentar os arremessos de longo alcance, que, por terem baixa porcentagem de acerto, requerem habilidade e prática. Seus arremessos eram de curta distância. Numa das poucas partidas que o Redwood City perdeu naquele ano, apenas quatro das jogadoras do time apareceram. Elas pressionaram mesmo assim. Por que não? Perderam por apenas três pontos.

"O que aquela defesa fazia por nós era ocultar nossa fraqueza", explicou Rometra Craig. "Podíamos esconder o fato de que não tínhamos boas arremessadoras de fora do garrafão nem as jogadoras mais altas. Porque, enquanto jogássemos duro na defesa, conseguiríamos roubar a bola e fazer arremessos fáceis de perto da cesta. Eu era honesta com as meninas e dizia a elas: 'Não somos o melhor time de basquete do pedaço.' Mas elas entendiam seus papéis. Elas eram incríveis."

Lawrence atacou os turcos onde eram mais fracos – ao longo dos postos avançados mais remotos e desertos da ferrovia – e não onde eram mais fortes. O Redwood City atacou o *inbounds pass*, o ponto numa partida em que um ótimo time está tão vulnerável quanto um fraco. Davi se recusou a enfrentar Golias de perto, situação em que com certeza perderia. Ficou bem atrás, usando todo o vale como seu campo de batalha. As meninas do Redwood City empregaram a mesma tática. Elas defendiam todos os 28 metros da quadra de basquete. A pressão na quadra inteira envolve as pernas, não os braços. Supera a habilidade mediante o esforço. É basquete para aqueles como os beduínos de Lawrence, "nada habituados à guerra formal – cujos talentos eram a mobilidade, a resistência, a inteligência individual [...] a coragem".

– Trata-se de uma estratégia *exaustiva* – disse Roger Craig. Ele e Ranadivé estavam numa sala de reuniões da empresa de software de Ranadivé, recordando a temporada de seus sonhos.

Ranadivé estava num quadro branco, diagramando as complexidades da marcação do Redwood City. Craig estava sentado à mesa.

– Minhas meninas tinham que estar em melhor forma física do que as outras – declarou Ranadivé.

– Ele costumava botá-las pra correr! – observou Craig, assentindo com a cabeça.

– Seguíamos a estratégia do futebol nos treinos – disse Ranadivé. – Eu fazia elas correrem, correrem e correrem. Não dava para ensinar habilidades naquele curto período de tempo, portanto tudo que fizemos foi assegurar que estivessem em boa forma física e tivessem certa compreensão básica do jogo. A atitude desempenha um papel muito importante, porque você vai se cansar.

Ranadivé disse "se cansar" com um tom de aprovação na voz. Seu pai era piloto e foi preso pelo governo indiano porque não parava de desafiar a segurança dos aviões do país. Ranadivé foi para o MIT após ver um documentário sobre a instituição e decidir que era perfeita para ele. Isso foi na década de 1970, quando viajar para estudar fora do país requeria que o governo indiano autorizasse a liberação de moeda estrangeira. Sendo assim, Ranadivé acampou diante do escritório do presidente do Banco Central da Índia até conseguir o dinheiro. Ranadivé é esguio, tem ossos finos, andar vagaroso e um ar de imperturbabilidade. Mas nada daquilo devia ser confundido com descuido ou indiferença. Os Ranadivé eram implacáveis.

Ele se voltou para Craig:

– Qual era o nosso grito de guerra?

Os dois homens pensaram por um momento, depois bradaram alegres, em uníssono:

– Um, dois, três, *atitude*!

Toda a filosofia do Redwood City baseava-se na disposição em se esforçar mais do que qualquer outro.

– Certa vez, umas meninas novas entraram no time – lembrou Ranadivé – e aí, no primeiro treino que tivemos, expliquei como jogávamos e disse que o segredo de tudo é a atitude. Mas uma das meninas não me inspirou muita confiança e temi que ela não sacasse a nossa ideia. Quando entoamos o grito de guerra, ela disse: "Não, não é um, dois, três, *atitude*. É um, dois, três, atitude, *há*!"

Ranadivé e Craig deram uma gargalhada.

4.

Em janeiro de 1971, o Fordham University Rams disputou uma partida de basquete contra o Redmen da Universidade de Massachusetts. O jogo foi em Amherst, na arena lendária conhecida como Cage, onde o Redmen não perdia desde dezembro de 1969. Seu recorde era 11–1. O astro do Redmen era ninguém menos que Julius Erving – Dr. J –, um dos maiores atletas que já jogaram basquete. O time da Universidade de Massachusetts era muito, muito bom. O Fordham, por outro lado, era um time de rapazes brigões do Bronx e do Brooklyn. Seu pivô havia machucado o joelho na primeira semana de treino e estava sem jogar, o que significava que seu jogador mais alto tinha 1,95 metro. Seu ala *starting forward* – e os alas costumam ser tão altos quanto os pivôs – era Charlie Yelverton, com apenas 1,88 metro. Mas desde o arremesso inicial o Rams fez marcação cerrada na quadra toda, sem esmorecer.

"Saltamos para uma liderança de 13 a 6, e foi uma guerra no resto do tempo", recorda Digger Phelps, o treinador do Fordham na época. "Aqueles eram rapazes durões da cidade. Marcamos o adversário nos 28 metros da quadra. Sabíamos que, mais cedo ou mais tarde, iríamos quebrá-lo."

Phelps mandou que um incansável rapaz irlandês ou italiano após outro marcasse Erving e, um por um, eles foram expulsos por faltas. Nenhum deles era tão bom como Erving. Mas isso não teve importância. O Fordham venceu por 87 a 79.

No mundo do basquete existem inúmeras histórias como essa sobre partidas lendárias em que Davi usou a pressão na quadra toda para derrotar Golias. No entanto, o enigma da pressão é que ela nunca se tornou popular. O que Digger Phelps fez na temporada após sua inesperada vitória contra o time de Massachusetts? Ele nunca mais usou a marcação cerrada da mesma forma. E quanto ao treinador desse time, Jack Leaman, que foi humilhado no próprio ginásio por um bando de moleques? Ele aprendeu com a derrota e usou ele mesmo a pressão na partida seguinte contra um time de azarões? Não. Muitas pessoas no mundo do basquete não acreditam na marcação por não ser perfeita: ela pode ser quebrada por um time bem treinado, com passadores e dribladores espertos. Até Ranadivé admite prontamente isso. Tudo que um time adversário precisava fazer para derrotar o Redwood City era pressionar de volta. As meninas não eram boas o suficiente para sentirem o gosto do próprio veneno. Mas todas essas objeções não captam o ponto essencial. Se as meninas de Ranadivé ou os brigões vitoriosos do Fordham houvessem jogado da forma convencional, teriam perdido por 30 pontos. A marcação cerrada era a melhor chance de um azarão derrotar Golias. Pela lógica, *todo* time que disputa com poucas chances de vitória deveria jogar assim, não é? Então por que não jogam?

Arreguín-Toft encontrou o mesmo padrão intrigante. Quando um azarão lutava feito Davi, geralmente vencia. Mas quase sempre um azarão *não* fazia isso. Dos 202 conflitos desiguais no banco de dados de Arreguín-Toft, o mais desfavorecido optou por lutar corpo a corpo com Golias, da forma convencional, 152 vezes – e perdeu em 119 delas. E foram muitos os povos que perderam lutando da forma convencional: em 1809, os peruanos combatendo os espanhóis; em 1816, os georgianos contra os russos; em 1817, os pindaris indianos em combate com os britânicos; na rebelião do reino de Kandy em 1817, os cingaleses em luta com os britânicos; em 1823, os birmaneses contra este mesmo adversário. A lista de fracassos é infinita. Na década de 1940, a rebelião comunista no Vietnã atormentou os franceses até que, em 1951, Vo Nguyen Giap, o estrategista do Viet Minh, passou a lutar da forma usual – e imediatamente sofreu uma série de derrotas. George Washington fez o mesmo na Revolução Americana, abandonando as táticas de guerrilha que serviram tão bem aos colonos nos estágios iniciais do conflito. "O mais rápido possível", William Polk escreveu em *Violent Politics*, uma história da guerra não convencional, Washington "dedicou suas energias à criação de um exército similar ao britânico, a Linha Continental. Como resultado, foi repetidamente derrotado e quase perdeu a guerra."

Isso não faz sentido, a não ser que você recorde a longa marcha de Lawrence através do deserto até Aqaba. É mais fácil vestir soldados com uniformes vistosos e fazê-los marcharem ao som de uma banda militar do que fazer com que percorram mil quilômetros por um deserto infestado de cobras, montando camelos. É mais fácil e bem mais satisfatório recuar e se recompor após cada cesta – e executar jogadas perfeitamente coreografadas – do que correr para lá e para cá, agitando os braços, e disputar cada centímetro da quadra de basquete. As estratégias dos azarões são *dureza*.

A única pessoa que pareceu ter absorvido as lições daquela famosa partida entre Fordham e a Universidade de Massachusetts foi um defensor baixo e magrelo do time de calouros de Massachusetts chamado Rick Pitino. Ele não jogou naquele dia; assistiu à partida, e seus olhos se arregalaram. Até hoje, mais de quatro décadas depois, ele sabe de cor os nomes de cada jogador do Fordham: Yelverton, Sullivan, Mainor, Charles, Zambetti.

"Eles entraram na quadra com o time marcador mais incrível que já vi", disse Pitino. "Cinco sujeitos com altura entre 1,95 metro e 1,82 metro. Foi incrível como cobriram o terreno. Eu estudei a partida. Não havia como nos derrotarem. Ninguém nos derrotava no Cage."

Pitino tornou-se treinador titular da Universidade de Boston em 1978, aos 25 anos, e usou a pressão para levar a universidade à primeira participação no torneio da NCAA em 25 anos. Em sua atuação seguinte como treinador titular, no Providence College, Pitino assumiu um time com 11 vitórias e 20 derrotas no ano anterior. Os jogadores eram baixos e quase não tinham talento – uma cópia do Fordham Rams. Eles pressionaram e por pouco não disputaram o campeonato nacional. Repetidamente, Pitino conseguiu coisas extraordinárias com uma fração do talento de seus adversários.

"São muitos os treinadores que vêm a cada ano aprender a marcação cerrada", contou Pitino. Ele agora é o treinador titular de basquete da Universidade de Louisville, que tornou-se a meca de todos aqueles Davis tentando aprender como derrotar Golias. "Eles me mandam e-mails e dizem que não conseguem fazer isso. Não sabem se seus jogadores resistirão." Pitino fez um sinal negativo com a cabeça. "Treinamos diariamente por duas horas", prosseguiu. "Os jogadores ficam em movimento durante quase 98% do treinamento. Passamos pouquíssimo tempo conversando. Quando fazemos nossas correções", ou seja, quando Pitino e seus auxiliares interrompem o jogo para dar instruções, isso dura uns "sete segundos, portanto nosso batimento cardíaco nunca reduz o ritmo. Estamos sempre em atividade".

Sete segundos! Os técnicos que vão à Louisiana, ao se sentarem nas arquibancadas e assistirem àquela atividade incessante, se desesperam. Para jogar pelas regras de Davi você precisa estar desesperado. Precisa ser tão *ruim* que não tenha outra saída. Eles sabem que seus times não se encaixam nesse perfil, portanto os jogadores jamais conseguiriam ser convencidos a se esforçar tanto. Eles não estariam desesperados o bastante. Mas e quanto a Ranadivé? Ah, ele *estava* desesperado. Observando suas meninas, você poderia pensar que a total incapacidade de dar um bom passe, driblar e arremessar era sua maior desvantagem. Mas não foi, certo? Foi o que tornou possível sua estratégia vitoriosa.

5.

Uma das coisas que aconteceram com o Redwood City no instante em que o time passou a vencer partidas de basquete foi que os técnicos adversários começaram a ficar irritados. Havia uma sensação de que o Redwood City não estava jogando de forma justa – que não era certo pressionar na quadra toda contra meninas de 12 anos que estavam se iniciando nos rudimentos do jogo. O objetivo do basquete jovem, o coro discordante alegou, é ensinar habilidades do esporte. As meninas de Ranadivé, eles achavam, não estavam realmente jogando *basquete*. Claro que você podia facilmente argumentar que, ao jogar pressionando, uma menina de 12 anos aprendia lições bem mais valiosas: que o esforço pode vencer a habilidade e que as convenções foram feitas para serem desafiadas. Mas os treinadores dos times perdedores não estavam inclinados a ser tão filosóficos assim.

– Teve um sujeito que quis brigar comigo no estacionamento – relatou Ranadivé. – Um sujeito grandão. Obviamente jogava futebol americano e basquete, e viu aquele estrangeiro magricelo derrotando-o. Ele queria me dar uma surra.

Roger Craig disse que às vezes se surpreendia com o que via.

– Os outros treinadores berravam com suas meninas, humilhando-as, xingando-as. Diziam aos árbitros: "Foi falta! Foi falta!" Mas isso não era verdade. Estávamos apenas praticando uma defesa agressiva.

— Certa vez, enfrentamos aquele time de East San Jose — contou Ranadivé. — Elas jogavam havia anos. Eram meninas que nasceram com uma bola de basquete na mão. Nós estávamos dando um banho nelas. O placar marcava 20 a 0. Nós nem as deixávamos lançar a bola na quadra. O treinador ficou tão enfurecido que pegou uma cadeira e a atirou longe. Começou a berrar com o time dele, e claro que quanto mais você berra com meninas dessa idade, mais nervosas elas ficam. — Ranadivé fez um sinal de não com a cabeça. — Uma pessoa jamais deve elevar sua voz. Finalmente o juiz expulsou o sujeito do local. Fiquei com medo. Acho que ele não conseguiu suportar aquilo porque ali estavam todas aquelas meninas loirinhas que eram claramente jogadoras inferiores, mas nós estávamos arrasando.

As qualidades que distinguem o jogador de basquete ideal são lances de habilidade e execução finamente calibrada. Quando o esforço começa a sobrepujar a habilidade, o jogo se torna irreconhecível: uma mistura chocante de jogadas interrompidas, pernas e braços descontrolados e jogadores geralmente competentes entrando em pânico e lançando a bola para fora da quadra. Você precisa ser um forasteiro — um estrangeiro recém-apresentado ao jogo ou um rapaz magricelo de Nova York no fim do banco de reservas — para ter a audácia de continuar jogando assim.

T. E. Lawrence pôde triunfar porque era a coisa mais distante do oficial do Exército britânico típico. Ele não se graduou com louvor pela melhor academia militar inglesa. Era um arqueólogo que escrevia uma prosa onírica. Usava sandálias e traje completo de beduíno quando ia ver seus superiores nas Forças Armadas. Falava árabe como um nativo e controlava um camelo como se tivesse montado um a vida toda. Não dava a mínima ao que o establishment militar pensava sobre sua "ralé destreinada". E, quanto a Davi, esperava-se que ele soubesse que duelos com filisteus deveriam ocorrer formalmente, com o bater de espadas. Mas ele era um pastor, uma das profissões mais humildes nos tempos antigos. Não tinha interesse nas sutilezas do ritual militar.

Passamos muito tempo pensando em como prestígio, recursos e o fato de pertencer a instituições de elite podem nos favorecer, mas dedicamos pouco tempo a avaliar como esses tipos de vantagens materiais limitam nossas opções. Vivek Ranadivé não se abalava quando os pais e treinadores das jogadoras adversárias o xingavam. A maioria das pessoas teria recuado diante desse tipo de crítica. Não Ranadivé. *Foi realmente por acaso. Quer dizer, meu pai nunca havia jogado basquete.* Por que ele deveria se preocupar com o que o mundo do basquete achava dele? Ranadivé treinava um time de meninas sem nenhum talento em um esporte do qual nada conhecia. Era um azarão e um desajustado, o que lhe deu liberdade para tentar coisas com que os outros jamais sonharam.

6.

No campeonato nacional, as meninas do Redwood City venceram suas primeiras duas partidas. Na terceira rodada, suas oponentes eram de Orange County. O Redwood City teve que enfrentá-las na quadra das adversárias, que também forneceram o juiz da partida. O jogo foi às oito da manhã. As jogadoras do Redwood City saíram do hotel às seis para fugirem do trânsito. Tudo deu errado dali para a frente. O juiz não acreditava em "um, dois, três, atitude, há!". Para ele, ficar bloqueando os *inbounds pass* não era basquete, então começou a marcar uma falta após outra.

– Eram faltas por toques – Craig disse.

Uma coisa bem baixa. A lembrança é dolorosa.

— Minhas meninas não entendiam — disse Ranadivé. — O juiz marcou quatro vezes mais faltas contra nós do que contra o outro time.

— As pessoas estavam vaiando — completou Craig. — Foi horrível.

— Uma proporção de duas para uma é compreensível, mas de quatro para uma?

Ranadivé fez um gesto de desaprovação com a cabeça.

— Uma menina foi expulsa.

— Não fomos aniquilados. Ainda havia uma chance de vitória. Mas...

Ranadivé mandou cancelarem a marcação cerrada. Teve que fazê-lo. As jogadoras do Redwood City recuaram para seu lado da quadra e passivamente observaram enquanto suas adversárias avançavam sobre elas. As meninas do Redwood City não corriam. Faziam uma pausa e deliberavam entre cada posse de bola. Jogaram basquete do jeito como se supõe que deva ser jogado, e no final perderam — mas não antes de provarem que Golias não é bem o gigante que julga ser.

CAPÍTULO DOIS

Teresa DeBrito

"MINHA MAIOR TURMA TINHA 29 CRIANÇAS. AH, ERA DIVERTIDO."

1.

Quando a Shepaug Valley Middle School foi construída na década de 1960, para receber as crianças do baby boom, 300 estudantes saltavam dos ônibus escolares todas as manhãs. A escola tinha uma sequência de portas duplas na entrada para dar conta da multidão, e os corredores lá dentro pareciam tão movimentados quanto uma rodovia.

Mas isso faz muito tempo. O baby boom veio e foi embora. O cantinho bucólico de Connecticut onde se situa Shepaug, com seus encantadores vilarejos da era colonial e suas estradinhas rurais serpenteantes, foi descoberto por casais abastados da cidade de Nova York. Os preços dos imóveis dispararam. As famílias mais jovens já não conseguiam morar na área. O número de alunos caiu para 245, depois para pouco mais de 200. Existem hoje 80 alunos matriculados no sexto ano. A julgar pelo número de alunos que passam pelas escolas de ensino básico da região, esse número logo se reduzirá à metade, o que significa que o tamanho médio de uma turma na escola logo cairá bem abaixo da média nacional. Antes lotada, a Shepaug agora se tornou intimista.

Você matricularia seu filho na Shepaug Valley Middle School?

2.

A história de Vivek Ranadivé e do time de basquete das meninas do Redwood City sugere que o que consideramos uma vantagem e uma desvantagem nem sempre está correto, que confundimos as categorias. Neste capítulo e no próximo, pretendo aplicar essa ideia a duas perguntas aparentemente simples sobre educação. Digo "aparentemente" porque parecem simples, embora, como descobriremos, não sejam.

A primeira é a que fiz sobre a Shepaug Valley Middle School. Meu palpite é que você adoraria mandar seu filho para uma dessas salas de aula intimistas. Praticamente em todo o mundo, pais e formuladores de políticas não têm dúvidas de que turmas menores são melhores. Nos últimos anos, os governos dos Estados Unidos, da Grã-Bretanha, da Holanda, do Canadá, de Hong Kong, de Cingapura, da Coreia e da China – para citar só alguns – tomaram medidas importantes para reduzir o tamanho de suas turmas escolares. Quando o governador da Califórnia anunciou planos ambiciosos para colocar isso em prática em seu estado, sua popularidade *dobrou* em três semanas. Decorrido um mês, 20 outros governadores haviam anunciado planos para seguir seu exemplo, e dentro de um mês e meio a Casa Branca anunciou os próprios planos relacionados a essa iniciativa. Até hoje, 77% dos americanos acham que faz mais sentido pagar impostos para reduzir o tamanho das classes do que para aumentar os salários dos professores. Você faz ideia de como é difícil achar algo com que 77% dos americanos concordem?

Costumava haver até 25 alunos em uma turma da Shepaug Valley. Agora esse número às vezes cai para 15. Isso significa que seus alunos recebem dos professores bem mais atenção individual do que antes, e o senso comum diz que quanto mais atenção as crianças recebem de seu mestre, melhor será a experiência de aprendizado. Os alunos na nova e intimista Shepaug Valley deveriam estar se saindo melhor do que aqueles da escola antiga e apinhada, certo?

Existe uma maneira bem elegante de testar se isso é verdade. Connecticut conta com um monte de escolas como a Shepaug. Trata-se de um estado com muitas cidades pequenas com escolas primárias pequenas, e estas estão sujeitas às flutuações das taxas de natalidade e dos preços dos imóveis – o que significa que uma turma pode estar quase vazia num ano e lotada no ano seguinte. Aqui estão os números de matrículas, por exemplo, para o quinto ano de outra escola média de Connecticut:

1993 18	2000 21
1994 11	2001 23
1995 17	2002 10
1996 14	2003 18
1997 13	2004 21
1998 16	2005 18
1999 15	

Em 2001, havia 23 alunos no quinto ano. No ano seguinte, 10! Entre 2001 e 2002, todo o resto naquela escola permaneceu igual: professores, diretor, livros-textos. Continuou no mesmo prédio da mesma cidade. A economia local e a população local se mantiveram praticamente idênticas. A única coisa que mudou foi o número de alunos no quinto ano. Se os alunos no ano com mais matrículas se saíram melhor do que os alunos no ano com menos matrículas, podemos ter certeza de que foi por conta do tamanho da turma, certo?

Isso é o que se chama de "experimento natural". Às vezes os cientistas organizam experimentos formais para testar hipóteses. Mas em raras ocasiões o mundo real fornece um meio natural de testar a mesma teoria – e experimentos naturais possuem muitas vantagens em relação aos formais. Então o que acontece se você usa o natural de Connecticut e compara os resultados ano a ano de cada aluno que estudou numa turma pequena com os resultados daqueles que por acaso estudaram em anos com montes de crianças? A economista Caroline Hoxby fez exatamente isso, examinando todas as escolas de ensino fundamental no estado de Connecticut, e eis o que descobriu: nada! "Existem muitos estudos que dizem que não é possível encontrar um efeito estatístico significativo de determinada mudança de política", diz Caroline. "O que não significa que não houve efeito algum, mas apenas que ele não foi encontrado nos dados. Nesse estudo, achei estimativas que estão muito precisamente concentradas em torno do ponto zero. Obtive um zero preciso. Em outras palavras, *não existe efeito*."

Este é apenas um estudo, na verdade. Mas o quadro não fica mais claro se você examina todos os estudos de tamanho de turma – e centenas foram realizados ao longo dos anos. Cerca de 15% encontram indícios estatisticamente significativos de que os alunos se saem melhor em turmas menores. Mais ou menos o mesmo número constata o contrário, que eles se saem pior nesses casos. Em torno de 20% são como o estudo de Caroline e não detectam efeito algum – e o saldo encontra um leve indício em uma ou outra direção sem força suficiente para se chegar a quaisquer conclusões reais. Um estudo de tamanho de turma chegou à seguinte conclusão:

> Em quatro países – Austrália, Hong Kong, Escócia e Estados Unidos – nossa estratégia de identificação leva a estimativas extremamente imprecisas que não permitem qualquer afirmação segura sobre os efeitos do tamanho de uma turma. Em dois países – Grécia e Islândia – as

turmas menores parecem ter efeitos benéficos não triviais. A França é o único país onde parece haver diferenças notáveis entre o ensino de matemática e ciências: embora exista um efeito estatisticamente significativo e mensurável dependendo do tamanho das turmas de matemática, o mesmo não acontece nas de ciências. Os oito sistemas escolares para os quais podemos descartar efeitos em larga escala do tamanho das turmas sobre o ensino tanto de matemática como de ciências são da Bélgica (duas escolas), Canadá, República Tcheca, Coreia, Portugal, Romênia, Eslovênia e Espanha. Finalmente, podemos descartar qualquer efeito causal notável decorrente do tamanho da turma sobre o desempenho dos alunos em dois países: Japão e Cingapura.

Você prestou atenção? Após examinarem milhares de páginas de dados sobre o desempenho de alunos de 17 países distintos, os economistas concluíram que em apenas dois lugares do mundo – Grécia e Islândia – "as turmas menores parecem ter efeitos benéficos não triviais". *Grécia e Islândia?* O esforço para reduzir o tamanho das turmas nos Estados Unidos resultou na contratação de cerca de 250 mil professores novos entre 1996 e 2004. Nesse mesmo período, o gasto por aluno neste país disparou 21% – com dezenas de bilhões de dólares despendidos na contratação dos professores extras. Podemos dizer que não existe uma única profissão no mundo cujos números cresceram nas últimas duas décadas na mesma proporção, tão rapidamente ou com tamanho custo como a de professor. Um país após outro gastou esse volume de dinheiro porque olhamos para uma escola como a Shepaug Valley – onde cada professor tem a chance de conhecer cada aluno – e pensamos: "É para lá que quero mandar o meu filho." Mas os indícios são de que aquilo que julgamos ser uma grande vantagem pode não ser tão vantajoso assim.*

3.

Há pouco tempo, bati um papo com uma das pessoas mais poderosas de Hollywood. Ele começou me contando sobre sua infância em Minneapolis. Costumava subir e descer as ruas de seu bairro no início de cada inverno para combinar com os vizinhos a remoção da neve das calçadas e entradas de garagem. Depois terceirizava cada serviço para outras crianças do bairro. Pagava seus trabalhadores no momento em que o serviço era completado, com dinheiro na mão, e cobrava o dinheiro das famílias depois, porque descobriu que aquela era a forma mais segura de fazer sua equipe dar duro. Ele tinha oito, às vezes nove crianças em sua folha de pagamento. No outono, mudava de ramo: remoção de folhas caídas.

"Eu ia lá checar o trabalho para garantir ao cliente que a frente de sua casa ficaria do jeito que ele queria", recordou. "Sempre havia uma ou duas crianças que não faziam o trabalho direito, e eu precisava despedi-las."

Ele tinha 10 anos. Aos 11, dispunha de 600 dólares no banco, tudo ganho com seu esforço. Isso foi na década de 1950. Seria o equivalente hoje a 5 mil dólares.

"Eu não tinha dinheiro para ir aonde eu queria", disse ele dando de ombros, como se fosse óbvio que uma criança de 11 anos teria uma ideia de aonde queria ir. "Qualquer idiota conse-

---

* A análise definitiva das centenas de estudos de tamanho de turmas foi realizada pelo economista educacional Eric Hanushek em *The Evidence on Class Size* (As evidências sobre o tamanho das turmas). Ele diz: "Provavelmente nenhum aspecto das escolas foi tão estudado como o tamanho de suas turmas. Esse trabalho se estende há anos, e não há motivo para se acreditar que exista alguma relação sistemática com o desempenho."

gue gastar dinheiro. Mas ao ganhá-lo, poupá-lo e adiar a gratificação... só aí você aprende a valorizá-lo de um jeito diferente."

A família dele vivia no que as pessoas eufemisticamente chamavam de "bairro misto". Ele estudou em escolas públicas e vestia roupa de segunda mão. Seu pai foi um produto da Depressão e conversava abertamente sobre dinheiro. O homem de Hollywood contou que, se pedisse um presente – um par de tênis novo, digamos, ou uma bicicleta –, seu pai dizia que ele teria que pagar metade de seu preço. Se esquecia a lâmpada acesa, o pai lhe mostrava a conta de luz.

"Ele dizia: 'Olhe, é isto que pagamos pela eletricidade. Você está sendo preguiçoso ao não apagar a luz. Estamos bancando sua preguiça. Mas, se precisar gastá-la para trabalhar 24 horas por dia, aí tudo bem.'"

No verão do ano em que completou 16 anos, foi trabalhar no ferro-velho do pai. Um trabalho duro, braçal. O então adolescente era tratado como qualquer outro funcionário.

"Aquilo fez com que eu não quisesse viver em Minneapolis", disse ele. "Fez com que eu jamais quisesse depender de trabalhar para o meu pai. Era horrível. Era sujo, duro, maçante. Trabalhei ali colocando metal descartado em barris de 15 de maio até o início de setembro. Eu não conseguia remover a sujeira do meu corpo. Agora, olhando para trás, acho que meu pai queria que eu trabalhasse ali porque sabia que eu ia acabar desejando cair fora. Eu ficaria motivado a fazer algo diferente."

Na universidade ele montou um serviço de lavanderia, recolhendo as roupas sujas de seus colegas ricaços e entregando-as limpas. Organizou voos fretados de estudantes para a Europa. Ia assistir aos jogos de basquete com um amigo, sentava-se em lugares horríveis – obstruídos por uma coluna – e ficava imaginando como seria ficar nos assentos *premium* perto da quadra. Fez faculdades de administração e direito em Nova York e morou numa área degradada no Brooklyn para economizar. Após a graduação, conseguiu trabalho em Hollywood, que levou a um emprego melhor e depois a um mais gratificante, e também a negócios paralelos, prêmios e uma série de sucessos extraordinários – a ponto de agora possuir uma casa em Beverly Hills do tamanho de um hangar de aviões, seu próprio jato e uma Ferrari na garagem. E ele entendia de dinheiro. Isso porque sentia que recebera uma educação minuciosa sobre seu valor e sua função, nas ruas de sua cidade natal, Minneapolis.

"Eu queria ter mais liberdade. Queria almejar coisas diferentes. O dinheiro era uma ferramenta que eu poderia usar para satisfazer meus sonhos, meus desejos e minha vontade", disse ele. "Ninguém me ensinou isso. Eu aprendi, por meio de tentativas e erros. Gostei daquilo. Ganhei autoestima. Senti mais controle sobre a minha vida."

Ao contar isso, ele estava sentado no escritório de sua mansão – um aposento provavelmente do tamanho da casa da maioria das pessoas – e aí enfim chegou aonde queria. Ele tinha filhos que amava de maneira incondicional. Como qualquer pai, queria prover a subsistência deles, dar a eles mais do que tivera. Mas criara uma gigantesca contradição, e sabia disso. Tivera sucesso porque aprendera, de forma longa e difícil, o valor do dinheiro, o sentido do trabalho e a alegria e a realização que advêm de abrir o próprio caminho no mundo. Mas, por causa do seu sucesso, seria difícil seus filhos aprenderem as mesmas lições. Os filhos de multimilionários em Hollywood não catam folhas de seus vizinhos em Beverly Hills. Seus pais não mostram, irritados, a conta de luz caso a lâmpada fique acesa. Não se sentam num estádio de basquete atrás de uma coluna e imaginam como seria ficar perto da quadra. Eles têm lugar cativo perto da quadra.

"Meu instinto diz que é bem mais difícil do que se pensa educar crianças em um ambiente abastado", disse ele. "As pessoas são arruinadas pelas dificuldades financeiras, mas também pela riqueza, porque perdem a ambição, o orgulho e seu senso de valor próprio. As coisas são difíceis nas duas extremidades do espectro. Existe um lugar entre essas duas situações que provavelmente funciona melhor."

Poucas coisas inspiram menos simpatia do que um multimilionário reclamando da vida, é claro. Os filhos do homem de Hollywood jamais viverão em outro lugar que não nas melhores casas nem se sentarão fora da primeira classe. Mas ele não estava falando de confortos materiais. Tratava-se de um homem que adquirira renome. Um de seus irmãos assumiu o negócio de ferro-velho da família e prosperou. Outro de seus irmãos se tornou médico. Seu pai gerou três filhos realizados e motivados, que haviam conquistado algo para si no mundo. E seu argumento era que seria muito difícil para ele, um homem com centenas de milhões de dólares, ter o mesmo sucesso do pai no quesito criação de filhos.

4.

O homem de Hollywood não é a primeira pessoa a chegar a essa conclusão. É algo que, julgo eu, a maioria de nós entende intuitivamente. Existe um princípio importante que orienta nosso pensamento sobre a relação entre a criação dos filhos e o dinheiro – e esse princípio diz que mais nem sempre é melhor.

É duro ser um bom pai se você tem pouco dinheiro. Isso é óbvio. A pobreza é exaustiva e estressante. Se você precisa trabalhar em dois empregos para pagar as contas, dificilmente terá energia à noite para ler histórias para seus filhos antes de dormirem. Se você é uma mãe solteira que trabalha fora, tentando pagar seu aluguel, alimentar e vestir sua família, tendo que fazer uma longa e difícil viagem a um emprego fisicamente cansativo, é complicado prover seus filhos com o tipo de amor constante, a atenção e a disciplina que constituem um lar saudável.

No entanto, ninguém jamais afirmaria que é *sempre* verdade que quanto mais dinheiro um pai ou uma mãe tenha, melhor ele(ela) será. Se lhe pedissem que traçasse um gráfico sobre a relação entre a criação dos filhos e o dinheiro, você não desenharia este:

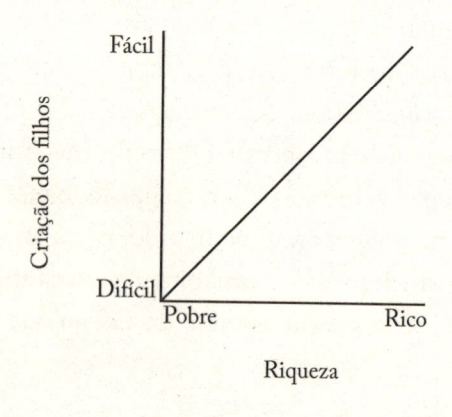

O dinheiro torna a criação dos filhos mais fácil até certo ponto – quando deixa de fazer uma grande diferença. Qual é esse ponto? Os acadêmicos que estudam a felicidade sustentam que o dinheiro deixa de tornar as pessoas mais felizes a partir de uma renda familiar de 75 mil dólares anuais. Depois disso, o que os economistas denominam "retornos marginais decrescentes" entra em ação. Se sua família ganha 75 mil e seu vizinho ganha 100 mil, esses 25 mil extras ao ano significam que ele pode ter um carro mais sofisticado e comer fora com uma frequência um pouco maior. Mas não o torna mais feliz do que você, nem mais bem preparado para fazer os milhares de pequenas e grandes coisas que definem um bom pai ou mãe. Uma versão melhor do gráfico da criação dos filhos/dinheiro seria:

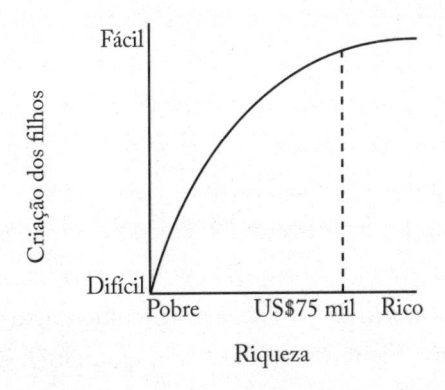

[Gráfico: eixo vertical "Criação dos filhos" (de "Difícil" a "Fácil"), eixo horizontal "Riqueza" (de "Pobre" passando por "US$75 mil" a "Rico"), com curva crescente côncava.]

Mas essa curva conta somente parte da história. Quando a renda dos pais chega a certo nível, a criação dos filhos volta a se tornar *difícil*. Para a maioria de nós, os valores do mundo onde crescemos não são tão diferentes dos daquele que criamos para nossos filhos. Mas isso não ocorre com alguém que se torna muito rico. O psicólogo James Grubman emprega a expressão maravilhosa "imigrantes da riqueza" para descrever os milionários de primeira geração – querendo dizer que, no relacionamento com seus filhos, eles enfrentam os mesmos tipos de desafio que imigrantes em qualquer país novo. Alguém como o figurão de Hollywood cresceu no Velho Mundo da classe média, onde a escassez era uma grande motivadora e mestra. Seu pai lhe ensinou a importância do dinheiro e as virtudes da independência e do trabalho duro. Mas seus filhos vivem no Novo Mundo dos ricos, onde as regras são diferentes e desconcertantes. Como você ensina a trabalhar duro, ser independente e aprender a importância do dinheiro a crianças que olham em volta de si e percebem que jamais precisarão passar por isso? Eis por que tantas culturas ao redor do mundo têm um provérbio para descrever a dificuldade de criar filhos em uma atmosfera de riqueza. O ditado em inglês é "Shirtsleeves to shirtsleeves in three generations" (De mangas de camisa a mangas de camisa em três gerações). Os italianos dizem: "*Dalle stelle alle stalle*" (Das estrelas ao estábulo). Na Espanha é: "*Quien no lo tiene, lo hace; y quien lo tiene, lo deshace*" (Quem não tem faz, e quem tem usa mal). A riqueza contém as sementes da própria destruição.

"Um pai precisa fixar limites. Mas essa é uma das coisas mais difíceis para imigrantes da riqueza, porque eles não sabem o que dizer quando a desculpa de 'Não temos como pagar por isso' não existe", explicou Grubman. "Eles não querem mentir e dizer 'Não temos dinheiro', porque um filho adolescente, por exemplo, responderia: 'Fala sério! Você tem um Porsche, e a mamãe tem uma Maserati.' Os pais precisam aprender a mudar de 'nós não podemos' para 'nós não iremos'."

Mas argumentar "nós não iremos", Grubman diz, é bem mais difícil do que argumentar "nós não podemos". Às vezes, como pai, você precisa dizer que não pode apenas uma ou duas vezes. Não leva muito tempo até um filho de uma família de classe média perceber que é inútil pedir um pônei, porque comprá-lo seria simplesmente inviável.

"Nós não iremos" comprar um pônei requer uma *conversa*, e a honestidade e a habilidade para explicar que o que é possível nem sempre é correto.

"Oriento pais ricos nesse cenário, e eles não têm ideia do que falar", Grubman relata. "Tenho que ensiná-los a dizer: 'Sim, posso comprar isso para você, mas prefiro não fazê-lo. Não é coerente com nossos valores.'"

Isso, porém, requer que você tenha um conjunto de valores e saiba como expressá-los e torná-los plausíveis para seu filho – coisas difíceis para qualquer um fazer, sob quaisquer circunstâncias, e especialmente se você tiver uma Ferrari na garagem, um jatinho particular e uma casa em Beverly Hills do tamanho de um hangar de aviões.

O homem de Hollywood era *rico demais*. Aquele era seu problema como pai. Ele tinha muito mais dinheiro do que o necessário para melhorar as coisas, a ponto de sua situação financeira deixar de ser tão importante. Estava no ponto em que o dinheiro começa a tornar mais difícil a tarefa de criar filhos normais e bem ajustados. O verdadeiro aspecto do gráfico da criação dos filhos é:

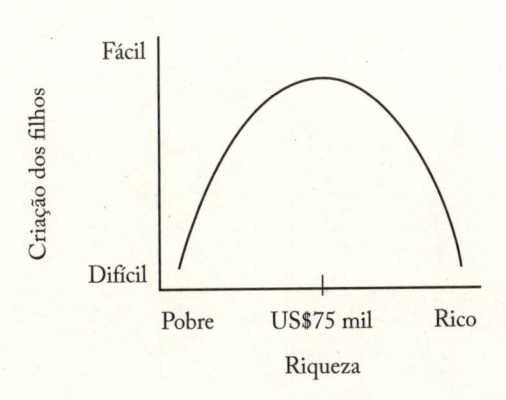

Isso se chama uma curva em U invertido. As curvas em U invertido são difíceis de entender. Quase sempre nos pegam de surpresa, e um dos motivos por que costumamos nos confundir sobre as vantagens e desvantagens é que esquecemos quando estamos operando num mundo em forma de U.*

O que nos traz de volta ao enigma do tamanho de uma turma. E se a relação entre o número de crianças em uma turma e seu desempenho escolar não for esta:

---

* Os psicólogos Barry Schwartz e Adam Grant argumentam, em um artigo brilhante, que, na verdade, quase tudo de importante segue o U invertido: "Em muitos domínios da psicologia, constata-se que X aumenta Y até certo ponto, e depois diminui Y. [...] Não existe algo como um bem absoluto. Todos os traços, estados e experiências positivos têm custos que, em níveis mais altos, podem começar a superar seus benefícios."

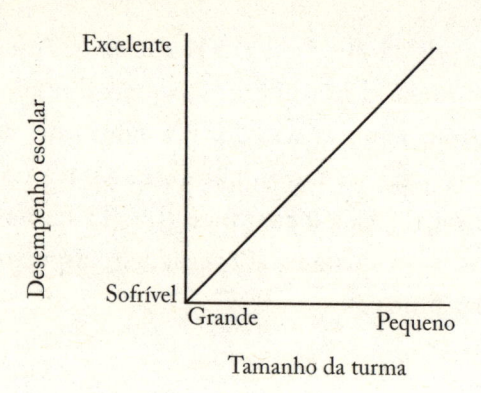

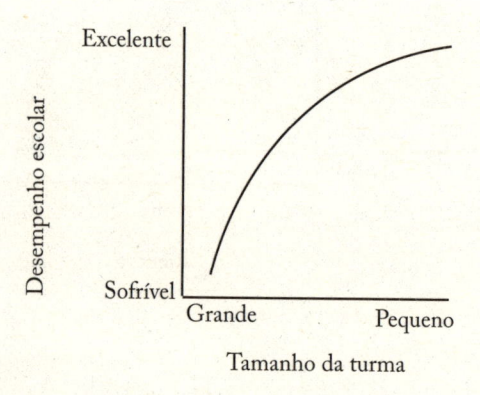

e nem mesmo esta?
E se for esta?

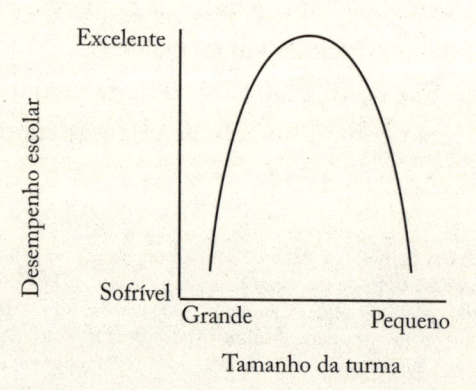

A diretora da Shepaug Valley Middle School chama-se Teresa DeBrito. Em seus cinco anos de gestão na escola, ela tem visto as turmas novas encolherem de ano para ano. Para um pai ou uma mãe, isso pode parecer uma boa notícia. Mas, ao refletir a respeito, ela tinha em mente essa última curva.

"Daqui a poucos anos, teremos menos de 50 crianças ingressando na escola vindas do primário", disse ela, temerosa. "Não vai ser nada fácil."

5.

As curvas em U invertido possuem três partes, e cada parte segue uma lógica diferente.* Existe o lado esquerdo, em que fazer mais ou possuir mais dinheiro melhora as coisas. Existe o meio plano, em que fazer mais não faz muita diferença. E existe o lado direito, em que fazer mais ou possuir mais *piora* as coisas.**

Se você pensar no enigma do tamanho da turma nesses termos, o que parece confuso começa a fazer mais sentido. O número de alunos numa turma é como a quantidade de dinheiro de um pai. Tudo depende de onde você está na curva. Israel, por

---

* Meu pai, que é matemático, discorda. Para ele, estou supersimplificando as coisas. As curvas em U invertido na verdade têm quatro partes. No estágio um, a curva é linear; no dois, "a relação linear inicial enfraqueceu" – trata-se da área de retornos marginais decrescentes; no três, recursos extras não têm nenhum efeito sobre o resultado; e, no quatro, recursos adicionais são contraproducentes.

** Uma curva em U invertido clássica pode ser vista no relacionamento entre consumo de álcool e saúde. Se da abstinência total você passa a beber uma taça de vinho por semana, viverá mais tempo. Se beber duas, viverá um pouquinho mais; se forem três, mais ainda – até sete taças por semana. (Esses números são para homens.) Essa é a curva ascendente: quanto mais, melhor. Depois vem a faixa de, digamos, 7 a 14 taças de vinho por semana. Você não está ajudando a si mesmo ao beber com essa frequência. Mas tampouco está se prejudicando. É a parte do meio da curva. Finalmente existe o lado direito: a curva descendente. É quando você passa das 14 taças de vinho por semana e beber mais começa a *encurtar* sua vida. O álcool não é intrinsecamente bom, ruim ou neutro. Começa sendo bom, fica neutro e acaba sendo ruim.

exemplo, tem tido historicamente classes bem grandes na escola primária, ou primeiro ciclo do ensino fundamental. O sistema educacional do país aplica a "Regra de Maimônides", em alusão ao rabino do século XII que decretou que as turmas não deveriam ter mais de 40 crianças. Isso significa que as turmas da escola primária podem muitas vezes chegar a ter 38 ou 39 alunos. Mas, se existirem 40 alunos em uma classe, a mesma escola deve imediatamente dividi-la em duas de 20. Se você fizer uma análise no estilo de Caroline Hoxby e comparar o desempenho escolar de uma dessas turmas grandes com o de uma turma de 20, a turma menor se sairá melhor. Isso não deve surpreender. Para qualquer professor, 36 ou 37 são muitos alunos para controlar. Israel está do lado esquerdo da curva em U invertido.

Agora voltemos para Connecticut. Nas escolas que Caroline examinou, a maior parte da variação foi entre tamanhos de turmas de 20 a 25 alunos e aquelas com 18. Quando a pesquisadora diz que seu estudo não encontrou nada, quer dizer que não achou nenhum benefício real em diminuir as turmas *nessa faixa média*. Em algum ponto entre Israel e Connecticut, em outras palavras, os efeitos do tamanho da turma passam ao longo da curva para o meio plano – em que acrescentar recursos à sala de aula deixa de resultar em uma experiência melhor para as crianças.

Por que não existe tanta diferença entre uma turma de 25 alunos e outra de 18? Com certeza esta última é mais fácil para o professor: menos provas para corrigir, menos crianças para conhecer e acompanhar. Mas uma turma menor só resulta num desempenho melhor se os professores mudarem seu estilo de ensinar ao receberem uma carga menor de trabalho. E o que os dados indicam nessa faixa do meio é que não há necessariamente essa mudança. Os professores simplesmente trabalham menos. Isso é da natureza humana. Imagine que você é médico e de repente fica sabendo que atenderá 20 pacientes numa tarde de sexta-feira, em vez de 25, recebendo a mesma remuneração. Você reagiria dedicando mais tempo a cada um deles? Ou simplesmente iria embora às seis e meia, em vez de às sete e meia, para jantar com seus filhos?

Agora chegamos à pergunta crucial. Uma turma pode ser pequena *demais*, assim como um pai pode ser rico *demais*? Consultei um grande número de professores nos Estados Unidos e no Canadá e fiz a eles essa pergunta, e um após outro concordou que pode, sim.

Eis uma resposta típica:

> Meu número perfeito é 18: são pessoas suficientes na sala para que nenhuma se sinta vulnerável e ao mesmo tempo todas possam se sentir importantes. É um número que dá para dividir bem em grupos de dois, três ou seis – com diferentes graus de intimidade. Com 18 alunos, consigo sempre ter acesso a cada um deles quando preciso. Meu segundo número favorito é 24 – as seis pessoas extras aumentam ainda mais as chances de que haverá um dissidente, um ou dois rebeldes para desafiar o status quo. Mas a desvantagem aí é beirar a massa cheia de energia de um público, em vez de uma equipe. Acrescente mais seis para chegar a 30 pessoas, e enfraquecemos tanto as conexões energéticas que nem o mais carismático dos professores consegue sustentar a magia o tempo todo.

E quanto à outra direção? Se tirarmos seis das 18 pessoas teremos a Santa Ceia. E isso é um problema. Doze é pouco o bastante para ocupar a mesa de jantar – intimista demais para que os alunos do ensino médio protejam sua independência nos dias em que precisam, e facilmente reprimido pelo dominador ou valentão (*bully*), que pode ser o próprio professor. No momento em que esse número cair para seis pessoas, não existirá lugar algum onde se esconder, e haverá pouca diversidade de pensamento e experiência para se acrescentar à riqueza que advém dos números.

A turma pequena é, em outras palavras, potencialmente tão difícil para um professor controlar quanto a grande demais. Em um caso, o problema é o número de interações potenciais para se controlar. No outro, a intensidade das interações potenciais. Nas palavras memoráveis de outro professor, quando uma turma fica pequena demais, os alunos começam a agir "como irmãos no banco de trás de um carro. Simplesmente não há como as crianças birrentas escaparem umas das outras".

Eis outro comentário de um professor do ensino médio (recentemente ele teve uma turma de 32 e detestou): "Quando pego uma turma desse tamanho, o primeiro pensamento que me ocorre é: 'Droga, cada vez que eu tiver algo para corrigir, passarei *horas* aqui na escola, quando poderia estar com meus filhos.'" Mas ele tampouco queria ensinar para uma turma com menos de 20 alunos:

> A fonte de vida de qualquer turma é a discussão, e isso requer certa massa crítica para funcionar. Atualmente leciono para alunos que simplesmente não discutem nada, e às vezes isso é sacal. Se os números caem demais, os debates são prejudicados. Isso parece absurdo, porque eu pensaria que crianças quietas que hesitariam em falar em uma turma de 32 alunos se expressariam com mais facilidade em uma de 16. Mas isso não é o que eu tenho constatado. Os quietos tendem a continuar quietos não importa entre quantas pessoas estiverem. E, se a turma é pequena demais, entre os faladores você não tem uma amplitude de opiniões suficiente para que as coisas realmente funcionem. Existe também algo difícil de definir no nível de energia. Um grupo reduzido de pessoas tende a carecer do tipo de energia que advém da interação.

E quanto a uma turma *realmente* pequena? Cuidado!

> Tive uma turma de nove alunos no curso de francês do último ano do ensino médio. Parece um sonho, não parece? Foi um pesadelo! Você não consegue promover nenhum tipo de conversa ou discussão na língua-alvo. Fica difícil promover jogos para reforçar vocabulário, habilidades gramaticais, etc. A dinâmica simplesmente não existe.

O economista Jesse Levin fez um trabalho fascinante seguindo essas mesmas linhas, observando alunos holandeses. Ele contou quantos colegas semelhantes as crianças tinham em suas turmas – ou seja, alunos no mesmo nível de habilidade escolar – e descobriu uma correlação surpreendente entre esse número e o desempenho escolar, particularmente para alunos com dificuldades.* Em outras palavras, para se sentir um pouco menos isolado e um pouco mais normal, aquilo de que um aluno (particularmente um mau aluno) precisa são pessoas à sua volta fazendo as mesmas perguntas, lutando com os mesmos problemas e se preocupando com as mesmas coisas.

Este é o problema das turmas realmente pequenas, Levin argumenta: quando o número de alunos em uma turma é pequeno demais, as chances de as crianças estarem cercadas por uma massa crítica de pessoas semelhantes começam a ficar realmente baixas. Levin diz que uma excessiva redução do tamanho da turma "elimina a chance de haver colegas semelhantes com quem os alunos em dificuldades aprendem".

Agora você entende por que Teresa DeBrito estava tão preocupada com a Shepaug Valley? Ela é diretora de uma escola do

---

* A clara exceção: crianças com graves incapacidades comportamentais ou de aprendizado. Para alunos com necessidades especiais, a curva do U invertido está deslocada na extrema direita.

segundo ciclo do ensino fundamental, ensinando para crianças na idade exata em que começam a difícil transição para a adolescência. Elas se sentem envergonhadas e temem parecer inteligentes demais. Fazer com que se envolvam, ultrapassem as sessões simples de perguntas e respostas com sua professora pode ser "como arrancar um dente", ela disse. Teresa queria muitas opiniões interessantes e diversificadas em suas turmas, e o tipo de empolgação que advém de uma massa crítica de alunos enfrentando o mesmo problema. Como fazer isso em uma sala quase vazia? "Quanto mais alunos você tem", ela continuou, "mais variedade pode haver nessas discussões. Se a turma com crianças dessa idade for pequena demais, é como se elas estivessem com uma mordaça."

"Comecei em Meriden como professora de matemática do segundo ciclo do ensino fundamental", Teresa prosseguiu. Meriden é uma cidade de renda média e baixa em outra parte do estado. "Minha maior turma tinha 29 crianças."

Ela falou sobre a dificuldade daquela situação, o trabalho que dava acompanhar, conhecer e responder a tantos alunos.

"Você precisa ter olhos atrás da cabeça. Tem que ser capaz de ouvir o que está ocorrendo no resto da turma enquanto dá atenção a um grupo específico. Deve realmente estar no controle de tudo quando tem tantas crianças com que lidar, para que, lá no cantinho, não estejam conversando sobre algo que nada tem a ver com o que deveriam estar fazendo."

Mas aí ela fez uma confissão. Ela *gostou* de ensinar para aquela turma. Foi um dos melhores anos de sua carreira. O maior desafio para quem ensina matemática a jovens de 12 e 13 anos é fazer com que números pareçam empolgantes – e ter 29 crianças era empolgante.

"Havia muitos colegas a mais com quem interagir", ela disse. "Eles não estavam se relacionando sempre com o mesmo grupo.

Havia mais oportunidades de variar suas experiências. E esta é a verdadeira questão: o que pode ser feito para empolgar, enriquecer e envolver crianças para que elas não sejam apenas passivas?"

Ela queria 29 crianças em todas as turmas da Shepaug? Claro que não. Teresa sabia que sua abordagem era atípica e que o número ideal para a maioria dos professores era menor. Seu argumento foi simplesmente que, quando se trata do tamanho da turma, ficamos obcecados com as vantagens das turmas pequenas e esquecemos o lado bom das grandes. Não é um tanto estranho uma filosofia educacional que vê os colegas de turma de seu filho como concorrentes pela atenção do professor, e não como aliados na aventura do aprendizado? Ao recordar aquele ano em Meriden, Teresa parecia ter sido transportada ao passado.

"Eu gostava do barulho. Gostava de ouvi-los interagindo. Ah, era divertido."

6.

A meia hora de carro da Shepaug Valley, na cidade de Lakeville, em Connecticut, existe uma escola chamada Hotchkiss. É considerada um dos melhores internatos particulares dos Estados Unidos. A anuidade custa quase US$50 mil. A escola tem dois lagos, duas quadras de hóquei, quatro telescópios, um campo de golfe e 12 pianos. Não são pianos quaisquer; são, como a escola faz questão de frisar, pianos Steinway, o mais prestigioso que o dinheiro pode comprar.* Hotchkiss é o tipo de lugar que não poupa dinheiro na educação de seus alunos. Quer saber o tama-

---

* Embora o site da Hotchkiss alegue que a escola dispõe de 12 pianos Steinway, o diretor de música da escola afirmou em outro lugar que na verdade eles têm 20 – além de um Fazioli, que é o Rolls-Royce dos pianos de cauda. É mais de 1 milhão de dólares em pianos.

nho médio das turmas da escola? Doze alunos. A mesma situação que Teresa DeBrito teme, Hotchkiss apregoa como seu maior trunfo. "Nosso ambiente de aprendizado", a escola declara com orgulho, "é intimista, interativo e inclusivo."

Por que uma escola como a Hotchkiss faz algo que tão claramente prejudica seus alunos? Uma resposta é que ela não está pensando em quem estuda lá, e sim nos pais deles, que veem coisas como campos de golfe, pianos Steinway e turmas pequenas como sinais de que seus US$50 mil anuais estão sendo bem gastos. Mas a melhor resposta é que a Hotchkiss simplesmente caiu na armadilha em que as pessoas ricas, as instituições ricas e os países ricos – todos Golias – costumam cair: a escola presume que os tipos de coisa que a riqueza pode comprar sempre se traduzem em vantagens no mundo real. Não se traduzem, é claro. É essa a lição da curva em U invertido. É bom ser maior e mais forte que seu oponente. Mas não a ponto de torná-lo um alvo fácil para uma pedra lançada a 240 quilômetros por hora. Golias não conseguiu o que pretendia por ser grande *demais*. O homem de Hollywood não era o pai que gostaria de ser porque era rico *demais*. Hotchkiss não é a escola que deseja ser porque suas turmas são pequenas *demais*. Sempre presumimos que ser maior, mais forte e mais rico promove nosso melhor interesse. Vivek Ranadivé, um pastor chamado Davi e a diretora da Shepaug Valley Middle School lhe dirão que não é bem assim.

CAPÍTULO TRÊS

Caroline Sacks

"SE EU TIVESSE IDO PARA A UNIVERSIDADE DE MARYLAND, ESTARIA ATÉ HOJE EM UM CURSO DE CIÊNCIAS."

1.

Há 150 anos, quando Paris era o centro do mundo da arte, um grupo de pintores costumava se reunir toda noite no Café Guerbois, no bairro de Batignolles. Seu líder era Édouard Manet. Tratava-se de um dos membros mais velhos e consagrados do grupo, um homem bonito e gregário, com 30 e poucos anos, que trajava a última moda e cuja energia e humor encantavam todos à sua volta. O amigo mais próximo de Manet era Edgar Degas, um dos poucos capazes de competir com ele. Os dois tinham um espírito ardente e uma língua ferina e às vezes partiam para discussões acirradas. Paul Cézanne, alto e rude, costumava aparecer e sentar-se, taciturno, no canto, suas calças sustentadas por um barbante.

"Não estou lhe dando a mão", Cézanne disse a Manet certa vez antes de desabar no seu canto, "porque não a lavo há oito dias."

Claude Monet, ensimesmado e resoluto, filho de um dono de mercearia, não tinha a instrução de alguns dos outros. Seu melhor amigo era o descontraído Pierre-Auguste Renoir, que, no decorrer da amizade entre eles, pintaria 11 retratos de Monet. A bússola moral do grupo era Camille Pissarro: furiosamente político, leal e um homem de princípios. Até Cézanne – o mais irascível e alienado dos homens – o adorava. Anos depois, ele se identificaria como "Cézanne, discípulo de Pissarro".

Esse grupo de pintores notáveis viria a inventar a arte moderna com o movimento conhecido como impressionismo. Eles pintavam uns aos outros, e isso perto uns dos outros, além de se apoiarem emocional e financeiramente, e hoje suas pinturas estão presentes em todos os grandes museus de arte do mundo. Mas na década de 1860 eles passavam dificuldades. Monet estava falido. Renoir certa vez teve que lhe levar pão para que não morresse de fome. Não que Renoir estivesse em melhor situação. Nem sequer tinha dinheiro suficiente para comprar selos para suas cartas. Praticamente nenhum marchand estava interessado em seus quadros. Quando os críticos de arte mencionavam os impressionistas – e havia um pequeno exército de críticos de arte em Paris na década de 1860 –, era quase sempre para depreciá-los. Manet e seus amigos sentavam-se no sombrio Café Guerbois, com suas mesas de tampo de mármore e cadeiras de metal frágeis, onde bebiam, comiam e discutiam política, literatura, arte e, mais especificamente, suas carreiras – porque todos os impressionistas se defrontavam com uma questão crucial: o que deveriam fazer em relação ao Salon.

A arte desempenhava um papel enorme na vida cultural da França no século XIX. A pintura era regulamentada por um órgão governamental, sendo considerada uma profissão da mesma forma como medicina e direito são hoje. Um pintor promissor começava na École Nationale Supérieure des Beaux--Arts, em Paris, onde recebia uma educação rigorosa e formal, progredindo da cópia de desenhos à pintura de modelos-vivos. Em cada estágio de sua educação, havia competições. Os que se saíam mal eram eliminados. Os que se destacavam ganhavam prêmios e bolsas prestigiosas, e o pináculo da profissão era conseguir um espaço no Salon, a mais importante exposição de arte de toda a Europa.

Anualmente, cada pintor da França submetia duas ou três de suas melhores telas a uma banca examinadora de especialistas. O prazo era primeiro de abril. Artistas do mundo inteiro empurravam carrinhos de mão repletos de telas pelas ruas calçadas com pedras de Paris, levando suas obras ao Palais de l'Industrie, um salão de exposições construído para a Feira Mundial de Paris, entre a Champs-Élysées e o Sena. Nas semanas subsequentes, os jurados avaliavam cada pintura. Aquelas consideradas inaceitáveis eram marcadas com a letra vermelha "R" de rejeitada. No decorrer de seis semanas a partir do início de maio, as obras aceitas compunham uma exposição que era visitada por até um milhão de pessoas no Palais; as obras dos maiores e mais renomados artistas ganhavam espaço e as obras que desagradassem eram ridicularizadas. As melhores pinturas recebiam medalhas. Os vencedores eram celebrados e viam o valor de suas pinturas disparar. Os perdedores voltavam cabisbaixos para casa e retomavam o trabalho.

"Em Paris mal existem 50 apreciadores de arte capazes de gostar de uma pintura não aprovada pelo Salon", Renoir certa vez disse. "Existem 80 mil que não comprarão nada de um pintor que não tenha quadros expostos no Salon."

O Salon deixava Renoir tão ansioso que um ano ele foi até o Palais durante as deliberações dos jurados e esperou lá fora, esperando descobrir logo se havia sido aprovado ou não. Mas depois, num acesso de timidez, apresentou-se como amigo de Renoir. Outro dos frequentadores do Guerbois, Frédéric Bazille, certa vez confessou: "Tenho um medo aterrador de ser rejeitado." Quando o artista Jules Holtzapffel foi rejeitado pelo Salon de 1866, deu um tiro na cabeça. "Os membros da comissão me rejeitaram. Logo, não tenho talento", dizia a carta de suicídio. "Devo morrer." Para um pintor na França do século XIX, o Salon era tudo, e a razão de o Salon ser tão problemático para os impressionistas era que, repetidamente, a banca de jurados os rejeitava.

A atitude do Salon era tradicionalista. "Esperava-se que as obras fossem microscopicamente exatas, bem-acabadas e formalmente enquadradas, com uma perspectiva apropriada e todas as convenções artísticas conhecidas", escreveu a historiadora de arte Sue Roe. "A luz denotava alta dramaticidade, a escuridão sugeria seriedade. Na pintura narrativa, a cena não apenas deveria ser 'exata', mas também estabelecer um tom moralmente aceitável. Uma tarde no Salon era como uma noite na Opéra de Paris: o público esperava ser enlevado e entretido. Quase sempre, sabia do que gostava e esperava ver o que conhecia." Os tipos de pintura que ganhavam medalhas, Roe disse, eram telas enormes, meticulosamente pintadas, mostrando cenas da história francesa ou da mitologia, com cavalos, exércitos e mulheres bonitas, e títulos como *A partida do soldado*, *Jovem mulher chorando por uma carta* e *Inocência abandonada*.

Os impressionistas tinham uma ideia completamente diferente do que constituía arte. Pintavam a vida cotidiana. Suas pinceladas eram visíveis. Suas figuras, indistintas. Para os jurados do Salon e as multidões que lotavam o Palais, o trabalho deles parecia amador, até chocante. Em 1865, o Salon, surpreendentemente, aceitou uma pintura de uma prostituta feita por Manet, chamada *Olympia*, e a obra causou furor por toda a Paris. Guardas tiveram que proteger a pintura para manter a multidão de espectadores à distância. "A atmosfera predominante era de histeria e até medo", escreveu o historiador Ross King. "Alguns espectadores descambaram em 'epidemias de riso tresloucado', enquanto outros, sobretudo mulheres, desviaram o olhar da pintura, assustados." Em 1868, Renoir, Bazille e Monet conseguiram ter pinturas aceitas pelo Salon. Mas, no meio da exposição de seis semanas, suas obras foram removidas do espaço de exposição principal e exiladas para o *dépotoir* – o depósito de lixo –, uma sala pequena e escura nos fundos do prédio, para onde pinturas consideradas fracassos eram transferidas. Foi quase tão ruim quanto não terem sido aceitos.

O Salon era a exposição de arte mais importante do mundo, e todos no Café Guerbois concordavam com isso. Mas ser aceito por ele tinha seu preço: exigia criar o tipo de arte que não consideravam significativa, e as obras corriam o risco de se perder em meio à profusão de trabalhos dos outros artistas. Valeria a pena? Noite após noite, os impressionistas discutiam se deveriam continuar batendo às portas do Salon ou se tornar independentes e organizar uma exposição própria. Eles queriam ser um Peixe Pequeno na Lagoa Grande do Salon ou um Peixe Grande na Lagoa Pequena escolhida por eles?

No final, os impressionistas fizeram a escolha certa, que é uma das razões por que seus quadros estão expostos em todos os grandes museus de arte do mundo. Mas esse mesmo dilema vive surgindo em nossa própria vida, e com frequência não fazemos uma escolha tão sábia assim. A curva em U invertido nos lembra que existe um ponto em que o dinheiro e os recursos deixam de tornar nossa vida melhor e começam a piorá-la. A história dos impressionistas sugere um segundo problema paralelo. Lutamos pelo que há de melhor e damos grande importância ao ingresso nas melhores instituições possíveis. No entanto, raramente paramos para refletir – como fizeram os impressionistas – se a instituição mais prestigiosa é sempre a que mais nos trará benefícios. Existem vários exemplos disso, mas poucos mais reveladores do que nosso pensamento sobre qual universidade devemos cursar.

2.

Caroline Sacks* nasceu na periferia mais remota da área metropolitana de Washington. Cursou escolas públicas até concluir o ensino médio. Sua mãe é contadora e o pai trabalha para uma empresa de tecnologia. Quando criança, ela cantava no coro da igreja e adorava escrever e desenhar. Mas o que realmente a empolgava eram as ciências.

"Rastejei muito pelo gramado com uma lupa e um caderno, seguindo insetos e desenhando-os", contou Caroline. Ela é uma jovem mulher ponderada e desembaraçada, com honestidade e objetividade revigorantes.

"Eu adorava insetos. E tubarões. Assim, por um tempo, achei que seria veterinária ou ictiologista. Eugenie Clark era minha heroína. Foi a primeira mulher mergulhadora. Ela cresceu em Nova York e seus pais eram imigrantes. Acabou se destacando em sua área, apesar de enfrentar resistências contra o fato de ser mulher e mergulhar no mar. Eu a achava o máximo. Meu pai a conheceu e conseguiu uma foto autografada para mim, e fiquei muito empolgada. As ciências sempre foram uma parte importante do que eu fazia."

Durante o ensino médio, Caroline sempre se destacou. Fez um curso de ciência política numa universidade próxima enquanto ainda cursava o ensino médio, bem como um curso de cálculo multivariável na faculdade comunitária local. Obteve notas A em ambos, bem como em todas as matérias do ensino médio. Teve notas máximas em cada um de seus cursos pré-universitários de Colocação Avançada.

No verão do primeiro ano do ensino médio, seu pai a levou para uma rápida visita a universidades americanas.

---

* Alterei nome e detalhes identificadores dela.

"Acho que fomos a cinco universidades em três dias", ela contou. "Fomos a Wesleyan, Brown, Providence College, Boston College e Yale. Wesleyan era divertida, mas pequena demais. Yale era legal, mas simplesmente não me encaixei."

A Universidade Brown, em Providence, Rhode Island, conquistou seu coração. Pequena e exclusiva, situa-se em um bairro do século XIX de prédios georgianos e coloniais de tijolos vermelhos no alto de um morro baixo. Talvez seja o campus universitário mais bonito dos Estados Unidos. Ela se candidatou a esta, com a Universidade de Maryland como segunda opção. Poucos meses depois, recebeu uma carta. Havia sido aprovada.

"Eu esperava que todos na Brown fossem muito ricos, viajados e instruídos", ela disse. "Quando cheguei lá, todos pareciam como eu – intelectualmente curiosos, um pouco nervosos e empolgados, e sem saber se conseguiriam fazer amigos. Foi bem reconfortante."

A parte mais difícil foi escolher quais matérias cursar, porque ela se interessou por tudo. Acabou cursando introdução à química, espanhol, uma matéria chamada evolução da linguagem e raízes botânicas da medicina moderna, que ela descreveu como "metade aula de botânica, metade análise da utilidade de plantas indígenas como remédios e em quais tipos de teorias químicas se baseiam". Ela estava no paraíso.

3.

Caroline Sacks fez a escolha certa? A maioria de nós diria que sim. Quando ela fez aquela visita rápida com seu pai, classificou as universidades que conheceu das melhores às piores. A Universidade Brown foi a número um. A Universidade de Maryland foi sua segunda opção porque não chegava aos pés da Brown, que faz parte da Ivy League, um grupo que reúne as universidades de maior prestígio do país. Tem mais recursos, alunos academicamente mais capazes, renome e um corpo docente mais bem conceituado do que o da Universidade de Maryland. Nas classificações das universidades americanas publicadas anualmente pela revista *U.S. News & World Report*, a Brown costuma ficar entre as 10 ou 20 melhores dos Estados Unidos. A de Maryland, bem mais atrás.

Mas pensemos na decisão de Caroline da mesma forma como os impressionistas pensaram sobre o Salon. O que estes entenderam, em seus incessantes debates no Café Guerbois, foi que a escolha entre o Salon e uma exposição independente não era um simples caso de duas melhores opções. Era uma escolha entre duas alternativas bem *diferentes*, cada qual com suas vantagens e desvantagens.

O Salon era como uma universidade de elite. Era um lugar onde reputações se formavam. E o que o tornava especial era sua seletividade. Havia uns 300 pintores de "reputação nacional" na França na década de 1860, e cada um submetia duas ou três de suas melhores obras ao Salon, o que significava que os jurados estavam escolhendo de uma pequena montanha de telas. A rejeição constituía a norma. Ser aprovado era uma façanha. "O Salon é um verdadeiro campo de batalha", Manet disse. "É ali que você é realmente avaliado." De todos os impressionistas, ele era o mais convicto do valor do Salon. O crítico de arte Théodore Duret, outro do círculo do Café Guerbois, concordou: "Você tem mais um passo a dar", escreveu a Pissarro em 1874. "Conseguir se tornar conhecido do público e aceito por todos os marchands e apreciadores de arte. [...] Insisto que você exponha; tem que conseguir fazer barulho, desafiar e atrair críticas, ficar cara a cara com o grande público."

Mas exatamente o que tornava o Salon tão atraente – sua seletividade e seu prestígio – também o tornava problemático. O

Palais era uma construção enorme com 275 metros de comprimento e um corredor central de dois andares. Um Salon típico podia aceitar de 3 a 4 mil pinturas, que eram penduradas em quatro níveis, começando pelo solo e subindo ao teto. Somente as pinturas com aprovação unânime da banca eram penduradas ao nível dos olhos. Se sua obra ficasse no "céu" – ou seja, perto do teto – quase não daria para vê-la. (Uma das pinturas de Renoir foi parar certa vez no alto do *dépotoir*.) Nenhum pintor podia submeter mais de três obras. Às vezes as multidões ficavam incontroláveis. O Salon era a Grande Lagoa. Mas era difícil ser ali mais do que um Peixe Pequeno.

Pissarro e Monet discordaram de Manet. Achavam que fazia mais sentido ser um Peixe Grande em uma Lagoa Pequena. Se eles se tornassem independentes e promovessem a própria exposição, não seriam limitados pelas regras restritivas do Salon, onde a tela *Olympia* foi considerada um ultraje e as medalhas eram ganhas por quadros retratando soldados e mulheres chorando. Eles poderiam pintar o que bem entendessem. E não ficariam perdidos na multidão, porque ela não existiria. Em 1873, Pissarro e Monet propuseram que os impressionistas criassem uma cooperativa chamada Société Anonyme Coopérative des Artistes Peintres, Sculpteurs, Graveurs. Não haveria competição, jurados ou medalhas. Cada artista seria tratado igualmente. Todos aderiram, menos Manet.

O grupo achou um espaço no Boulevard des Capucines, no andar superior de um prédio, que acabara de ser desocupado por um fotógrafo. Era uma série de salas pequenas com paredes vermelho-amarronzadas. A exposição dos impressionistas foi inaugurada em 15 de abril de 1874 e durou um mês. O ingresso custava um franco. Havia 165 obras de arte expostas, incluindo três Cézannes, dez Degas, nove Monets, cinco Pissarros, seis Renoirs e cinco Alfred Sisleys – uma pequena fração do que estava nas paredes do

Salon do outro lado da cidade. Em sua exposição, os impressionistas puderam mostrar tantas telas quantas quiseram e pendurá-las de forma realmente visível às pessoas. "Os impressionistas ficavam perdidos no meio de tantas pinturas do Salon, mesmo quando aceitos", escreveram os historiadores de arte Harrison White e Cynthia White. "Com [...] a exposição do grupo independente, conseguiram conquistar o olhar do público."

A exposição foi vista por 3.500 pessoas – 175 só no primeiro dia, o suficiente para atrair a atenção dos críticos. Nem toda essa atenção foi positiva: uma piada dizia que o que os impressionistas estavam fazendo era carregar uma pistola com tinta e atirar na tela. Mas essa foi a segunda parte da barganha do Peixe Grande na Lagoa Pequena. Essa opção podia ser ridicularizada por alguns de fora, mas as Lagoas Pequenas são lugares convidativos para quem está dentro. Os integrantes têm todo o apoio que advém da comunidade e dos amigos – e estão em locais onde a inovação e a individualidade não são vistas com desdém. "Estamos começando a nos tornar um nicho", o esperançoso Pissarro escreveu a um amigo. "Conseguimos como intrusos erguer nosso pequeno estandarte em meio à multidão." O desafio era "avançar sem se preocupar com as opiniões". Ele estava certo. Independentes, os impressionistas acharam uma identidade nova. Sentiram uma nova liberdade criativa e, em pouco tempo, o mundo exterior começou a prestar atenção neles. Na história da arte moderna, nunca houve uma exposição mais importante ou mais famosa. Se você tentasse hoje comprar as telas daquelas salas apinhadas do último andar, gastaria mais de 1 bilhão de dólares.

A lição dos impressionistas é que existem ocasiões e lugares em que é melhor ser um Peixe Grande em uma Lagoa Pequena do que um Peixe Pequeno em uma Lagoa Grande. Pissarro, Monet, Renoir e Cézanne pesaram prestígio e visibilidade, seletividade e liberdade, e concluíram que os custos da Lagoa Grande eram altos demais. Caroline Sacks enfrentou a mesma escolha. Ela poderia ser um Peixe Grande na Universidade de Maryland ou um Peixe Pequeno em uma das universidades de mais prestígio no mundo. Ela preferiu o Salon às três salas no Boulevard des Capucines – e acabou pagando um preço alto por isso.

4.

O problema de Caroline Sacks começou na primavera de seu ano de caloura, quando se inscreveu em química. Ela percebe agora que estava cursando matérias e tendo atividades extracurriculares demais. Recebeu sua nota na terceira prova parcial e ficou decepcionada. Foi falar com o professor.

"Ele passou alguns exercícios para mim e disse: 'Olhe, você tem uma deficiência fundamental em alguns desses conceitos, portanto minha recomendação é que você abandone o curso, não se preocupe com a prova final e retome-o no próximo semestre.'"

Ela seguiu essa sugestão e retomou a matéria no outono do seu segundo ano. Mas melhorou muito pouco. Recebeu uma reles nota B. Ficou chocada.

"Eu nunca tinha obtido um B em um contexto acadêmico antes", ela contou. "Sempre tirara notas excelentes. E estava cursando a matéria pela segunda vez, agora no segundo ano, em uma turma praticamente só de calouros. Foi bem desanimador."

Ela sabia, quando foi admitida na Brown, que não seria como no ensino médio. Não dava para ser. Ela não seria mais a garota mais inteligente da turma – e aceitara aquele fato. "Eu sabia que, por mais que estivesse preparada, haveria alunos que foram expostos a assuntos de que eu nunca ouvira falar. Portanto eu estava tentando não ser ingênua a respeito."

Mas química era pior do que ela havia imaginado e os alunos em sua turma eram *competitivos*.

"Encontrei dificuldade até para conversar com os colegas daquelas matérias", ela prosseguiu. "Eles não queriam compartilhar seus hábitos de estudo comigo nem falar sobre maneiras de entender melhor a matéria que estávamos aprendendo, porque aquilo poderia me dar alguma vantagem."

No segundo semestre de seu segundo ano, ela se inscreveu em química orgânica – e as coisas pioraram ainda mais. O insucesso foi total.

"Você memoriza como um conceito funciona, e aí eles lhe dão uma molécula nunca vista antes e pedem que você produza uma outra, e você tem que ir de uma coisa para outra. Aquelas pessoas simplesmente já pensam daquela maneira e em cinco minutos resolvem a questão. São as que tiram as notas maiores. Depois vêm as pessoas que, através de um esforço extraordinário, se adestraram para pensar daquela forma. Eu me esforçava *muito*, mas não adiantava."

O professor fazia uma pergunta e as mãos se levantavam, enquanto Caroline ficava em silêncio ouvindo as respostas brilhantes de todos os outros. "Eu me sentia um peixe fora d'água", ela contou.

Uma noite ela ficou acordada até tarde se preparando para uma revisão de química orgânica. Sentia-se infeliz e revoltada. Não queria estudar química orgânica às três da madrugada, quando todo aquele trabalho parecia não levar a lugar algum. "Acho que foi aí que comecei a pensar que talvez não devesse mais insistir", ela disse. Estava cansada daquilo.

A parte trágica era que Caroline *adorava* ciências. Ao falar sobre o abandono de seu primeiro amor, lamentou todas as matérias que ela adoraria ter cursado, mas agora jamais cursaria: fisiologia, doenças infecciosas, biologia, matemática. No final de seu segundo ano, sofreu com a decisão.

"Quando eu era criança, sentia muito orgulho por poder dizer: 'Sou uma menina de 7 anos e adoro insetos! Quero estudá-los, procuro informações sobre eles o tempo todo, desenho-os no meu caderno, sei o nome das diferentes partes deles e converso sobre onde vivem e o que fazem.' Posteriormente, esse discurso mudou para: 'Eu me interesso muito por pessoas e por como o corpo humano funciona, não é surpreendente?' Existe definitivamente uma espécie de orgulho que acompanha a possibilidade de dizer 'sou uma cientista', e era quase vergonhoso para mim deixar isso para trás e dizer: 'Vou fazer algo mais fácil porque não aguento a pressão.' Por um tempo, a minha sensação era de que eu havia fracassado por completo. Aquele era meu objetivo, mas não conseguia chegar lá."

No fundo, o desempenho de Caroline em química orgânica nem deveria ter importado. Ela nunca quis realmente seguir carreira nessa área. Aquela era apenas uma matéria entre outras. Muita gente acha a química orgânica impossível. É comum estudantes do curso preparatório para medicina cursarem química orgânica nas férias em outra faculdade só para obterem um semestre completo de prática. Além disso, Caroline estava cursando química orgânica em uma universidade bastante disputada e academicamente rigorosa. Se você fosse classificar todos os estudantes do mundo que estão cursando química orgânica, Caroline provavelmente estaria no 99º percentil.

O problema era que Caroline não estava se comparando com todos os estudantes do mundo cursando química orgânica, mas com seus colegas na Brown. Ela era um Peixe Pequeno em uma das lagoas mais fundas e competitivas do país – e a experiência de se comparar com todos os outros peixes brilhantes abalou sua confiança. Fez com que se sentisse burra, embora não seja nem um pouco. "Poxa, outras pessoas estão dominando isso, até mesmo as que estavam tão perdidas como eu no princípio, e parece que eu simplesmente não consigo aprender a pensar desse jeito."

5.

Caroline Sacks estava experimentando a chamada "privação relativa", termo cunhado pelo sociólogo Samuel Stouffer durante a Segunda Guerra Mundial. Stouffer foi contratado pelo Exército americano para avaliar o comportamento e o moral dos soldados americanos, e acabou estudando meio milhão de homens e mulheres, examinando tudo, desde como os soldados encaravam seus comandantes até a maneira como os soldados negros se sentiam tratados ou quão difícil os soldados achavam servir em postos avançados isolados.

Porém, um conjunto de perguntas feitas por Stouffer se destacou. Ele questionou soldados da Polícia Militar e do Air Corps (o precursor da Força Aérea) sobre até que ponto a sua força armada reconhecia e promovia as pessoas mais capazes. A resposta foi clara. Os policiais militares tinham uma visão bem mais positiva de sua organização do que os homens servindo no Air Corps.

À primeira vista, aquilo não fazia sentido. A Polícia Militar tinha um dos piores índices de promoção de todas as Forças Armadas. O Air Corps tinha um dos melhores. As chances de um soldado chegar a oficial no Air Corps eram *duas vezes* maiores que as de um soldado da Polícia Militar. Então por que cargas d'água um policial militar estaria mais satisfeito? A resposta de Stouffer foi que estes se comparavam apenas com outros policiais militares. E, se algum deles conseguisse uma promoção, aquele era um acontecimento tão raro que a pessoa ficava radiante. E, se não fosse promovido, estava no mesmo barco da maioria dos colegas – de modo que não ficava *tão* insatisfeito assim.

"Agora, vamos compará-lo com um homem do Air Corps de mesmo grau de instrução e tempo de serviço", Stouffer escreveu. Suas chances de ser promovido a oficial superavam 50%. "Caso houvesse obtido uma promoção, o mesmo teria ocorrido com a maioria dos colegas em sua divisão, e seu êxito ficava menos visível do que na PM. Caso não tivesse sido promovido, havia mais motivos para sentir frustração pessoal, que poderia se expressar como crítica ao sistema de promoções."

A conclusão de Stouffer foi que formamos nossas impressões não globalmente, colocando-nos no contexto mais amplo possível, e sim localmente – comparando-nos com pessoas "que estão no mesmo barco que nós". A nossa sensação de privação é *relativa*. Trata-se de uma dessas observações que são ao mesmo tempo óbvias e (ao serem investigadas) bem profundas, e explica todo tipo de constatações normalmente intrigantes. Por exemplo, quais países têm os maiores índices de suicídios: aqueles cujos cidadãos se declaram muito felizes, como Suíça, Dinamarca, Islândia, Holanda e Canadá, ou países como Grécia, Itália, Portugal e Espanha, cujos cidadãos se descrevem como insatisfeitos? Resposta: o primeiro caso. É o mesmo fenômeno da Polícia Militar e do Air Corps. Se você estiver deprimido em um lugar onde a maioria das pessoas está muito insatisfeita, você se compara com aqueles à sua volta e não se sente tão mal assim. Mas dá para imaginar como é difícil estar deprimido num país onde todos os demais exibem um grande sorriso no rosto?*

---

* Este exemplo é da obra da economista Mary Daly, que escreveu extensamente sobre esse fenômeno. Eis outro exemplo, desta vez do livro *Happiness Around the World: The Paradox of Happy Peasants and Miserable Millionaires* (Felicidade ao redor do mundo: O paradoxo dos camponeses felizes e dos milionários infelizes), de Carol Graham. Quem você acha que é mais feliz: um pobre no Chile ou um pobre em Honduras? O lógico seria dizer o pobre chileno, pois ele vive num país que tem uma economia moderna e desenvolvida. Ele ganha quase o dobro que o pobre em Honduras, o que significa que pode morar em casas mais bonitas, comer melhor e ter acesso a confortos materiais. Mas, ao se compararem os graus de felicidade dos dois casos, nota-se que os hondurenhos dão um banho nos chilenos. Por quê? Porque os hondurenhos se importam apenas com como seus conterrâneos estão se saindo. Afirma Graham: "Como os níveis de renda médios dos países não importam para a felicidade, mas as distâncias em relação à média sim, os pobres hondurenhos são mais felizes porque não há tanta discrepância em relação à média." E em Honduras a renda dos pobres está bem mais próxima daquela da classe média do que no Chile, fazendo com que se *sintam* melhor.

A decisão de Caroline Sacks de se avaliar em comparação a seus colegas de classe de química orgânica não foi um comportamento estranho e irracional. É o que os seres humanos fazem. Nós nos comparamos com aqueles que estão na mesma situação, o que significa que estudantes de uma instituição de elite – exceto, talvez, os melhores da turma – irão enfrentar uma carga que não enfrentariam em uma atmosfera menos competitiva. A taxa de suicídio entre os cidadãos de países felizes é mais alta do que a daqueles de países infelizes porque os primeiros olham os rostos sorridentes em torno e o contraste é grande demais. Quando os estudantes das "ótimas" universidades notam os colegas brilhantes em volta, como você imagina que se sentem?

O fenômeno da privação relativa aplicado à educação se chama – apropriadamente – "Efeito do Peixe Grande/Lagoa Pequena". Quanto mais elitista uma instituição educacional, pior os estudantes se sentirão sobre suas próprias capacidades acadêmicas. Estudantes que estão entre os melhores de sua turma em uma universidade boa podem facilmente ficar entre os piores em uma universidade excelente. Aqueles que sentiriam ter dominado uma matéria em uma universidade boa podem ter a sensação de que estão ficando para trás em uma instituição *excelente*. E essa sensação – por mais subjetiva, ridícula e irracional que seja – *importa*. O modo como alguém enxerga as próprias capacidades – sua "autoimagem" acadêmica – no contexto de sua sala de aula molda sua disposição em enfrentar desafios e tarefas difíceis. É um elemento crucial em sua motivação e em sua confiança.

O pioneiro da teoria do Peixe Grande/Lagoa Pequena foi o psicólogo Herbert Marsh. Para ele, a maioria dos pais e estudantes escolhe a universidade pelas razões erradas. "Muita gente acha que ir para uma universidade altamente seletiva será bom", ele disse. "Isso não é verdade. A realidade é que será *ambíguo*." Ele prosseguiu: "Quando morei em Sydney, havia um pequeno número de universidades públicas seletivas com ainda mais prestígio que as universidades privadas de elite. As provas para ingressar nelas eram muito difíceis. Assim, o *Sydney Morning Herald* – o grande jornal de lá – sempre me avisava quando estavam realizando seu processo seletivo. Acontecia uma vez por ano, e havia sempre a pressão para eu dizer algo novo. Então enfim eu simplesmente disse – e talvez não devesse ter dito: 'Se vocês querem ver os efeitos positivos das universidades de elite sobre a autoimagem, estão avaliando a pessoa errada. Deviam estar avaliando os pais deles.'"

6.

O que aconteceu com Caroline Sacks é bem comum. Mais da metade dos estudantes americanos que começam a estudar ciências, tecnologia e matemática (conhecidas como STEM – *science, technology, math*) abandona o curso após seu primeiro ou segundo ano. Embora um diploma em ciências seja um dos ativos mais valiosos de que um jovem pode dispor na economia moderna, um grande número de aspirantes a um diploma nas áreas STEM acaba mudando para artes, cujos padrões acadêmicos são menos rigorosos e os trabalhos de classe, menos exigentes. Essa é a maior razão da escassez, nos Estados Unidos, de cientistas e engenheiros formados no país.

Para termos uma ideia de quem está caindo fora – e do porquê –, vejamos as matrículas em cursos de ciências de uma universidade no norte do estado de Nova York chamada Hartwick College. Trata-se de uma pequena instituição de artes liberais do tipo que é comum no Nordeste americano.

A seguir estão todos os estudantes dos cursos STEM da Hartwick divididos em três grupos – o terço superior, o terço médio e o terço inferior – de acordo com suas notas em matemática. As notas são do SAT, o exame usado pela maioria das universidades americanas como teste de admissão. A seção de matemática do teste totaliza 800 pontos.*

Cursos STEM	Terço superior	Terço médio	Terço inferior
SAT em matemática	569	472	407

Se tomarmos o SAT como parâmetro, existe uma grande diferença em habilidades matemáticas entre os melhores e os piores estudantes de Hartwick.

Agora vejamos a porcentagem de todos os diplomas de ciências em Hartwick obtida por cada um desses grupos.

Diplomas de STEM	Terço superior	Terço médio	Terço inferior
Porcentagem	55	27,1	17,8

Os estudantes no terço superior em Hartwick obtêm bem mais da metade dos diplomas de ciências da universidade. O terço inferior acaba obtendo apenas 17,8% deles. Os estudantes que entram em Hartwick com os piores níveis de habilidade matemática estão abandonando os cursos de matemática e ciências aos bandos. Até aqui isso parece senso comum. Aprender a matemática ou a física avançada para se tornar engenheiro ou cientista é realmente difícil – e somente um pequeno número de estudantes concentrados entre os melhores da turma consegue lidar com as matérias.

---

* Estas estatísticas foram extraídas de um artigo intitulado "The Role of Ethnicity in Choosing and Leaving Science in Highly Selective Institutions" (O papel da etnicidade ao escolher e abandonar um curso de ciências em instituições altamente seletivas), dos sociólogos Rogers Elliott e A. Christopher Strenta et al. As notas do SAT são do início da década de 1990 e podem ser um pouco diferentes hoje.

Agora façamos a mesma análise para Harvard, uma das universidades mais prestigiosas do mundo.

Cursos STEM	Terço superior	Terço médio	Terço inferior
SAT em matemática	753	674	581

Não surpreende que os estudantes de Harvard tenham notas de matemática no SAT bem superiores aos de seus colegas em Hartwick. Até os estudantes do terço inferior de Harvard têm notas maiores do que as dos *melhores* de Hartwick. Se obter um diploma de ciências reflete sua inteligência, então praticamente todos em Harvard deveriam conseguir se graduar – certo? Ao menos no papel, a ninguém em Harvard falta capacidade para dominar as matérias do curso. Vejamos então a porcentagem de diplomas obtida por cada grupo.

Diplomas de STEM	Terço superior	Terço médio	Terço inferior
Porcentagem	53,4	31,2	15,4

Não é estranho? Os estudantes do terço inferior da turma de Harvard abandonam a matemática e as ciências tanto quanto seus colegas no norte do estado de Nova York. *Harvard possui a mesma distribuição de diplomas de ciências que Hartwick.*

Pense nisso por um instante. Temos um grupo de estudantes com alto desempenho em Hartwick. Vamos chamá-los de Astros de Hartwick. E temos outro grupo de estudantes de desempenho pior em Harvard. Eles podem ser a Escória de Harvard. Ambos os grupos estudam os mesmos livros-textos, lidam com os mesmos conceitos e tentam dominar os mesmos conjuntos de problemas em matérias como cálculo avançado e química orgânica, e, de acordo com as notas do teste, possuem mais ou menos a mesma capacidade acadêmica. Mas a maioria esmagadora dos

Astros de Hartwick obtém o que quer e acaba se formando como engenheiros ou biólogos. Enquanto isso, a Escória de Harvard – que frequenta a universidade mais prestigiosa – é tão desmoralizada por sua experiência que muitos abandonam por completo as ciências e pedem transferência para um curso não científico. A Escória de Harvard são Peixes Pequenos em uma Lagoa Enorme e Assustadora. Os Astros de Hartwick são Peixes Grandes em uma Lagoa Pequena e Bem Acolhedora. O que importa, na avaliação das chances de obter um diploma em ciências, não é apenas quão inteligente alguém é. É também quão inteligente uma pessoa *se sente* em relação às outras em sua sala de aula.

A propósito, esse padrão se aplica a praticamente qualquer universidade que você examinar – independentemente de sua qualidade acadêmica. Os sociólogos Rogers Elliott e Christopher Strenta computaram esses mesmos números para 11 diferentes universidades de artes liberais dos Estados Unidos. Dê uma olhada:

	Faculdade	Terço superior	SAT em mat.	Terço médio	SAT em mat.	Terço inferior	SAT em mat.
1.	Universidade Harvard	53,4%	753	31,2%	674	15,4%	581
2.	Dartmouth College	57,3%	729	29,8%	656	12,9%	546
3.	Williams College	45,6%	697	34,7%	631	19,7%	547
4.	Colgate University	53,6%	697	31,4%	626	15%	534
5.	Universidade de Richmond	51%	696	34,7%	624	14,4%	534
6.	Bucknell University	57,3%	688	24%	601	18,8%	494
7.	Kenyon College	62,1%	678	22,6%	583	15,4%	485
8.	Occidental College	49%	663	32,4%	573	18,6%	492

9.	Kalamazoo College	51,8%	633	27,3%	551	20,8%	479
10.	Ohio Wesleyan	54,9%	591	33,9%	514	11,2%	431
11.	Hartwick College	55%	569	27,1%	472	17,8%	407

Vamos retroceder e reconstituir qual deveria ter sido o pensamento de Caroline Sacks diante da opção entre Brown e a Universidade de Maryland. Indo para Brown, ela se beneficiaria do prestígio da universidade. Poderia ter colegas mais interessantes e ricos. Os contatos feitos na universidade e o peso que estudar nessa instituição daria a seu diploma poderiam proporcionar uma vantagem no mercado de trabalho. Todas essas são clássicas vantagens do tipo Lagoa Grande. Brown é o Salon.

Mas ela estaria correndo um risco. Suas chances de abandonar as ciências aumentariam substancialmente. Qual seria o tamanho desse risco? De acordo com uma pesquisa de Mitchell Chang, da Universidade da Califórnia, a probabilidade de alguém obter um diploma nos cursos STEM – em condições normais – aumenta dois pontos percentuais para cada decréscimo de 10 pontos na nota média do SAT da universidade.* Quanto mais inteligentes forem seus colegas, mais burro você

---

* Este é um ponto de importância crucial que vale a pena detalhar. Chang e seus colegas de pesquisa examinaram uma amostra de milhares de estudantes universitários do primeiro ano e mensuraram quais fatores desempenharam o papel mais determinante nas chances de o estudante abandonar o curso de ciências. O fator mais importante em questão foi quão academicamente capazes os estudantes universitários eram. "Para cada aumento de 10 pontos na nota média do SAT de um grupo de calouros em dada instituição, as chances de retenção diminuíram 2 pontos percentuais", os autores escreveram. O interessante é que, se você examinar somente estudantes membros de minorias étnicas, os números são ainda maiores. Cada aumento de 10 pontos nas notas do SAT faz com que a retenção caia *3* pontos percentuais. "Estudantes que cursam a universidade que consideravam sua primeira opção tendem menos a persistir num curso biomédico ou de ciências comportamentais", segundo eles. Você acha que deve ir para a universidade mais badalada possível. Mas não deve.

se sentirá. E quanto mais isso acontecer, maiores as chances de você abandonar o curso de ciências. Como existe uma diferença de uns 150 pontos entre as notas médias do SAT de estudantes das universidades de Maryland e Brown, o "castigo" de Caroline por escolher uma ótima universidade em vez de uma simplesmente boa foi a redução em 30% de suas chances de se graduar em ciências. Repito: *30%!* Numa época em que estudantes formados em artes liberais penam para achar empregos, aqueles com diplomas de STEM têm boas carreiras praticamente garantidas. Empregos para pessoas com diplomas de ciências e engenharia são abundantes e muito bem remunerados. É arriscado perder a chance de consegui-los por causa do prestígio de uma universidade de elite.

Darei mais um exemplo da Lagoa Grande em ação que pode ser ainda mais impressionante. Suponhamos que você dirija uma universidade tentando contratar os melhores acadêmicos jovens oriundos da pós-graduação. Qual deveria ser sua estratégia de contratação? Você deveria admitir somente alunos das universidades de elite? Ou aqueles que foram os melhores alunos de suas turmas, independentemente da instituição onde estudaram?

A maioria das universidades segue a primeira estratégia. Elas até se vangloriam disso: *Nós só contratamos graduados das faculdades top de linha.* Mas espero que, a esta altura, você desconfie ao menos um pouco dessa posição. Um Peixe Grande em uma Lagoa Pequena não mereceria ao menos um segundo olhar antes que um Peixe Pequeno de uma Lagoa Grande fosse escolhido?

Felizmente existe um meio bem simples de comparar essas duas estratégias. Vem do trabalho de John Conley e Ali Sina Önder sobre os diplomados nos cursos de doutorado em economia. Em economia acadêmica, existem vários periódicos que todo mundo na área lê e respeita. Os melhores entre eles publicam somente as melhores e mais criativas pesquisas, e os economistas se avaliam mutuamente de acordo com – na maior parte – o número de artigos que publicaram nessas revistas reconhecidas. Então, para descobrir a melhor estratégia de contratação, Conley e Önder argumentam que tudo que precisamos fazer é comparar o número de artigos publicados pelos Peixes Grandes em Lagoas Pequenas com o número publicado pelos Peixes Pequenos em Lagoas Grandes. Sendo assim, o que eles constataram? *Que os melhores estudantes das universidades medianas eram quase sempre uma aposta melhor do que os bons estudantes das melhores universidades.*

Esse é um fato que contradiz nossa intuição. A ideia de que talvez não seja uma boa ideia as universidades contratarem pessoas de Harvard e do MIT parece absurda. Mas é difícil refutar a análise de Conley e Önder.

Comecemos com os melhores cursos de doutorado em economia nos Estados Unidos – todos na lista dos melhores do mundo: Harvard, MIT, Yale, Princeton, Columbia, Stanford e Universidade de Chicago. Conley e Önder dividiram os diplomados por cada um desses cursos de acordo com sua classificação na turma, e depois contaram o número de artigos publicados por cada Ph.D. nos seis primeiros anos de sua carreira acadêmica.

Percentil	99º	95º	90º	85º	80º	75º	70º	65º	60º	55º
Harvard	4,31	2,36	1,47	1,04	0,71	0,41	0,3	0,21	0,12	0,07
MIT	4,73	2,87	1,66	1,24	0,83	0,64	0,48	0,33	0,2	0,12
Yale	3,78	2,15	1,22	0,83	0,57	0,39	0,19	0,12	0,08	0,05
Princeton	4,10	2,17	1,79	1,23	1,01	0,82	0,6	0,45	0,36	0,28
Columbia	2,90	1,15	0,62	0,34	0,17	0,1	0,06	0,02	0,01	0,01
Stanford	3,43	1,58	1,02	0,67	0,5	0,33	0,23	0,14	0,08	0,05
Chicago	2,88	1,71	1,04	0,72	0,51	0,33	0,19	0,1	0,06	0,03

Observe o canto esquerdo da tabela – os estudantes que terminam no 99º percentil de sua turma (ou seja, que estão entre os melhores). Publicar três ou quatro artigos nas revistas mais prestigiosas no princípio da carreira é uma grande realização. Essas pessoas são realmente ótimas. Até aqui tudo faz sentido. Estar entre os melhores diplomados em economia pelo MIT ou por Stanford é um feito extraordinário.

Mas aí começa o enigma. Observe a coluna do 80º percentil. Universidades como MIT, Stanford e Harvard aceitam em torno de 25 estudantes de doutorado por ano. Portanto, se você está no 80º percentil, é mais ou menos o quinto ou sexto melhor em sua turma, o que também é extraordinário. Mas observe quão poucos artigos os alunos desse grupo publicam! Uma fração do número de artigos dos melhores estudantes. E, a propósito, observe a última coluna – o 55º percentil, os estudantes que estão um pouco acima da média. Eles são brilhantes o suficiente para conseguirem ingressar em um dos mais competitivos cursos de pós-graduação do mundo e para terminarem seus estudos na metade superior de sua turma. No entanto, mal são publicados. Como economistas profissionais, só podem ser considerados decepções.

Agora vejamos os que se diplomam pelas universidades medíocres. Digo "medíocre" somente porque é assim que alguém de uma das sete universidades de elite as chamaria. Na avaliação anual do *U.S. News & World Report* dos cursos de pós-graduação, essas são as instituições que estão soterradas quase no final da lista. Escolhi três somente para fins de comparação. A primeira é aquela onde estudei, a Universidade de Toronto. A segunda, a de Boston, e, por fim, o que Conley e Önder chamam de "*non-top 30*" (30 que não estão no topo), que é simplesmente uma média de todas as universidades *bem* no final da lista.

Percentil	99º	95º	90º	85º	80º	75º	70º	65º	60º	55º
Universidade de Toronto	3,13	1,85	0,8	0,61	0,29	0,19	0,15	0,1	0,07	0,05
Univ. de Boston	1,59	0,49	0,21	0,08	0,05	0,02	0,02	0,01	0	0
Non-top 30	1,05	0,31	0,12	0,06	0,04	0,02	0,01	0,01	0	0

Você vê o que é tão fascinante? Os melhores estudantes de uma faculdade *non-top 30* têm um número de publicações de 1,05, substancialmente melhor do que todos, exceto os melhores estudantes de Harvard, MIT, Yale, Princeton, Columbia, Stanford e Chicago. Você se daria melhor contratando um Peixe Grande de uma Lagoa Minúscula do que um Peixe Médio de uma Lagoa Grande? *Com certeza.*

Conley e Önder lutaram para explicar as próprias descobertas.* "Para ingressar em Harvard", eles escreveram:

> Um candidato precisa de ótimas notas na escola, resultados perfeitos nos testes de admissão, recomendações fortes e confiáveis e saber como combinar tudo isso para se destacar perante o comitê de admissão. Assim sendo, para ter sucesso, os candidatos precisam ser esforçados, inteligentes, ter feito uma boa graduação, ser espertos e ambiciosos. Por que a maioria desses candidatos bem-sucedidos, que foram vencedores e fizeram todas as coisas certas na época em que se candidataram ao curso de pós-graduação, torna-se tão medíocre depois de completar

---

* Um pequeno esclarecimento: a tabela de Conley e Önder não é uma lista do número total de publicações de cada economista. Pelo contrário, é um número ponderado – ter um artigo aceito por um dos periódicos mais prestigiosos (*The American Economic Review* ou *Econometrica*) conta mais do que ter um artigo publicado em um periódico menos competitivo. Em outras palavras, seus números não estão medindo somente quantos artigos um acadêmico consegue produzir, mas quantos artigos de *alta qualidade* ele consegue publicar.

sua instrução? Estamos frustrando os estudantes, ou eles estão nos frustrando?

A resposta, obviamente, não é nenhuma dessas duas. Ninguém está *frustando* ninguém. Simplesmente aquilo que faz das escolas de elite lugares tão maravilhosos para quem está no topo também faz delas lugares bem difíceis para os demais. Trata-se de outra versão do que aconteceu com Caroline Sacks. A Lagoa Grande recebe estudantes realmente brilhantes e os desmoraliza.

A propósito, você sabe qual instituição de elite reconhece esse fato sobre os perigos da Lagoa Grande há quase 50 anos? Harvard! Na década de 1960, Fred Glimp se tornou diretor de admissões lá e instituiu o que ficou conhecido como política do "quarto inferior feliz". Em um de seus primeiros memorandos após assumir o cargo, ele escreveu: "Qualquer turma, por mais capaz que seja, sempre terá um quarto (1/4 ou 25%) inferior. Quais são os efeitos psicológicos de se sentir mediano, mesmo quando se é de um grupo muito capaz? Existem tipos identificáveis com uma tolerância psicológica para serem 'felizes' ou aproveitarem ao máximo a educação, mesmo estando no quarto inferior?" Ele sabia exatamente como a Lagoa Grande era desmoralizante para todos que não fossem os melhores. Na cabeça de Glimp, sua função era encontrar estudantes que fossem suficientemente resistentes e tivessem realizações suficientes fora da sala de aula para sobreviver à tensão de ser um Peixe Minúsculo na Lagoa Enorme de Harvard. Assim, Harvard começou a prática (que mantém até hoje) de aceitar números substanciais de atletas talentosos com qualificações acadêmicas bem abaixo do resto de seus colegas. Se alguém vai ser bucha de canhão dos colegas, reza a teoria, é provavelmente melhor que essa pessoa tenha uma alternativa de realização no campo de futebol americano, por exemplo.

Exatamente a mesma lógica se aplica ao debate sobre a ação afirmativa. Nos Estados Unidos, existe uma controvérsia enorme sobre se as universidades e escolas técnicas devem ter padrões de admissão menos rigorosos para minorias em desvantagem. Os partidários da ação afirmativa dizem que essa ideia se justifica dado o longo histórico de discriminação enfrentado por elas. Os que se opõem a isso dizem que o acesso às universidades seletivas é tão importante que deveria se dar puramente pelo mérito acadêmico. Ainda há quem diga que usar a raça como base para a preferência constitui um erro – e o que deveriam realmente estar fazendo é dar preferência às pessoas pobres. O que todos os três grupos aceitam como fato consumado é que ser capaz de ingressar numa ótima universidade é uma vantagem tão importante que vale a pena lutar pelo pequeno número de vagas no topo. Mas por que as pessoas estão convencidas disso?

A ação afirmativa é praticada mais agressivamente nas faculdades de direito, onde se oferecem a estudantes negros vagas em instituições um nível acima daquele em que normalmente conseguiriam ingressar. O resultado? De acordo com o professor de direito Richard Sander, mais de metade de todos os estudantes de direito negros nos Estados Unidos – 51,6% – está entre os 10% piores de sua turma e quase três quartos se situam entre os 20% piores.* Após ler sobre como é difícil obter um diploma em ciências quando se está entre os piores

---

* O professor de direito Richard Sander é o principal proponente da tese da Lagoa Grande contra a ação afirmativa. Ele escreveu com Stuart Taylor um livro fascinante sobre o assunto chamado *Mismatch: How Affirmative Action Hurts Students It's Intended to Help, and Why Universities Won't Admit It* (Descompasso: Como a ação afirmativa prejudica os estudantes que pretende ajudar e por que as universidades não admitem isso). Forneci um resumo de parte do argumento de Sander nas notas ao final deste livro.
Por exemplo, uma das questões que Sander examina é: fica mais difícil para um estudante de uma minoria se tornar um advogado se ele vai para uma faculdade melhor. Isso está claro. Mas e se essa dificuldade for compensada pelo fato de que um diploma de uma faculdade melhor vale mais? Sander e Taylor alegam que esse argumento não é válido, já

da turma, você provavelmente concordará que essas estatísticas são assustadoras. Lembra-se do que Caroline Sacks disse? *Poxa, outras pessoas estão dominando isso, até mesmo as que estavam tão perdidas como eu no princípio, e parece que eu simplesmente não consigo aprender a pensar desse jeito.* Caroline não é burra. Ela é realmente inteligente. Mas a Universidade Brown fez com que se sentisse assim – e, se ela realmente quisesse obter um diploma em ciências, a melhor coisa a fazer seria *descer* um nível, estudando em Maryland. Nenhuma pessoa de bom senso diria que a solução para seus problemas seria ir para uma universidade em que os alunos sejam ainda mais competitivos, como Stanford ou MIT. No entanto, quando se trata da ação afirmativa, é exatamente o que fazemos. Pegamos estudantes promissores como Caroline Sacks – mas que por acaso são negros – e damos um empurrão para *elevá-los* um nível. E por que fazemos isso? *Porque achamos que os estamos ajudando.*

Isso não significa que a ação afirmativa esteja errada. É algo feito com as melhores intenções, e as universidades de elite com frequência têm recursos que outras universidades não têm para

---

que obter ótimas notas em uma faculdade boa é mais ou menos o mesmo – e talvez até melhor – do que obtê-las em uma ótima faculdade. Eles escrevem:

> Um estudante que vai para a Fordham (classificada em 30º lugar) e termina entre os cinco melhores de sua turma consegue empregos e salários bem semelhantes aos daquele que vai para a Columbia (classificada em 5º lugar) e obtém notas que o situam abaixo da média da turma. Constatei que, na maioria dos casos como esse, o estudante da Fordham desfruta uma vantagem no mercado de trabalho.

Isso não deve surpreender. Por que os estudantes negros deveriam ter vantagens que qualquer outro que é forçado a aprender da posição menos vantajosa na sala de aula teria?

Os argumentos de Sander *são* controversos. Algumas de suas descobertas foram questionadas por cientistas sociais que interpretam os dados de outra maneira. Num nível geral, porém, o que ele diz sobre os perigos da Lagoa Grande é algo que muitos psicólogos, voltando até o trabalho de Stouffer na Segunda Guerra Mundial, considerariam senso comum.

ajudar estudantes pobres. Mas isso não muda o fato de que – como diz Herbert Marsh – as vantagens da Lagoa Grande são ambíguas, e é estranho como os pontos negativos da Lagoa Grande raramente são mencionados. Os pais continuam estimulando seus filhos a irem para as melhores universidades, sob o pressuposto de que estudar nelas permitirá que eles façam tudo que quiserem. Tendemos a considerar verdades óbvias que a Lagoa Grande expande as oportunidades e que a turma menor é sempre melhor. Temos uma definição em nossa cabeça do que é vantajoso – e a definição não está correta. Qual é o resultado disso tudo? Cometemos erros. Interpretamos mal as batalhas entre azarões e gigantes. Subestimamos quanta liberdade pode existir no que parece uma desvantagem. É a Lagoa Pequena que maximiza suas chances de fazer o que quiser.

Na época em que se candidatou à universidade, Caroline Sacks não tinha ideia de que estava pondo em risco aquilo que tanto adorava. Agora ela tem. Ao final de nossa conversa, perguntei o que teria acontecido se ela houvesse optado pela Universidade de Maryland – se fosse um Peixe Grande em uma Lagoa Pequena. Ela respondeu sem hesitar: "Estaria até hoje em ciências."

7.

"Eu era um aluno muito interessado. Realmente gostava de aprender e adorava a escola. Tirava notas muito boas", Stephen Randolph começou.* Ele é um jovem alto, de cabelos castanho-escuros cuidadosamente penteados, e vestia calças cáqui primorosamente passadas a ferro. "Comecei a estudar

---

* "Stephen Randolph" é um pseudônimo.

a álgebra do ensino médio já no quarto ano do fundamental. Depois estudei álgebra II no quinto ano e geometria no sexto. Quando cheguei ao sétimo ano, estava frequentando a escola de ensino médio para estudar matemática, biologia, química e história americana. Também frequentei uma faculdade local a partir do quinto ano, fazendo cursos de matemática e de ciências. Na verdade, acho que, quando terminei o ensino médio, tinha créditos mais que suficientes para concluir um bacharelado na Universidade da Geórgia."

Todos os dias, do primeiro ano do ensino fundamental ao final do ensino médio, Randolph usou gravata na escola.

"É meio constrangedor, meio maluco", ele contou. "Mas fiz isso. Esqueci como começou. Simplesmente queria usar uma gravata um dia no primeiro ano, e aí a coisa foi acontecendo. Eu era um nerd, acho."

Randolph foi o orador de sua turma de ensino médio. Suas notas de admissão na universidade foram quase todas máximas. Foi aceito por Harvard e o MIT, e escolheu Harvard. Na primeira semana de aulas, percorreu as dependências da universidade e se maravilhou com sua sorte.

"Eu me toquei de que todo mundo à minha volta era um estudante que conseguira entrar em Harvard. Todo esse pessoal era interessante, esperto, incrível, e essa seria uma grande experiência. Eu estava muito empolgado."

Sua história foi quase palavra por palavra igual à de Caroline Sacks, e ao ouvi-la pela segunda vez compreendi como a realização dos impressionistas foi notável. Eles eram gênios da arte. Mas possuíam também uma sabedoria rara sobre o mundo. Foram capazes de olhar para o que o restante de nós considerava uma grande vantagem e enxergar a verdade por detrás. Monet, Degas, Cézanne, Renoir e Pissarro, se fossem escolher uma universidade, prefeririam a segunda opção.

Em seu terceiro ano de universidade, Stephen escolheu a matéria de física quântica. E o que aconteceu com ele? Desconfio que você já adivinhou a resposta.

"Não me saí bem", ele admitiu. "Acho que devo ter tirado um B-menos." Foi a menor nota que ele já havia obtido. "Achei que não era bom naquilo ou que não era bom o suficiente. Talvez eu sentisse que deveria ser o melhor na matéria ou ser um gênio naquilo para que fizesse sentido continuar. Algumas pessoas pareciam apreender o conteúdo mais rápido do que eu – e você tende a se concentrar nessas pessoas em vez de naquelas que estão tão perdidas quanto você."

E continuou seu relato: "Eu estava empolgado pela matéria, mas fiquei abalado com a experiência. Eu assistia às aulas e não entendia nada, e achava que nunca ia conseguir entender! Fazia exercícios e compreendia um pouquinho disso e um pouquinho daquilo, mas sempre achava que os colegas assimilavam bem melhor. Acho que uma das questões principais em Harvard é que existe tanta gente inteligente lá que é difícil se sentir inteligente."

Então decidiu que não dava para continuar.

"Existe algo em resolver um problema matemático que é muito gratificante", Randolph disse a certa altura, e notei um olhar quase saudoso em seu rosto. "Você começa com um problema que talvez não consiga resolver, mas sabe que existem certas regras que pode seguir e certas abordagens que pode tomar, e muitas vezes durante esse processo o resultado intermediário é mais complexo do que seu ponto de partida, e então o resultado final é simples. E há certa alegria em fazer essa jornada."

Randolph foi para a universidade que escolheu. Mas obteve a instrução que queria?

"Acho que estou satisfeito com o rumo que as coisas tomaram", ele disse. Depois riu, um pouco pesaroso. "Pelo menos é o que digo a mim mesmo."

Ao final do terceiro ano na universidade, Randolph decidiu fazer o vestibular para a faculdade de direito. Após se formar, obteve emprego num escritório de advocacia em Manhattan. Harvard privou o mundo de um físico e deu ao mundo mais um advogado.

"Trabalho com direito tributário", Randolph contou. "É engraçado. Um bom número de estudantes de matemática e física vai parar nessa área."

PARTE II
A TEORIA DA DIFICULDADE DESEJÁVEL

PARA IMPEDIR QUE EU ME EXALTASSE POR CAUSA DA GRANDEZA DESSAS REVELAÇÕES, FOI-ME DADO UM ESPINHO NA CARNE, UM MENSAGEIRO DE SATANÁS, PARA ME ATORMENTAR. TRÊS VEZES ROGUEI AO SENHOR QUE O TIRASSE DE MIM. MAS ELE ME DISSE: "MINHA GRAÇA É SUFICIENTE PARA VOCÊ, POIS O MEU PODER SE APERFEIÇOA NA FRAQUEZA." PORTANTO, EU ME GLORIAREI AINDA MAIS ALEGREMENTE EM MINHAS FRAQUEZAS, PARA QUE O PODER DE CRISTO REPOUSE EM MIM. POR ISSO, POR AMOR DE CRISTO, REGOZIJO-ME NAS FRAQUEZAS, NOS INSULTOS, NAS NECESSIDADES, NAS PERSEGUIÇÕES, NAS ANGÚSTIAS. POIS QUANDO SOU FRACO É QUE SOU FORTE.

2 CORÍNTIOS 12:7-10

CAPÍTULO QUATRO

David Boies

VOCÊ NÃO IA QUERER UM FILHO
DISLÉXICO. OU IA?

1.

Se você fizer uma tomografia do cérebro de uma pessoa com dislexia, as imagens produzidas parecerão estranhas. Em certas partes críticas do órgão – aquelas que lidam com leitura e processamento de palavras – os disléxicos têm menos massa cinzenta, e não há nelas tantas células cerebrais quanto deveria. À medida que o feto se desenvolve dentro do útero, os neurônios devem se deslocar para as áreas apropriadas do cérebro, tomando seus lugares como peças num tabuleiro de xadrez. Mas, por algum motivo, os neurônios dos disléxicos às vezes se perdem no meio do caminho. Vão parar no lugar errado. O cérebro possui algo chamado sistema ventricular, utilizado por ele como o ponto de entrada e saída. Algumas pessoas com distúrbios de leitura possuem neurônios ao longo de seus ventrículos, como passageiros presos num aeroporto durante uma tempestade.

Enquanto uma imagem do cérebro está sendo captada pelo aparelho, o paciente realiza uma tarefa, e então um neurocientista examina quais partes do cérebro foram ativadas em reação àquela tarefa. Se você pede a um disléxico que ele leia enquanto submetido a uma tomografia cerebral, as partes que normalmente deveriam acender podem simplesmente ficar apagadas, e o resultado da tomografia fica parecendo uma foto aérea de uma cidade durante um blecaute. Os disléxicos usam o hemisfério direito do cérebro durante a leitura bem mais do que os leitores normais, mas esse é o lado conceitual. É a metade errada do cérebro para uma tarefa precisa e rigorosa como a leitura. Às vezes, quando um disléxico lê, cada etapa é retardada, como se as diferentes partes do órgão responsáveis pela leitura estivessem se comunicando por meio de uma conexão fraca.

Uma das formas de testar a presença da dislexia em uma criança é envolvê-la em uma "nomeação automatizada rápida". Mostre-lhe uma cor após outra – um ponto vermelho, em seguida um verde, depois um azul, por fim um amarelo – e confira sua reação. *Ver a cor. Reconhecê-la. Dar um nome a ela. Dizer seu nome.* Essa sequência é automática na maioria de nós, mas não em alguém com um distúrbio de leitura. Em algum ponto no meio do caminho, os elos entre essas quatro etapas começam a se romper. Pergunte a uma criança de 4 anos: "Você consegue dizer a palavra 'banana' sem o *b*?" Ou diga: "Ouça estes quatro sons: *g, a, t, o*; você consegue combiná-los numa palavra?" Ou pronuncie "gato", "rato" e "reto" e pergunte qual delas não rima. Questões fáceis para a maioria das crianças de 4 anos, mas dificílimas para os disléxicos.

Muitas pessoas costumam pensar que o que define os disléxicos é o fato de eles captarem as palavras de trás para a frente – "gato" seria "otag", ou algo parecido –, dando a impressão de que a dislexia é um problema de como as palavras são vistas. Mas é algo mais profundo que isso. Ela tem relação com a forma como as pessoas ouvem e manipulam os sons. A diferença entre os sons *ba* e *da* é sutil nos primeiros 40 milissegundos da sílaba. A língua humana se baseia no pressuposto de que podemos captá-la, e não conseguir fazer essa distinção pode determinar que uma informação seja captada de forma catastroficamente errada. Você consegue imaginar as consequências de ter um cérebro tão lento que, quando se trata de reunir os blocos de construção das palavras, esses 40 milissegundos tão cruciais simplesmente passem rápido demais?

"Se a pessoa não tem nenhuma ideia dos sons da língua, fica realmente difícil correlacionar os sons aos equivalentes escritos", explicou Nadine Gaab, uma pesquisadora de dislexia de Harvard. "Ela pode levar um tempo para aprender a ler. Lê bem devagar, o que prejudica sua fluência de leitura, prejudicando então sua compreensão, porque ela é tão lenta que, no momento em que chega ao final da frase, já esqueceu qual foi seu início. Isso leva a muitos problemas na escola, e então começa a afetar o aprendizado de todas as matérias. A pessoa não consegue ler. Como irá fazer as provas de matemática, que têm perguntas longas e cheias de informações? Ou um teste de estudos sociais, se demora duas horas para ler o enunciado?"

Nadine continuou: "Geralmente a criança recebe um diagnóstico aos 8 ou 9 anos. E constatamos que já existe uma série de implicações psicológicas graves, porque àquela altura ela já vem lutando há três anos. Talvez ela fosse a criancinha legal na creche quando tinha 4 anos. Aí entrou no jardim de infância e todos os colegas subitamente começaram a ler, mas ela não conseguiu. Ficou frustrada. Seus colegas podem ter achado que ela é burra, e seus pais, que é preguiçosa. Sua autoestima despencou, levando a um grau maior de depressão. Crianças com dislexia têm mais chances de se tornarem jovens infratores, pois se comportam mal. Isso porque não conseguem dar sentido às coisas. Em nossa sociedade, conseguir ler é extremamente importante."

Você não ia querer um filho disléxico. Ou ia?

2.

Até agora neste livro examinamos formas pelas quais costumamos ser enganados sobre a natureza das vantagens. Então é hora de voltarmos a atenção para o outro lado da moeda. Quando se diz que algo constitui uma desvantagem, o que isso significa exatamente? O senso comum sustenta que uma desvantagem é algo que deveria ser evitado — que é um revés ou uma dificuldade que deixa você pior do que ficaria normalmente. Mas esse nem sempre é o caso. Nos próximos capítulos, quero explorar a ideia de que existem coisas como "dificuldades *desejáveis*". Esse conceito foi concebido por Robert Bjork e Elizabeth Bjork, dois psicólogos da Universidade da Califórnia, campus de Los Angeles, e é uma forma bonita e interessante de entender como pessoas desprivilegiadas chegam a se destacar.

Vejamos, por exemplo, o seguinte problema:

1. Um taco e uma bola custam $1,10 no total. O taco custa $1,00 a mais do que a bola. Quanto custa a bola?

Qual a sua resposta instintiva? Suponho que seja que a bola deve custar 10 centavos. Mas isso não pode estar certo, pode? O taco deve custar $1,00 *a mais do que* a bola. Assim, se a bola custa 10 centavos, o taco deve custar $1,10, o que excede o total. A resposta é que a bola custa 5 centavos.

Eis outra pergunta:

2. Se 5 máquinas levam 5 minutos para fazer 5 produtos, quanto tempo 100 máquinas levariam para fazer 100 produtos?

O arranjo da pergunta o induz a responder 100, mas é uma pegadinha. As 100 máquinas levam exatamente a mesma quantidade de tempo para fazer 100 produtos que as 5 (simplificando, chega-se à conclusão de que a máquina leva 5 minutos para fazer um produto). A resposta certa é 5 minutos.

Esses problemas são duas das três perguntas que constituem o teste de inteligência mais curto do mundo,* o Teste de Reflexo Cognitivo (TRC). Foi inventado pelo professor de Yale Shane Frederick e mede sua capacidade de entender quando algo é mais complexo do que parece – de passar de respostas impulsivas para julgamentos mais profundos, analíticos.

Frederick argumenta que, se você quiser um meio rápido de classificar as pessoas segundo o nível de capacidade cognitiva básica, seu pequeno teste é quase tão útil quanto testes que têm centenas de itens e levam horas para serem finalizados. Para provar sua tese, Frederick ministrou o TRC a estudantes de nove universidades americanas, e os resultados quase espelham a classificação que os estudantes dessas universidades teriam em testes de inteligência mais tradicionais.** A média dos estudantes do Massachusetts Institute of Technology (MIT) foi 2,18 respostas certas dentre três; os da Universidade Carnegie Mellon em Pittsburgh, outra extraordinária instituição de elite, acertaram em média 1,51; a média de Harvard foi 1,43; a da Universidade de Michigan em Ann Arbor, 1,18; e a da Universidade de Toledo, 0,57.

O TRC é realmente difícil. Mas eis o fato estranho. Sabe qual a forma mais fácil de aumentar as notas das pessoas no teste? Torná-lo um pouquinho mais *difícil*. Os psicólogos Adam Alter

---

* Na verdade, existe um teste ainda menor. Um dos psicólogos modernos mais brilhantes foi um homem chamado Amos Tversky. Ele era tão inteligente que seus colegas de profissão conceberam o "Teste de Inteligência Tversky". Quanto mais rápido você percebesse que Tversky era mais inteligente do que você, mais inteligente você era. Adam Alter contou-me sobre esse teste e disse que sua nota tinha sido muito alta.

** Para garantir que estava medindo a inteligência, e não algo diferente, Frederick também correlacionou as notas no TRC com outros fatores. "Uma análise dessas respostas mostra que as notas no TRC não estão relacionadas com preferências entre maçãs ou laranjas, Pepsi ou Coca, cerveja ou vinho, rap ou balé", ele escreveu. "Entretanto, as notas no TRC são indicadores fortes da escolha entre as revistas *People* ou *The New Yorker*. Entre o grupo com TRC baixo, 67% preferiram a *People*. Entre o grupo com TRC alto, 64% preferiram *The New Yorker*. (Escrevo para *The New Yorker*, por isso não poderia deixar de mencionar esse detalhe.)

e Daniel Oppenheimer tentaram isso poucos anos atrás com um grupo de estudantes da Universidade Princeton. Primeiro ministraram o TRC da maneira normal, e os estudantes acertaram uma média de 1,9 pergunta dentre três. Um bom resultado, embora bem abaixo dos 2,18 dos alunos do MIT. Então Alter e Oppenheimer imprimiram as perguntas do teste numa tipologia bem difícil de ler – uma fonte Myriad Pro em itálico com corpo 10 pontos e na cor cinza-claro –, de modo que pareceu assim:

1. Um taco e uma bola custam $1,10 no total. O taco custa $1,00 a mais que a bola. Quanto custa a bola?

Sabe qual foi a nota média depois disso? 2,45 pontos. Subitamente os estudantes estavam se saindo bem melhor do que seus colegas do MIT.

Estranho, não? Normalmente pensamos que resolvemos melhor os problemas quando eles são apresentados de forma clara e simples, mas aqui aconteceu o inverso. A fonte utilizada tornou a leitura realmente frustrante. Você precisa forçar os olhos um pouco e talvez ler a frase duas vezes, e no meio do teste provavelmente se pergunta quem foi que teve a ideia doida de imprimir daquele jeito. Subitamente você precisa se esforçar só para ler a pergunta.

No entanto, todo esse esforço extra vale a pena. Como diz Alter, dificultar a leitura das perguntas obriga as pessoas a "pensar mais profundamente sobre aquilo com que deparam. Elas usarão mais recursos. Processarão informações com mais intensidade ou darão mais atenção ao que está acontecendo. Se tiverem que superar um obstáculo, farão isso melhor quando você as forçar a pensarem um pouco mais". Alter e Oppenheimer tornaram o TRC mais difícil. Mas aquela dificuldade acabou se revelando *desejável*.

Nem todas as dificuldades têm um lado bom, é claro. Aquilo pelo qual Caroline Sacks passou, em seu curso de química orgânica na Brown, foi uma dificuldade indesejável. Ela é uma estudante curiosa, esforçada, talentosa, que adora ciências – e não houve vantagem em estar numa situação em que se sentiu desmoralizada e incapaz. A luta não lhe proporcionou um novo gosto por ciências; pelo contrário, afugentou-a. Mas existem momentos e lugares em que as lutas têm o efeito oposto – em que aquilo que parece o tipo de obstáculo que deveria reduzir as chances de um perdedor em potencial na verdade atua como a fonte Myriad Pro em itálico com 10 pontos e cinza-claro de Alter e Oppenheimer.

A dislexia pode se revelar uma dificuldade desejável? Difícil acreditar que sim, dada a quantidade de pessoas que lutam com esse distúrbio ao longo da vida – a não ser por um fato curioso: um número extraordinário de empresários bem-sucedidos é disléxico. Um estudo recente de Julie Logan, da City University de Londres, estima o número em torno de um terço. A lista inclui muitos dos inovadores mais famosos das últimas décadas: Richard Branson, o empresário bilionário britânico; Charles Schwab, o fundador da corretora de descontos que ostenta seu nome; Craig McCaw, o pioneiro dos telefones celulares; David Neeleman, o fundador da JetBlue; John Chambers, o CEO da Cisco, gigante da tecnologia; Paul Orfalea, o fundador da Kinko's – só para citar alguns. A neurocientista Sharon Thompson-Schill lembra-se de que, ao discursar em uma reunião de doadores proeminentes da universidade – praticamente todos homens de negócios de sucesso –, resolveu perguntar quantos deles chegaram a ter diagnosticados distúrbios de aprendizado.

"Metade deles levantou as mãos", ela contou. "Foi incrível."

Existem duas interpretações possíveis para esse fato. A primeira é que esse grupo notável de pessoas triunfou apesar de sua incapacidade: são tão inteligentes e tão criativos que nada – nem mesmo uma vida inteira batalhando para conseguir ler – conseguiu detê-los. A segunda possibilidade, mais intrigante, é que tiveram sucesso, em parte, *por causa* do seu distúrbio, já que aprenderam algo em sua luta que se mostrou imensamente vantajoso. Você ia querer um filho disléxico? Se essa segunda possibilidade for verdadeira, talvez quisesse.

3.

David Boies cresceu em uma área rural de Illinois. Era o mais velho dentre cinco filhos. Seus pais eram professores de escola pública. A mãe lia histórias para ele quando criança. Ele costumava memorizar o que ela dizia porque não conseguia acompanhar o que estava na página. Só começou a ler no terceiro ano, e mesmo assim devagar e com grande dificuldade. Muitos anos depois, descobriria que era disléxico, mas na infância não achou que tivesse algum problema. Sua cidadezinha no interior de Illinois não era um lugar que considerasse a leitura um sinal importante de realização. Muitos de seus colegas deixaram a escola para trabalhar em fazendas assim que tiveram oportunidade. Boies lia histórias em quadrinhos, que são fáceis de acompanhar e têm muitas imagens. Nunca lia por diversão. Mesmo hoje, talvez leia um livro por ano, no máximo. Assiste à televisão – qualquer coisa, diz com uma risada, "que se mexa e seja colorida". Seu vocabulário oral é limitado. Emprega palavras pequenas e frases curtas. Às vezes, ao ler algo em voz alta e deparar com uma palavra que não conhece, faz uma pausa e a soletra devagar.

"Há um ano e meio, minha mulher me deu um iPad, que foi meu primeiro dispositivo tipo computador, e uma das coisas interessantes é que minha tentativa de grafar muitas palavras não é exata o suficiente para o corretor ortográfico achar a forma correta", Boies disse.

Quando ele concluiu o ensino médio, não tinha grandes ambições. Suas notas haviam sido "irregulares". Sua família havia então se mudado para o sul da Califórnia, e a economia local estava em ascensão. Conseguiu emprego na construção civil.

"Era um trabalho ao ar livre, com uns sujeitos mais velhos", Boies recordou. "Eu estava ganhando mais dinheiro do que jamais poderia ter imaginado. Foi bem divertido."

Depois, trabalhou um tempo como escriturário num banco, e jogava bridge nas horas vagas.

"Era uma vida ótima. Eu poderia ter continuado assim por mais tempo. Mas, depois que nasceu nosso primeiro filho, minha mulher começou a se preocupar com meu futuro."

Ela lhe deu folhetos sobre faculdades e universidades locais. Ele se lembrou de que na infância era fascinado por direito e decidiu cursar a faculdade. Atualmente, David Boies é um dos advogados de tribunal mais famosos do mundo.

Como Boies progrediu de operário de construção com instrução média para o ápice da carreira de advogado é um enigma, no mínimo. A formação em direito exige muita leitura – de causas, opiniões e análises de especialistas – e Boies é uma pessoa para quem ler é um desafio. Parece loucura que tenha chegado a cogitar estudar direito. Mas não esqueçamos que, uma vez que está lendo este livro, você é um leitor – o que significa que provavelmente nunca teve que pensar em todos os atalhos, estratégias e desvios que existem para *não precisar* ler.

Boies começou a cursar a Universidade de Redlands, uma pequena instituição particular uma hora a leste de Los Angeles. Ir para lá lhe proporcionou sua primeira oportunidade. Redlands era uma Lagoa Pequena e Boies se destacou ali. Deu duro e era muito organizado – porque sabia que tinha que ser. Aí teve sorte. Redlands exigia certo número de matérias básicas para a graduação, todas envolvendo leituras pesadas. Naquela época, porém, você podia se candidatar à faculdade de direito sem um certificado do curso preparatório. Boies simplesmente pulou as matérias básicas.

"Lembro-me de quando descobri que podia ir para a faculdade de direito sem me graduar no preparatório", ele contou. "Foi uma sensação incrível. Não dava para acreditar."

A faculdade de direito, é claro, exigiria ainda mais leituras. Mas Boies descobriu que havia súmulas das causas principais – guias que condensavam em cerca de uma página os pontos-chave de uma longa opinião da Suprema Corte.

"As pessoas podem dizer que é uma forma pouco sensata de cursar a faculdade de direito", ele comentou. "Mas funcionou."

Além disso, ele era um bom ouvinte.

"Ouvir", ele disse, "é algo que venho fazendo toda a minha vida. Sou bom nisso porque era a única maneira pela qual eu conseguia aprender. Eu gravo o que as pessoas dizem. Memorizo as palavras que usam."

Desse modo, ele ficava sentado na sala de aula da faculdade – enquanto todos os demais freneticamente tomavam notas, faziam rabiscos, ficavam sonhando acordados ou perdiam e recuperavam a concentração –, focado no que era dito e confiando o que ouvia à memória, que, naquele ponto, era um instrumento admirável. Ele a vinha exercitando, afinal, desde que sua mãe lera histórias quando criança e ele memorizava o que ela dizia. Seus colegas, enquanto tomavam notas, faziam rabiscos e perdiam e recuperavam a concentração, deixavam escapar coisas. A atenção deles estava comprometida. Boies não tinha esse problema. Pode não ter sido um leitor, mas as coisas que foi forçado a fazer, por não saber ler bem, se mostraram ainda mais valiosas. Ele ingressou na Northwestern Law School, depois pediu transferência para Yale.

Quando Boies se tornou advogado, preferiu não praticar direito empresarial. Aquilo seria estupidez. Os advogados corporativos precisam destrinchar montanhas de documentos e avaliar a importância da minúscula nota de rodapé na página 367. Tornou-se um litigante, trabalho que exige que pense rapidamente. Ele memoriza o que precisa dizer. Às vezes tropeça quando precisa ler algo no tribunal e topa com uma palavra que não consegue processar a tempo. Aí faz uma pausa e a soletra, como se fosse uma criança. É estranho. Porém, é mais uma excentricidade do que um problema real. Na década de 1990, ele encabeçou a equipe que acusou a Microsoft de violações da lei antitruste e, durante o julgamento, ficava se referindo a "login" como "*lojin*", exatamente o tipo de erro que um disléxico comete. Mas ele foi esmagador no interrogatório das testemunhas, porque não havia nuance, evasão sutil, escolha de palavras peculiares e reveladoras que lhe escapassem – nem comentário isolado ou admissão reveladora da testemunha uma hora, um dia ou uma semana antes que ele não tivesse ouvido, apreendido e memorizado.

"Se eu pudesse ler bem mais rápido, isso facilitaria muitas coisas que faço", Boies disse. "Não há dúvida sobre isso. Por outro lado, não ser capaz de ler muito, e aprender ouvindo e fazendo perguntas, me obriga a simplificar as coisas aos seus fundamentos. E isso é bem poderoso, porque, nos casos julgados no tribunal, os juízes e jurados não têm tempo para se tornarem especialistas no assunto. Um dos meus pontos fortes é apresentar uma causa que eles consigam entender."

Seus oponentes tendem a ser tipos acadêmicos, que leram todas as análises concebíveis da questão em pauta. Repetidamente, ficam atolados em detalhes excessivos. Boies, não.

Uma de suas causas mais famosas – *Hollingsworth versus Schwarzenegger** – envolvia uma lei da Califórnia limitando o casamento a heterossexuais. Boies foi o advogado que argumen-

---

* Quando Blankenhorn depôs em janeiro de 2010, a causa chamava-se *Perry versus Schwarzenegger*, tornou-se *Hollingsworth versus Perry* no nível da Suprema Corte, em 2013.

tou que a lei era inconstitucional; no embate mais memorável do julgamento, ele arrasou a testemunha especialista-chave do outro lado, David Blankenhorn, extraindo dele enormes concessões.

"Uma das orientações que você passa para as testemunhas quando as está preparando é que falem devagar", Boies disse. "Mesmo quando não precisa. Porque haverá certos momentos em que você precisará desacelerar, e você não quer mostrar ao promotor, por sua mudança de ritmo, que precisa de tempo para desenvolver determinado argumento. 'Então... quando você nasceu?'", ele falou cuidadosa e ponderadamente. "'Nasci... em... 1941.' Você não diz correndo 'Foi no dia 11 de março de 1941 às seis e meia da manhã', embora não esteja tentando esconder o fato. Você quer que sua resposta seja igual para as coisas fáceis e para as coisas mais difíceis, a fim de não revelar o que é fácil e o que é difícil pelo jeito de responder."

Quando Blankenhorn pausava um pouquinho demais em certos momentos cruciais, Boies percebia.

"Eram o tom, o ritmo e as palavras que usava. Parte disso vem das pausas que ele usava quando estava tentando pensar em como dizer algo. Ele era o tipo de pessoa que, à medida que você o sondava e escutava, deixava claro em que áreas não se sentia à vontade, quando usava uma palavra vaga. E, ao conseguir me concentrar nessas áreas, pude levá-lo a admitir os elementos-chave de nosso argumento."

4.

Boies tem uma habilidade especial que ajuda a explicar por que é tão bom no que faz. Ele é um ouvinte esplêndido. Mas pense em como veio a desenvolver essa habilidade. A maioria de nós converge naturalmente para as áreas em que nos destacamos.

A criança que aprende a ler facilmente continua lendo ainda mais e se torna melhor nisso, indo parar numa área que exigirá muita leitura. Um jovem chamado Tiger Woods tem uma coordenação motora incomum para sua idade e descobre que o golfe atende à sua imaginação, de modo que gosta muito de praticar esse esporte. Por essa razão melhora ainda mais seu rendimento e assim por diante, num círculo virtuoso. Isso é "aprendizado por capitalização": nós ficamos bons em algo desenvolvendo os pontos fortes com que a natureza nos dotou.

As dificuldades desejáveis, porém, *têm uma lógica oposta*. Em seus experimentos com o TRC, Alter e Oppenheimer fizeram os estudantes se superarem tornando suas vidas mais difíceis, forçando-os a compensar algo que havia sido retirado deles. Foi o que Boies também estava fazendo quando aprendeu a ouvir. Ele estava compensando. Não havia escolha. Ele era um leitor tão ruim que teve que lutar, adaptar-se e criar algum tipo de estratégia que lhe permitisse acompanhar todos à sua volta.

Grande parte de nosso aprendizado é por capitalização: fácil e óbvio. Se você tem uma voz bonita e ouvido absoluto, em pouco tempo estará cantando num coro. Já o "aprendizado por compensação" é realmente difícil. Memorizar o que sua mãe diz enquanto ela lê histórias para você e reproduzir as palavras depois de forma que convença os outros requer que você enfrente suas limitações, que supere sua insegurança e o medo de se sentir humilhado, que se concentre bastante para memorizar as palavras e depois tenha a desenvoltura para fazer uma apresentação de sucesso. A maioria das pessoas com uma incapacidade grave não consegue dominar todos esses passos. Mas aquelas que conseguem se saem *melhor* do que se não tivessem a incapacidade, porque o que se aprende por necessidade é inevitavelmente mais significativo do que o que se aprende facilmente.

É impressionante a frequência com que disléxicos bem-sucedidos contam versões da mesma história de compensação.

"Era horrível estar na escola", um homem chamado Brian Grazer contou para mim. "Minha química corporal sempre mudava. Eu ficava muito, muito ansioso. Levava a vida toda para fazer um simples dever de casa. Ficava horas devaneando porque não conseguia ler as palavras. Eu me via sentado num lugar uma hora e meia sem realizar nada. No segundo ciclo do ensino fundamental, eu praticamente só tirava notas F, às vezes D e talvez um C. Eu só passava de ano porque minha mãe pressionava a escola a não me deixar para trás."

Então como Grazer conseguiu enfrentar a escola? Antes de qualquer prova, começava a traçar planos e estratégias, já no primeiro ciclo do fundamental.

"Eu combinava estudar com um colega na noite anterior", ele disse. "E então ele perguntava: 'O que você pretende fazer? Como acha que responderá a essas perguntas?' Eu tentava adivinhar as respostas ou, se possível, obter as perguntas ou as provas antes."

Quando chegou ao ensino médio, havia desenvolvido uma estratégia melhor.

"Eu contestava todas as minhas notas", ele prosseguiu, "o que significava literalmente que cada vez que eu as recebia, depois que os boletins eram divulgados, eu me dirigia a cada professor e discutia cara a cara. Eu alegava que meu D deveria ter sido C e meu C deveria ter sido B. E quase sempre – 90% das vezes – eu conseguia que mudassem minha nota. Eu os vencia pelo cansaço. Fiquei craque nisso. Fiquei confiante. Na universidade, eu estudava, sabendo que teria aquela reunião de uma hora, depois, com meu professor. Aprendi a fazer todo o possível para vender meu peixe. Foi realmente um bom treinamento."

Todos os bons pais tentam ensinar aos filhos a arte da persuasão, é claro. Mas uma criança normal, sem grandes problemas, não precisa levar essas lições tão a sério. Se você tira notas altas na escola, nunca precisará aprender como negociar uma nota satisfatória ou a olhar em volta na sala de aula, aos 9 anos, e criar uma estratégia de como sobreviver ali na próxima hora. Mas quando Grazer praticava a negociação, assim como quando Boies praticava a escuta, ele tinha uma arma apontada contra a própria cabeça. Exercitava-se dia após dia, ano após ano. Quando Grazer disse que aquele foi "realmente um bom treinamento", quis dizer que aprender, por meio do convencimento, a passar de uma posição de fraqueza para uma posição de força acabou sendo a preparação perfeita para a profissão onde foi parar. Grazer é agora um dos produtores de cinema mais bem-sucedidos em Hollywood nos últimos 30 anos.* Teria Brian Grazer chegado aonde chegou se não fosse disléxico?

5.

Vamos nos aprofundar mais um pouco nessa estranha associação entre o que é essencialmente uma disfunção neurológica e o sucesso na carreira. No capítulo sobre a Lagoa Grande, falei sobre o fato de que estar num ambiente menos privilegiado, menos elitista, pode dar mais liberdade a uma pessoa para perseguir suas próprias ideias e seus interesses acadêmicos. Caroline Sacks teria tido uma chance melhor de praticar a profissão que adorava se tivesse ido para sua segunda opção de universidade, em vez de para a primeira. O impressionismo, de forma semelhante, só teve visibilidade na galeria minúscula onde praticamente ninguém apareceu, não na exposição de arte mais prestigiosa do planeta.

---

* Entre os muitos filmes de Grazer estão *Splash – Uma sereia em minha vida*, *Apollo 13*, *Uma mente brilhante* e *8 Mile – Rua das ilusões*. Ele também foi mencionado em meu livro *Blink: A decisão num piscar de olhos*, discutindo a arte de escalar atores.

Os disléxicos estão à margem também. Eles são forçados a se afastar de todos os demais na escola porque não conseguem fazer o que é exigido nesse ambiente. É possível que essa "posição marginal" proporcione algum tipo de vantagem mais *à frente*? Para responder a essa pergunta, vale a pena pensar no tipo de personalidade que caracteriza os inovadores e empreendedores.

Os psicólogos medem a personalidade através do chamado Modelo dos Cinco Fatores ou inventário dos "Cinco Grandes", que avalia quem somos através das seguintes dimensões:*

Neuroticismo
(sensível/nervoso versus seguro/confiante)
Extroversão
(dinâmico/sociável versus solitário/reservado)
Abertura
(inventivo/curioso versus sistemático/cauteloso)
Escrupulosidade (ou Conscienciosidade)
(ordeiro/diligente versus despreocupado/negligente)
Adequação
(cooperativo/empático versus egoísta/antagonista)

O psicólogo Jordan Peterson argumenta que os inovadores e revolucionários costumam ter um conjunto bem específico desses traços – particularmente os três últimos: abertura, escrupulosidade e adequação.

Os inovadores têm que ser abertos. Devem ser capazes de imaginar coisas que os outros não conseguem vislumbrar e estar

---

* Os "Cinco Grandes Fatores" são o padrão usado pelos psicólogos sociais para medir a personalidade. Os cientistas sociais nem sempre são fãs de testes de personalidade – como, digamos, o Myers-Briggs – porque acham que esses testes "leigos" deixam de detectar traços-chave ou então deturpam outros.

dispostos a desafiar suas próprias concepções equivocadas. Também precisam ser escrupulosos. Um inovador com ideias brilhantes mas sem disciplina e persistência para levá-las adiante é apenas um sonhador. Isso também é óbvio.

Mais importante, porém, é que os inovadores precisam ser *inadequados*. E com isso não quero dizer antipáticos ou desagradáveis, mas que, naquela quinta dimensão do inventário da personalidade dos Cinco Grandes, "adequação", eles tendem a estar na extrema direita. São pessoas dispostas a correr riscos *sociais* – a fazer coisas que os outros poderiam desaprovar.

Isso não é fácil. A sociedade não vê com bons olhos quem não é adequado. Como seres humanos, estamos programados para buscar a aprovação daqueles à nossa volta. No entanto, um pensamento radical e transformador não chega a lugar algum sem a disposição de desafiar as convenções.

"Se você tem uma ideia nova, mas ela é perturbadora e você é adequado, amigável, o que fará com ela?", questionou Peterson. "Se não quer ferir os sentimentos das pessoas e abalar a estrutura social, você não levará suas ideias adiante."

Como disse certa vez o dramaturgo George Bernard Shaw: "O homem sensato adapta-se ao mundo; o insensato insiste em tentar adaptar o mundo a si mesmo. Sendo assim, qualquer progresso depende do homem insensato."

Um bom exemplo do argumento de Peterson é a história de como começou a varejista de móveis sueca Ikea. A empresa foi fundada por Ingvar Kamprad. Sua grande inovação foi perceber que grande parte do custo dos móveis estava ligada à montagem: instalar os pés na mesa não apenas custa dinheiro como também torna o frete da mesa mais caro. Então ele vendia móveis que ainda não haviam sido montados, enviava-os em caixas achatadas, com um custo menor de frete, e cobrava menos que todos os seus concorrentes.

Em meados da década de 1950, porém, Kamprad teve problemas. Os fabricantes de móveis suecos iniciaram um boicote contra a Ikea. Estavam contrariados com os preços baixos, e deixaram de atender aos pedidos. A Ikea correu o risco de falir. Desesperado por uma solução, Kamprad olhou para o sul e percebeu que, do outro lado do mar Báltico estava a Polônia, um país com mão de obra bem mais barata e abundância de madeira. Eis a abertura de Kamprad: poucas empresas estavam comprando de outros países no início da década de 1960, então Kamprad concentrou sua atenção em fazer essa conexão funcionar. Não foi fácil. A Polônia nessa época estava uma confusão. Era um país comunista e não dispunha da infraestrutura, do maquinário, da força de trabalho capacitada ou das proteções legais de um país ocidental. Mas Kamprad teve êxito.

"Ele é adepto da microgerência", disse Anders Åslund, pesquisador do Instituto de Economia Internacional Peterson. "Por isso teve sucesso onde outros fracassaram. Ele foi até aqueles lugares complicados e se certificou de que as coisas funcionassem. Tem uma personalidade extremamente obstinada."

Isso é diligência. Mas qual é o fato mais impressionante com relação à decisão de Kamprad? O ano em que foi à Polônia: 1961. O Muro de Berlim estava sendo erguido. A Guerra Fria estava no auge. Dentro de um ano, Oriente e Ocidente chegariam à beira de uma guerra nuclear durante a Crise dos Mísseis de Cuba. Foi como se hoje a Walmart abrisse um negócio na Coreia do Norte. A maioria das pessoas nem sequer pensaria em fazer negócios na terra do inimigo, temendo ser tachada de traidora. Mas não Kamprad. Ele não estava nem aí para o que os outros fossem pensar dele. Isso é não ser adequado.

Somente um pequeno número de pessoas teria a criatividade de pensar em despachar móveis desmontados e de adquiri-los no exterior em face de um boicote. Um número ainda menor, além de ter esses tipos de ideia, tampouco disporia da disciplina para criar uma fábrica de primeira linha em um país economicamente atrasado. Mas e quanto a ser criativo, diligente *e* ter a força mental de desafiar a Guerra Fria? Isso é raro.

A dislexia não deixa as pessoas necessariamente mais abertas, nem as torna mais escrupulosas (embora certamente pudesse tornar). Mas a possibilidade mais irresistível levantada pelo distúrbio é que este pode tornar um pouco mais fácil não ser adequado.

6.

Gary Cohn cresceu num subúrbio de Cleveland, nordeste de Ohio. Sua família atuava no ramo das empreiteiras de instalações elétricas. Isso foi na década de 1970, antes que o diagnóstico de dislexia se tornasse algo rotineiro. Ele repetiu um ano na escola porque não conseguia ler.*

"Não me saí melhor na segunda vez", confessou. Ele tinha um problema de disciplina. "Eu meio que fui expulso da escola. [...] Estava sendo maltratado. A professora me colocou sob sua mesa, empurrou a cadeira e começou a me chutar. Aí eu empurrei a cadeira de volta, bati no rosto dela e saí da sala. Estava no quarto ano do ensino fundamental."

Cohn chamou aquele período de sua vida de "os anos cruéis". Seus pais não sabiam o que fazer.

"Foi provavelmente o período mais frustrante de minha vida, o que já diz muito. E não era por falta de esforço. Eu estava me esforçando, muito mesmo, e ninguém conseguia acreditar nisso. As

---

* A dislexia, convém observar, afeta apenas a leitura. A facilidade de Cohn com números não sofreu alteração. A única pessoa que acreditou nele durante toda a sua infância, Cohn disse, foi seu avô, porque percebeu que o neto havia registrado na memória todo o estoque de materiais hidráulicos do negócio da família.

pessoas literalmente achavam que eu estava conscientemente decidindo ser uma criança rebelde, não estudar, não passar de ano. Sabe como é: você é uma criança de 6, 7 ou 8 anos e está num ambiente de escola pública, e todo mundo acha que você é um idiota, então você procura fazer coisas engraçadas para tentar criar certa estima social. Depois de alguns anos dizendo a si mesmo, ao se levantar pela manhã, que 'hoje será melhor', você percebe que hoje não será diferente de ontem. E que vai ter que batalhar para sobreviver até o fim do dia. E aí só resta pagar para ver."

Seus pais o transferiam de escola com frequência, tentando descobrir algo que funcionasse.

"Tudo que minha mãe queria era que eu terminasse o ensino médio", Cohn disse. "Acho que, se alguém perguntasse, ela diria: 'O dia mais feliz de minha vida será quando ele concluir o ensino médio. Aí poderá ser caminhoneiro, mas ao menos terá um diploma.'"

No dia em que enfim se formou no colégio, a mãe de Cohn chorou copiosamente. "Nunca vi ninguém chorar tanto na minha vida", ele disse.

Quando Gary Cohn tinha 22 anos, conseguiu um emprego para vender revestimento de alumínio e molduras de janela para a U.S. Steel em Cleveland. Acabara de se formar pela American University após uma carreira acadêmica regular. No dia anterior ao de Ação de Graças, ao visitar o escritório de vendas da empresa em Long Island, persuadiu seu gerente a lhe dar um dia de folga e se aventurou por Wall Street. Alguns verões antes, ele fizera um estágio numa corretora local e se interessara por *trading*. Foi até a bolsa de commodities, que fazia parte do antigo complexo do World Trade Center.

"Resolvi tentar arranjar um emprego", ele conta. "Mas não dava para entrar lá. Havia seguranças na porta. Então fui ao terraço, observei os sujeitos ali e pensei: 'Será que consigo falar com eles?' Desci para o andar com o portão de segurança e fiquei postado lá, como se alguém fosse me deixar entrar. Claro que ninguém deixou. Então, logo após o encerramento do mercado, vi um sujeito bem-vestido sair correndo do andar, berrando para seu assistente: 'Tenho que ir correndo para o aeroporto LaGuardia. Estou atrasado. Ligo quando chegar lá.' Aí saltei para dentro do elevador e disse: 'Ouvi que o senhor está indo para o LaGuardia. Podemos dividir um táxi?' Ele aceitou, e achei sensacional. Com o trânsito de sexta-feira à tarde, poderia passar a próxima hora no táxi tentando arrumar um emprego."

O estranho com quem Cohn saltara para dentro do táxi por acaso tinha um alto cargo em uma importante corretora de Wall Street. E justo naquela semana a empresa abrira um negócio de compra e venda de opções.

"O sujeito estava dirigindo o negócio de opções sem sequer saber o que era uma opção", Cohn prosseguiu, rindo com a pura audácia daquilo tudo. "Menti para ele durante todo o caminho até o aeroporto. Quando ele perguntou 'Você sabe o que é uma opção?', respondi: 'Claro que sim, eu sei tudo, posso fazer qualquer coisa para você.' No momento em que saltamos do táxi, eu tinha seu telefone. Ele pediu que eu ligasse para ele na segunda. E foi o que fiz. Voltei para Nova York na terça ou quarta, fiz uma entrevista e comecei a trabalhar na segunda-feira seguinte. Naquele intervalo de tempo, li o livro de Lawrence G. McMillan, *Options as a Strategic Investment*. É como a Bíblia do mercado de opções."

Claro que não foi nada fácil, já que Cohn estima que, em um bom dia, leva seis horas para ler 22 páginas.* Ele enfiou a cara

---

* Este capítulo tem mais ou menos essa extensão. Se Gary Cohn quiser ler sobre si mesmo, terá que se sentar e reservar um espaço de tempo substancial em sua agenda. "Para realmente entender, pesquisar todas as palavras que não conhecia e tal, eu levaria duas horas por dia, durante três dias seguidos", ele disse. Cohn é um homem ocupado. Isso dificilmente acontecerá. "Boa sorte com seu livro que não irei ler", ele me desejou, rindo, ao final de nossa entrevista.

no livro, avançando uma palavra de cada vez, repetindo frases até estar certo de tê-las entendido. Quando começou no trabalho, estava preparado.

"Eu literalmente me postava atrás dele e dizia: 'Compre estas, venda aquelas'", Cohn contou. "Nunca confessei a ele o que fiz. Talvez ele tenha descoberto sozinho e não se importou. Fiz com que ganhasse rios de dinheiro."

Cohn não se envergonha de seu começo em Wall Street. Mas seria um erro, por outro lado, dizer que se orgulha dele. Ele é inteligente o suficiente para saber que uma história de blefe para obter seu primeiro emprego não é totalmente louvável. Ele a contou, em vez disso, num espírito de honestidade.

Naquela corrida de táxi, Cohn precisou desempenhar um papel: fingir ser um corretor de opções experiente quando na verdade não era. A maioria de nós teria fracassado naquela situação. Não estamos acostumados a representar. Mas Cohn vinha representando alguém diferente de si desde seus primeiros anos na escola. *Sabe como é: você é uma criança de 6, 7 ou 8 anos e está num ambiente de escola pública, e todo mundo acha que você é um idiota, então você procura fazer coisas engraçadas para tentar criar certa estima social.* Antes bancar o palhaço do que ser considerado um idiota. E, se você vem fingindo ser outra pessoa a vida inteira, qual é a dificuldade de blefar durante uma corrida de táxi de uma hora até o LaGuardia?

Mais importante, a maioria de nós não teria entrado naquele táxi, temendo as potenciais consequências sociais. O sujeito de Wall Street poderia nos desmascarar – e contar a todo mundo em Wall Street que tem uma pessoa por aí se passando por corretor de opções. Poderíamos ser postos para fora do táxi; chegar em casa e perceber que o negócio de opções estava além de nossa compreensão; aparecer na manhã de segunda-feira e fazer papel de bobo; ser desmascarados, uma semana ou um mês depois, e despedidos. Pegar o táxi foi um ato *inadequado*, e quase todo mundo está inclinado a ser adequado. Mas e Cohn? Ele estava vendendo revestimento de alumínio. Sua mãe achava que ele teria sorte se acabasse como caminhoneiro. Ele fora expulso de escolas e tinha sido tachado de idiota; mesmo já adulto, levava seis horas para ler 22 páginas porque tinha que abrir caminho palavra por palavra a fim de garantir que entendera tudo que estava lendo. Ele não tinha nada a perder.

"Minha história de vida permitiu que eu me sentisse à vontade com o fracasso", ele contou. "O traço típico em muita gente disléxica que conheço é que, na hora em que saem da universidade, a capacidade de lidar com o fracasso está altamente desenvolvida. Assim, na maioria das situações enxergamos bem mais as vantagens do que as desvantagens, pois estamos acostumados demais com essas últimas. Elas não nos perturbam. Pensei nisso várias vezes, pensei mesmo, porque isso definiu quem eu sou. Eu não estaria onde estou hoje sem minha dislexia. Jamais teria corrido aquele primeiro risco."

A dislexia – na melhor das hipóteses – força uma pessoa a desenvolver habilidades que normalmente permaneceriam latentes. Também impele a fazer coisas em que ela normalmente nem pensaria, como empreender a própria versão da viagem desagradável de Kamprad à Polônia ou entrar num táxi com alguém que nunca viu e fingir ser alguém que não é. Kamprad, caso você esteja se perguntando, é disléxico. E quanto a Gary Cohn? Ele acabou se revelando um ótimo corretor, e acontece que aprender a lidar com a possibilidade de fracasso é uma ótima preparação para uma carreira no mundo das finanças. Hoje ele é presidente do Goldman Sachs.

CAPÍTULO CINCO

Emil "Jay" Freireich

"COMO JAY FAZIA ISSO, EU NÃO SEI."

1.

Quando Jay Freireich era bem jovem, seu pai morreu subitamente. Os Freireich eram imigrantes húngaros e tinham um restaurante em Chicago. A morte do pai foi logo depois do colapso da Bolsa de Valores em 1929. Perderam tudo.

"Ele foi achado no banheiro", Freireich disse. "Acho que foi suicídio, porque se sentiu totalmente sozinho. Fora para Chicago porque tinha um irmão lá. Quando o colapso ocorreu, o irmão deixou a cidade. Meu pai tinha esposa, dois filhos pequenos, nenhum dinheiro e um restaurante falido. Deve ter se desesperado."

A mãe de Freireich foi trabalhar numa confecção escravizante, costurando abas em chapéus. Ganhava 2 *cents* por cada um deles. Não falava muito inglês.

"Ela precisava trabalhar 18 horas por dia, sete dias por semana, para ganhar dinheiro suficiente para o aluguel", Freireich prosseguiu. "Nós nunca a víamos. Morávamos num pequeno apartamento no lado oeste de Humboldt Park, junto ao gueto. Ela não podia deixar crianças de 2 e 5 anos sozinhas, de modo que achou uma imigrante irlandesa que trabalhava em troca de casa e comida. Desde os 2 anos, fui criado por essa moça. Nós a adorávamos. Ela era uma mãe para mim. Depois, quando eu tinha 9 anos, minha mãe conheceu um húngaro que perdera a esposa e tinha um filho, e casou-se com ele. Foi um casamento de conveniência. Ele não conseguia tomar conta do filho sozinho, e ela não tinha ninguém. Ele era um sujeito amargo. Então se casaram, e minha mãe saiu da confecção, mas eles não conseguiram mais pagar a empregada. Então a despediram. Despediram minha *mãe*. Nunca perdoei minha mãe biológica por isso."

A família vivia se mudando. Consumiam proteína uma vez por semana. Freireich lembra que era mandado de loja em loja em busca de uma garrafa de leite por 4 *cents*, porque o preço normal de 5 *cents* era mais do que a família conseguia pagar. Passava os dias na rua. Roubava. Não tinha intimidade com a irmã, que era mais disciplinadora do que amiga. Ele não gostava do padrasto, tampouco da mãe. De qualquer modo, o casamento não durou.

"Qualquer sanidade mental que ela tivesse foi destruída nas confecções escravizantes", ele contou. "Ela era uma pessoa irritada. E ainda se casou com aquele sujeito horroroso que trouxe meu meio-irmão – que passou a dividir tudo comigo – e depois despediu a *minha* mãe..."

Sua voz enfraqueceu. Freireich estava sentado à sua escrivaninha. Trajava um terno branco. Tudo de que falava estava distante no passado e ao mesmo tempo – em outro sentido mais importante –, bem próximo.

"Não me lembro de ter sido alguma vez abraçado ou beijado por ela", ele disse. "Ela nunca falava sobre o meu pai. Não tenho ideia se ele foi legal com ela ou não. Nunca ouvi uma palavra. Quer saber se às vezes penso sobre como ele pode ter sido? O tempo todo. Tenho só uma foto."

Freireich virou-se em sua cadeira e clicou num arquivo de fotos no computador. Surgiu uma fotografia granulosa do início do século XX de um homem que, como seria de esperar, parecia-se muito com o próprio Freireich.

"Esta é a única foto dele que minha mãe tinha", ele continuou. As bordas da foto estavam irregulares. Havia sido recortada de uma foto bem maior da família.

Perguntei sobre a empregada irlandesa que o criou. Qual era o nome dela? Ele parou bruscamente – uma rara pausa para ele.

"Não sei", respondeu. "Vai surgir na minha cabeça, com certeza." Ele ficou sentado quieto por um momento, concentrado. "Minha irmã lembrava, minha mãe também, mas elas já morreram. Não tenho nenhum parente vivo, só duas primas." Fez nova pausa. "Quero chamá-la de Mary. E esse pode realmente ser o nome. Mas o nome de minha mãe era esse, de modo que posso estar confundindo as coisas..."

Freireich tinha 84 anos quando conversamos. Mas seria um erro chamar aquilo de um lapso de memória relacionado à idade. Ele não tem lapsos de memória. Entrevistei-o pela primeira vez em uma primavera e de novo seis meses depois, e novamente após o mesmo período, e em cada ocasião ele se lembrava de datas, nomes e fatos com precisão. Caso voltássemos ao mesmo assunto de uma vez anterior, ele parava e dizia: "Sei que já disse isso para você." Ele não conseguiu recordar o nome da mulher que o criou porque tudo naqueles anos foi tão doloroso que havia sido empurrado para os recessos mais remotos de sua mente.

2.

Nos anos que antecederam a Segunda Guerra Mundial, o governo britânico estava preocupado. Se, no caso de uma guerra, a Força Aérea alemã lançasse uma grande ofensiva contra Londres, o comando militar britânico acreditava que nada poderia fazer para detê-la. Basil Liddell Hart, um dos maiores teóricos militares da época, estimou que, após a primeira semana de um ataque alemão, Londres poderia ter 250 mil civis mortos e feridos. Winston Churchill descreveu a cidade como "o maior alvo do mundo, uma espécie de vaca enorme, gorda e valiosa, amarrada para atrair predadores". Ele previu que Londres ficaria tão impotente em face do ataque que entre 3 e 4 milhões de londrinos fugiriam para o interior. Em 1937, às vésperas da guerra, as Forças Armadas britânicas divulgaram um relatório com a pior de todas as previsões: um bombardeio alemão prolongado deixaria 600 mil mortos e 1,2 milhão de feridos e criaria um pânico em massa nas ruas. As pessoas se recusariam a ir trabalhar. A produção industrial estagnaria. O Exército ficaria impotente contra os alemães porque estaria preocupado em manter a ordem entre os milhões de civis aterrorizados. Os planejadores da cidade por um breve tempo cogitaram construir uma enorme rede subterrânea de abrigos antibombas através de Londres, mas abandonaram a ideia temendo que as pessoas que lá se refugiassem nunca mais saíssem. Instalaram diversos hospitais psiquiátricos fora dos limites da cidade para lidar com o que esperavam que seria uma torrente de baixas psicológicas. "Existem grandes chances", o relatório afirmava, "de que isso possa nos custar a guerra."

No outono de 1940, o temido ataque começou. Durante um período de oito meses – começando com 57 noites consecutivas de bombardeios devastadores – aeroplanos alemães ribombaram pelos céus de Londres, lançando dezenas de milhares de bombas altamente explosivas e mais de 1 milhão de dispositivos incendiários. Quarenta mil pessoas foram mortas, e outras 46 mil ficaram feridas. Um milhão de prédios foram danificados ou destruídos. No East End, bairros inteiros foram devastados. Aquilo foi tudo que as autoridades do governo haviam temido – só que todas as previsões sobre como os londrinos reagiriam se mostraram equivocadas.

O pânico nunca se estabeleceu. Os hospitais psiquiátricos construídos nos arredores de Londres foram convertidos para uso militar porque nenhum paciente apareceu. Muitas mulheres e crianças foram levadas para o campo quando os ataques começaram. Mas a maioria das pessoas que precisavam permanecer na cidade assim o fez. Com a continuação dos bombardeios e o aumento dos ataques alemães, as autoridades britânicas começaram a observar – para seu espanto – *não apenas coragem em face dos ataques, mas algo mais próximo à indiferença*. "Em outubro de 1940, tive a oportunidade de dirigir meu carro pelo sudeste de Londres logo após uma série de ataques naquele distrito", um psiquiatra inglês escreveu logo após o fim da guerra. Ele prosseguiu:

> Mais ou menos a cada 100 metros, aparentemente, havia uma cratera de bomba ou destroços do que tinha sido uma casa ou loja. A sirene soou seu alerta, e olhei para ver o que aconteceria. Uma freira agarrou a mão de uma criança que estava acompanhando e se apressou. Ela e eu parecíamos ser os únicos que ouviram o alarme. Menininhos continuaram brincando nas calçadas, compradores seguiram pechinchando, um guarda continuou orientando o trânsito em majestoso tédio e ciclistas desafiaram a morte e as leis de trânsito. Ninguém, pelo que pude ver, sequer ergueu o olhar ao céu.

Acho que você concordará que isso é inacreditável. A Blitz representava *guerra*. As bombas que explodiam lançavam estilhaços mortais em todas as direções. As bombas incendiárias deixavam um bairro diferente em chamas a cada noite. Mais de 1 milhão de pessoas perderam suas casas. Milhares se apinhavam em abrigos improvisados em estações de metrô todas as noites. Lá fora, entre o estrondo dos aviões, o ruído surdo das explosões, o matraquear das baterias antiaéreas e os lamentos incessantes das ambulâncias, dos carros de bombeiros e das sirenes, o barulho era incessante. Em uma pesquisa feita com os londrinos na noite de 12 de setembro de 1940, um terço afirmou que não conseguira dormir na noite anterior e outro terço, que dormira menos de quatro horas. Você consegue imaginar como os nova-iorquinos teriam reagido se um de seus arranha-céus tivesse sido reduzido a cinzas não apenas uma vez, mas todas as noites *durante dois meses e meio*?

A explicação típica para a reação dos londrinos é a "fleuma britânica" – o estoicismo considerado inerente ao caráter inglês. (Não surpreende que esta seja a justificativa preferida pelos próprios britânicos.) Mas um dos fatos que logo ficou claro foi que não eram apenas os britânicos que se comportavam daquela forma. Civis de outros países também se mostraram inesperadamente resistentes em face dos bombardeios. Concluiu-se que os ataques não surtiram o efeito que todos esperaram. Somente no final da guerra o enigma foi solucionado pelo psiquiatra canadense J. T. MacCurdy, em um livro chamado *The Structure of Morale* (A estrutura do moral).

MacCurdy argumentou que, quando uma bomba cai, divide a população afetada em três grupos. O primeiro é de pessoas mortas – para quem a experiência do bombardeio é, obviamente, mais devastadora. Mas, como observou o psiquiatra (talvez um pouco friamente), "o moral da comunidade depende da reação dos sobreviventes, de modo que, desse ponto de vista, os mortos não importam. Nesses termos, o fato é óbvio: cadáveres não saem correndo para espalhar o pânico".

O segundo grupo, ele denominou de os *quase atingidos*. Em suas palavras:

> Eles sentem a explosão, veem a destruição, ficam horrorizados com a carnificina, talvez sejam feridos, mas sobrevi-

vem profundamente impressionados. "Impressão" significa aqui um poderoso reforço da reação de medo em associação com o bombardeio. Pode resultar em "choque", um termo vago que abrange desde um estado de confusão ou estupor real até a tensão e a preocupação com os horrores testemunhados.

O terceiro grupo era composto pelos *remotamente atingidos*. São as pessoas que ouvem as sirenes, veem os bombardeiros do inimigo no céu e ouvem o estrondo das bombas explodindo. Mas tudo acontece lá na rua ou no quarteirão seguinte. E para elas as consequências de um bombardeio são exatamente opostas às relativas ao grupo de quase atingidos. Elas sobreviveram e, na segunda ou terceira vez em que o ataque ocorre, a emoção associada, MacCurdy escreveu, "é uma sensação de excitação com um tom de invulnerabilidade". Ser quase atingido deixa você traumatizado. Ser remotamente atingido faz com que se julgue invencível.

Em diários e reminiscências de londrinos que viveram a Blitz, existem incontáveis exemplos desse fenômeno. Eis um deles:

> Quando a primeira sirene soou, levei meus filhos ao nosso abrigo no jardim e achei que seríamos todos mortos. Então o sinal de fim de perigo soou sem que nada tivesse ocorrido. Desde o momento em que saímos do abrigo, tive certeza de que nada iria nos atingir.

Ou veja este, do diário de uma mulher jovem cuja casa foi abalada por uma explosão próxima:

> Fiquei me sentindo indescritivelmente contente e triunfante. "Fui *bombardeada*!", eu dizia a mim mesma, repeti-

das vezes – provando a frase, como se ela fosse um vestido novo, para ver como ficava em mim. "Fui bombardeada!... Fui bombardeada – *eu*!"

Parece algo terrível de dizer, quando tantas pessoas foram mortas e feridas na noite passada, mas nunca em toda a minha vida experimentei tal *felicidade pura e perfeita*.

Então por que os londrinos não se abalaram com a Blitz? Porque o número de 40 mil mortos e 46 mil feridos – espalhados por uma área metropolitana de mais de 8 milhões de pessoas – significou que os remotamente atingidos, encorajados pela experiência de serem bombardeados, foram bem mais numerosos do que os quase atingidos traumatizados por ela.

MacCurdy tem uma opinião:

> Todos nós somos passíveis não apenas de ter medo, mas também de temer sentir medo, e o domínio do medo produz euforia. [...] Quando temermos entrar em pânico durante um ataque aéreo e, depois do ocorrido, exibimos aos outros pura calma exterior por estarmos agora seguros, o contraste entre a apreensão anterior e o alívio e a sensação de segurança atuais promove uma autoconfiança que é o pai e a mãe da coragem.

Em meio à Blitz, um trabalhador de meia-idade numa fábrica de botões foi consultado sobre a possibilidade de ir para o interior. Ele tivera que sair correndo de casa duas vezes durante os bombardeios. Mas a cada vez ele e sua esposa escaparam incólumes. Ele se recusou.

"O quê? E perder tudo isto?", ele disse. "Nem por todo o ouro da China! Nunca houve nada como isto! Nunca. E nunca haverá de novo."

3.

A ideia da adversidade desejável sugere que nem todas as dificuldades são negativas. Ter problemas para ler é um obstáculo real, a não ser que você seja David Boies e esse obstáculo o transforme num ouvinte extraordinário, ou Gary Cohn, tendo coragem para correr riscos que você normalmente não correria.

A teoria do moral de MacCurdy constitui uma segunda perspectiva, mais ampla, dessa mesma ideia. O motivo por que Winston Churchill e as altas patentes inglesas estavam tão apreensivas em relação aos ataques alemães a Londres era que pressupunham que uma experiência traumática como ser bombardeado teria o mesmo efeito sobre todos; a única diferença entre quase atingidos e remotamente atingidos seria o grau do trauma sofrido.

Para MacCurdy, porém, a Blitz provou que experiências traumáticas podem ter dois efeitos completamente diferentes sobre as pessoas: o mesmo acontecimento pode ser profundamente prejudicial para um grupo e deixar outro grupo em melhor situação. O homem que trabalhava numa fábrica de botões e a jovem mulher cuja casa foi abalada pelas bombas melhoraram com a experiência, não é mesmo? Estavam em meio a uma guerra. Não podiam mudar esse fato. Mas foram libertados dos tipos de temor que podem tornar a vida insuportável durante a guerra.

A dislexia é um exemplo clássico desse mesmo fenômeno. Muitas pessoas com dislexia não conseguem compensar sua deficiência. Existe um número notável de disléxicos nas prisões, por exemplo: são pessoas derrotadas por sua incapacidade de dominar as tarefas intelectuais mais básicas. No entanto, esse mesmo distúrbio neurológico em pessoas como Gary Cohn e David Boies pode também ter o efeito oposto. A dislexia causou um estrago na vida de Cohn – deixando um rastro de aflição e ansiedade. Mas ele era muito inteligente, teve uma família que o apoiava, mais do que um pouco de sorte e outros recursos para conseguir suportar os piores efeitos de seu problema e emergir mais forte. Com frequência, cometemos o mesmo erro dos britânicos e chegamos à conclusão de que só existe um tipo de reação a algo terrível e traumático. Não existe *só um*. Existem dois – o que nos traz de volta a Jay Freireich e à infância que ele não se permitia recordar.

4.

Quando Jay Freireich tinha 9 anos, contraiu amigdalite. Ficou muito doente. O médico local – Dr. Rosenbloom – foi ao apartamento da família remover suas amígdalas inflamadas.

"Naquele tempo, era raro eu ver um homem na cidade", Freireich contou. "Só conhecia mulheres. Se por acaso visse um, estava sujo, de macacão. Mas o Dr. Rosenbloom trajava terno e gravata, era respeitável e gentil. Assim, aos 10 anos passei a sonhar em me tornar um médico famoso. Nunca pensei em outra carreira."

No ensino médio, seu professor de física viu potencial nele e recomendou que cursasse uma faculdade.

"Perguntei a ele do que eu precisava, e ele disse: 'Bem, provavelmente é suficiente você conseguir uns 25 dólares.' Estávamos em 1942. As coisas andavam melhores, mas não muito. Vinte e cinco dólares não eram nenhuma ninharia. Não acredito que minha mãe tivesse visto alguma vez essa quantia. Ela disse: 'Vejamos o que posso fazer.' Alguns dias depois, ela apareceu. Havia encontrado uma senhora húngara cujo marido falecera e deixara dinheiro para ela e, acredite se quiser, deu à minha mãe 25 dólares. Em vez de guardá--los, deu para mim. Ali estava eu: com 16 anos e cheio de otimismo."

Freireich pegou o trem de Chicago a Champaign-Urbana, onde se localiza a Universidade de Illinois. Alugou um quarto numa pensão e obteve um emprego de garçom numa associação de moças estudantes a fim de pagar sua mensalidade, com o bônus extra de poder se alimentar das sobras. Saiu-se bem e foi aceito pela faculdade de medicina, e depois começou a residência médica no Cook County Hospital, o maior hospital público de Chicago.

A medicina naquela época era uma profissão refinada.* Os médicos tinham uma posição social privilegiada e costumavam vir de ambientes de classe média alta. Freireich não era assim. Mesmo hoje, na casa dos 80 anos, ele é um homem que intimida, com mais de 1,90 metro, tórax e ombros largos. Sua cabeça é enorme – mesmo para um corpo grande como o dele –, fazendo com que pareça ainda maior. É um tagarela. Em momentos de ênfase especial, tem o hábito de gritar e bater na mesa com o punho – o que, memoravelmente, certa vez fez com que estilhaçasse o vidro da mesa de uma sala de conferências. (Os momentos imediatamente posteriores foram mais tarde descritos como a única ocasião em que alguém viu Freireich calado.)

A certa altura, namorou uma mulher de uma família bem mais rica do que a sua. Ela era refinada. Freireich era um brutamontes de Humboldt Park que parecia (e falava como) um guarda-costas de algum gângster da época da Depressão.

"Ela me levou a um concerto. Foi a primeira vez que ouvi música clássica", ele lembrou. "Nunca havia visto um balé. Nunca assistira a uma peça de teatro. Tirando o que passava em nossa pequena TV que minha mãe comprou, eu praticamente não tinha cultura. Não conhecia nada de literatura, arte, música, dança,

---

* Quando Freireich estava completando sua formação médica, um parente distante morreu e deixou para ele 600 dólares. "Um paciente meu, revendedor de carros usados, me vendeu um Pontiac 1948", ele contou. "Uma noite eu estava bêbado, com umas garotas, e bati na lateral de um Lincoln novinho em folha. Eu deveria ser preso por aquilo, mas a polícia chegou, me reconheceram imediatamente como um residente médico local e disseram: 'Deixe conosco.'" Esse era o tratamento que os médicos tinham na época. Posso assegurar que isso não acontece mais.

nada. Minha preocupação era *só* comer. E não ser morto ou espancado. Eu era bem rude."

Freireich tornou-se pesquisador-adjunto em hematologia em Boston. Dali, foi recrutado pelo Exército e optou por completar o serviço militar no Instituto Nacional do Câncer, na periferia de Washington. Foi, segundo a opinião geral, um médico brilhante e dedicado, era o primeiro a chegar ao hospital de manhã e o último a ir embora. Mas nunca se afastou totalmente de seus primórdios tumultuosos. Tinha um temperamento explosivo. Não tinha paciência nem sutileza. Um colega relatou sua inesquecível primeira impressão de Freireich: "Um gigante, nos fundos da sala, berrando e gritando ao telefone." Outro se lembrou dele como "completamente irreprimível. Dizia o que vinha à cabeça". No decorrer de sua carreira, foi despedido sete vezes. A primeira foi durante sua residência, quando desacatou, raivoso, a enfermeira-chefe do Hospital Presbiteriano, em Chicago. Um de seus ex-colegas de trabalho recorda quando Freireich descobriu um erro cometido por um de seus residentes. Um resultado do laboratório passara despercebido.

"O paciente morreu", o médico contou. "Não foi por causa do erro. Jay gritou com ele ali na enfermaria, diante de cinco ou seis médicos e enfermeiras. Chamou-o de assassino, e o sujeito desmoronou e chorou."

Quase tudo dito sobre Freireich por seus amigos contém um "mas". Eu o adoro, *mas* quase partimos para a briga. Eu o convidei à minha casa, *mas* ele insultou minha mulher.

"Ele continua sendo até hoje um dos meus melhores amigos", disse Evan Hersh, uma oncologista que trabalhou com Freireich no início da carreira dele. "Nós o convidamos aos casamentos e aos bar mitzvahs de nossa família. Eu o adoro como se fosse meu pai. Mas ele era uma fera naquela época. Tivemos várias discussões terríveis. Havia épocas em que eu passava semanas sem falar com ele."

É de surpreender que Freireich fosse assim? A razão por que a maioria de nós não grita "Assassino!" para nossos colegas é a nossa capacidade de nos colocar na pele deles. Conseguimos imaginar o que outra pessoa está sentindo e criar essa sensação em nós mesmos. Temos essa capacidade porque no passado, quando sofremos, fomos apoiados, confortados e compreendidos. Esse apoio proporciona um modelo de como sentir o que os outros sentem: é a base da empatia. Mas, enquanto Freireich crescia e formava sua personalidade, todo contato humano que ele teve acabou em morte ou abandono – e uma infância assim sombria deixa somente dor e raiva pelo caminho.

Certa vez, em meio às reminiscências sobre sua carreira, Freireich teve um ataque diante da ideia de que pacientes terminais de câncer devessem receber cuidados paliativos ao final de sua vida.

"Vejo muitos médicos querendo ministrar cuidados paliativos. Mas não aceito que se trate uma pessoa assim", disse ele.

Quando Freireich se exaspera com algo, eleva a voz e adota um ar de determinação. Ele prosseguiu:

"O médico diz: 'Você tem câncer e com certeza vai morrer. Você sente dor e é horrível. Vou mandá-lo a um lugar onde possa morrer agradavelmente." *Eu jamais diria isso a um paciente!* Eu diria: 'Você está sofrendo. Você sente dor. Vou aliviar seu sofrimento. Se vai morrer? Talvez não. Vejo milagres todos os dias.' Não existe possibilidade de ser pessimista quando as pessoas dependem de você para serem otimistas. Nas manhãs de terça-feira, faço rondas de orientação, e às vezes um colega médico diz: 'Este paciente está com 80 anos. Não tem o que fazer.' De jeito nenhum! É desafiador, mas não impossível. Você precisa propor algo. Tem que descobrir um meio de ajudá-las, porque as pessoas *precisam de esperança* para sobreviver."

Ele estava quase gritando ao falar isso.

"Nunca me deprimi. Nunca me sentei com um pai ou uma mãe e chorei por seu filho que morria. Sendo médico, jamais faria isso. Como pai poderia fazer. Se meus filhos morressem, eu provavelmente enlouqueceria. Mas como médico você jura dar esperança às pessoas. Esta é sua função."

Freireich continuou nesse tom por vários outros minutos até que a plena força de sua personalidade tornou-se quase esmagadora. Todos queremos um médico que não desiste e não perde a esperança, mas que também seja capaz de se colocar no nosso lugar e entender o que estamos sentindo. Queremos ser tratados com dignidade, e tratar as pessoas com dignidade requer empatia. Freireich era capaz disso? *Nunca me deprimi. Nunca me sentei com um pai ou uma mãe e chorei por seu filho que morria.* Se nos perguntassem se desejaríamos para alguém uma infância como a de Freireich, quase certamente diríamos que não, porque não conseguiríamos imaginar nenhuma vantagem resultante. Não dá para ser apenas remotamente atingido com esse tipo de formação.

Ou será que dá?

5.

No início da década de 1960, um psicólogo chamado Marvin Eisenstadt iniciou um projeto entrevistando pessoas "criativas" – inovadores, artistas, empreendedores – em busca de padrões e tendências. Ao analisar as respostas, observou um fato estranho. Um número surpreendente havia perdido o pai ou a mãe na infância. O grupo estudado foi tão pequeno que Eisenstadt sabia que havia uma possibilidade de que sua constatação fosse mero acaso. Mas o fato o intrigou. E se não fosse acaso? E se significasse algo? Havia alusões a isso na literatura de psicologia.

Na década de 1950, enquanto estudava biólogos famosos, a historiadora de ciência Anne Roe observara de passagem quantos deles haviam perdido ao menos o pai ou a mãe quando jovens. A mesma observação foi feita alguns anos depois em uma pesquisa informal sobre poetas e escritores famosos como Keats, Wordsworth, Coleridge, Swift, Edward Gibbon e Thackeray. Mais de metade, ao que se revelou, havia perdido o pai ou a mãe antes dos 15 anos. O vínculo entre a realização na carreira e o luto na infância era um daqueles dados isolados que ninguém sabia como utilizar. Assim, Eisenstadt decidiu embarcar num projeto mais ambicioso.

"Era 1963, 1964", Eisenstadt recordou. "Comecei pela *Encyclopaedia Britannica* e depois peguei a *Encyclopedia Americana*."

Eisenstadt fez uma lista de todas as personalidades, de Homero a John F. Kennedy, cuja vida mereceu mais de uma coluna em cada uma das enciclopédias. Aquilo, ele sentiu, era um indicador aproximado de sucesso. Ele agora dispunha de uma lista de 699 pessoas. Começou então a coletar sistematicamente as informações biográficas de todos na lista.

"Levei 10 anos", Eisenstadt contou. "Li uma porção de livros em línguas estrangeiras, fui à Califórnia e à Biblioteca do Congresso, e à biblioteca genealógica em Nova York. Coletei o máximo de perfis de perda de pais, até achar que contava com bons resultados estatísticos."

Das 573 pessoas eminentes sobre quem Eisenstadt conseguiu achar informações biográficas confiáveis, um quarto havia perdido ao menos o pai ou a mãe antes dos 11 anos. Aos 15 anos, esse número subiu para 34,5%, e, aos 20, para 45%. Mesmo para antes do século XX, quando a expectativa de vida era bem menor por causa de doenças, acidentes e guerras, esses números são espantosos.

Ao mesmo tempo que Eisenstadt realizava sua pesquisa, a historiadora Lucille Iremonger pôs-se a escrever sobre os primeiros-ministros britânicos. Concentrou-se no período do início do século XIX à eclosão da Segunda Guerra Mundial. Ela quis saber que espécie de antecedentes e qualidades prenunciavam o tipo de pessoa capaz de subir ao topo da política da Grã-Bretanha na época em que foi a nação mais poderosa do mundo. Como Eisenstadt, porém, sua atenção foi desviada por um fato que, conforme escreveu, "ocorria com tanta frequência que comecei a me perguntar se sua importância seria mais do que incidental". Dos primeiros-ministros de sua amostra, 67% haviam perdido o pai ou a mãe antes dos 16 anos. Esse é mais ou menos o dobro do índice de perda de pai ou mãe durante o mesmo período para membros da classe superior britânica – o segmento socioeconômico do qual vinham os primeiros-ministros. O mesmo padrão pode ser encontrado entre os presidentes americanos. Dos 44 primeiros presidentes dos Estados Unidos – começando por George Washington e chegando até Barack Obama –, 12 perderam seus pais quando ainda jovens.*

Desde então, o tema das infâncias difíceis e da perda dos pais tem surgido repetidamente na literatura acadêmica. Existe uma passagem fascinante num ensaio do psicólogo Dean Simonton, por exemplo, em que ele tenta entender por que tantas crianças talentosas não desenvolvem seu potencial inicial. Um dos motivos, concluiu, é que "herdaram uma quantidade excessiva de saúde psicológica". Aquelas que não atendem as expectativas, ele diz, são crianças "por demais convencionais, obedientes e sem imaginação para fazerem sucesso com alguma ideia revolucionária". Ele prosseguiu: "Crianças talentosas e as prodígio emergem com mais frequência de condições familiares altamente apoiadoras. Já os gênios possuem uma

---

* Os 12 são: George Washington, Thomas Jefferson, James Monroe, Andrew Jackson, Andrew Johnson, Rutherford Hayes, James Garfield, Grover Cleveland, Herbert Hoover, Gerald Ford, Bill Clinton e Barack Obama.

tendência perversa de terem crescido em condições mais adversas."

Percebo que esses estudos dão a impressão de que perder o pai ou a mãe é algo bom.

"As pessoas costumam brincar e dizer: 'Ah, você acha que eu estaria melhor sem meus pais ou se eu matar meu pai?'", Eisenstadt comentou. "A ideia de que algumas pessoas podem ter sucesso mesmo sendo órfãs é um conceito ameaçador, porque o que se sabe normalmente é que os pais ajudam os filhos. São essenciais."

E isso, Eisenstadt enfatiza, é absolutamente verdade. Os pais *são* essenciais. Perder pai ou mãe é a coisa mais devastadora que pode ocorrer a uma criança. O psicanalista Felix Brown constatou que prisioneiros têm de duas a três vezes mais chances de terem perdido o pai ou a mãe na infância do que o resto da população como um todo. Trata-se de uma diferença grande demais para ser uma coincidência. Existe claramente um número enorme de impactos diretos causados pela ausência do pai ou da mãe.*

Os indícios apresentados por Eisenstadt, Iremonger e os outros, porém, sugerem que existe também algo do "remotamente atingido" na morte do pai ou da mãe. O pai comete suicídio e o filho pode viver uma infância tão terrível que ele a empurra para os porões de sua memória – e ainda assim algum benefício pode acabar advindo disso. "Este não é um argumento a favor da orfandade e da privação", Brown escreveu, "mas a existência

---

* Brown começa com esses versos emocionantes de Wordsworth, cuja mãe morreu quando ele tinha 8 anos:

> *Ela que foi o coração*
> *E a base de todos os nossos aprendizados e nossos amores:*
> *Ela nos deixou destituídos e, na medida do possível,*
> *Marchando juntos.*

desses órfãos célebres indica que, em certas circunstâncias, uma vantagem pode ser obtida da adversidade."*

6.

Quando Jay Freireich chegou ao Instituto Nacional do Câncer em 1955, ficou subordinado a Gordon Zubrod, o chefe da seção de tratamento. Ele o escalou para a enfermaria de leucemia infantil, no segundo andar do prédio principal do hospital, no centro do campus.**

A leucemia infantil era então um dos cânceres mais assustadores. Ataca sem avisar. Uma criança com apenas 1 ou 2 anos pode adoecer com febre. A febre persiste. Aí vem uma dor de cabeça violenta que não passa, seguida de infecções sucessivas, à medida que o corpo da criança perde a capacidade de defesa. Depois vem a hemorragia.

"O Dr. Zubrod vinha uma vez por semana ver como estávamos nos saindo", Freireich recordou, "e dizia para mim: 'Freireich, este lugar é como um abatedouro! Tem sangue por todo lado. Temos que limpá-lo!' Era verdade. As crianças sangravam por todos os lugares. As enfermeiras chegavam de manhã em seus uniformes brancos e voltavam para casa cobertas de sangue."

As crianças tinham hemorragia interna pelo fígado e pelo baço, sofrendo dores absurdas. Viravam em suas camas e fica-

---

* Ou, nas palavras do ensaísta inglês Thomas De Quincey: "É, ou não é, conforme a natureza dos homens, uma vantagem ficar órfão numa idade prematura."

** Se você quiser entender todo o contexto científico da luta contra a leucemia, não existe fonte melhor do que *O imperador de todos os males: uma biografia do câncer*, livro vencedor de um Prêmio Pulitzer, escrito por Siddhartha Mukherjee. Há um capítulo inteiro sobre a guerra contra a leucemia.

vam com terríveis equimoses. Mesmo um sangramento no nariz era um evento potencialmente fatal. Comprimia-se o nariz da criança e colocava-se gelo nele. Não funcionava. Enfiava-se gaze nas narinas. Também não funcionava. Chamava-se um otorrinolaringologista para enfiar uma gaze pela boca até a passagem nasal – a gaze precisava então ser puxada para a frente nariz adentro. A ideia era pressionar os vasos sanguíneos de dentro da cavidade nasal. Dá para imaginar quão doloroso isso deve ser para uma criança. Além disso, raramente adiantava, de modo que retirava-se a gaze – e o sangramento recomeçava. O objetivo do segundo andar era achar uma cura para a leucemia. No entanto, era tão difícil controlar a hemorragia que a maioria das crianças morria antes que se conseguisse descobrir como ajudá-las.

"Depois de chegarem ao hospital, 90% das crianças estavam mortas em seis semanas", Freireich disse. "Sangravam até morrer. Se alguém está sangrando pela boca e pelo nariz, não consegue comer. A criança deixa de se alimentar. Tenta beber e sente ânsia de vômito. Vomita. O sangue nas fezes produz diarreia. Aí ela morre de fome. Ou contrai uma infecção, então pneumonia, depois tem febre e convulsões, e por fim..."

Ele deixou sua voz se extinguir. Os médicos não duravam muito no andar da leucemia. Era pesado demais.

"Eu chegava lá às sete da manhã", recordou um médico que trabalhava no segundo andar naqueles anos. "Saía *às nove da noite*. Tinha que fazer de tudo. Voltava para casa todos os dias psicologicamente destruído. Virei colecionador de selos. Eu me sentava às 10 da noite com minha coleção, a única forma de fazer minha mente esquecer o trabalho. Os pais tinham medo. Ninguém visitava o quarto da criança. Ficavam na porta. Ninguém queria trabalhar lá. Em um ano, 70 crianças morreram sob minha responsabilidade. Era um pesadelo."

Não para Freireich. *Nunca me deprimi. Nunca me sentei com um pai ou uma mãe e chorei por seu filho que morria.* Freireich se uniu a outro pesquisador do hospital chamado Tom Frei. Juntos, convenceram-se de que o problema era falta de plaquetas – os fragmentos de célula de formato irregular que ficam flutuando no sangue humano. A leucemia estava destruindo a capacidade das crianças de produzi-las, e sem elas o sangue não conseguia coagular. Aquela era uma ideia radical. Um dos chefes de Freireich no hospital – um especialista no campo da hematologia conhecido mundialmente, chamado George Brecher – mostrou-se cético. Mas Freireich achava que Brecher não estava contando corretamente as plaquetas ao fazer sua análise. Freireich foi meticuloso. Usou uma metodologia mais sofisticada e concentrou-se em mudanças sutis nas plaquetas em níveis realmente baixos, e para ele a conexão ficou clara: quanto menor o número de plaquetas, pior o sangramento. As crianças precisavam de plaquetas novas – repetidamente, em doses maciças.

O banco de sangue do hospital negou a Freireich o sangue para suas transfusões. Era contra o regulamento. O médico deu um murro na mesa, gritando: *"Vocês vão matar pessoas!"*

"É preciso tomar cuidado na hora de dizer esse tipo de coisa", disse Dick Silver, que trabalhou no Instituto com Freireich. "Jay não se importava."

Freireich saiu em busca de doadores de sangue. O pai de um dos pacientes era pastor e conseguiu que 20 membros de sua congregação se voluntariassem. O procedimento-padrão nas transfusões de sangue em meados da década de 1950 incluía agulhas de aço, tubos de borracha e garrafas de vidro. Mas se constatou que as plaquetas aderiam àquelas superfícies. Assim, Freireich teve a ideia de mudar para uma tecnologia nova em folha: agulhas de silício e bolsas plásticas. As bolsas eram enormes.

"Elas eram *deeeste* tamanho", disse Vince DeVita, um dos médicos colegas de Freireich naqueles anos, afastando bem suas mãos uma da outra. "E você tinha esta criança, apenas *deste* tamanho", e aproximou bem as mãos. "Era como regar um vaso de flores com uma mangueira de incêndio. Se você não faz a transfusão direito, provoca na criança uma insuficiência cardíaca. O diretor clínico do Instituto na época era um sujeito chamado Berlim. Ele viu a bolsa e disse para o Jay: 'Você é louco!' Ameaçou despedir Jay caso ele continuasse fazendo transfusões de plaquetas." Freireich o ignorou. DeVita prosseguiu: "Do jeito que estava, Jay decidiu que, se não pudesse fazê-las, não ia mais querer trabalhar lá."

Os sangramentos cessaram.

7.

De onde veio a coragem de Freireich? Ele é uma presença tão imponente e intimidadora que é fácil imaginá-lo saindo do útero da mãe já de punhos cerrados. Mas a ideia de MacCurdy sobre os quase e os remotamente atingidos sugere algo diferente — essa coragem é, em certo sentido, adquirida.

Veja de novo o que MacCurdy escreveu sobre a experiência de estar na Blitz londrina:

> Todos nós somos passíveis não apenas de ter medo, somos também passíveis de temer sentir medo, e o domínio do medo produz euforia. [...] Quando temermos entrar em pânico durante um ataque aéreo e, depois do ocorrido, exibimos aos outros pura calma exterior por estarmos agora seguros, o contraste entre a apreensão anterior e o alívio e a sensação de segurança atuais promove uma autoconfiança que é o pai e a mãe da coragem.

Comecemos pela primeira frase: *Todos nós somos passíveis não apenas de ter medo, somos também passíveis de temer sentir medo.* Como ninguém na Inglaterra havia sido bombardeado antes, os londrinos acharam que a experiência seria aterradora. O que os assustou foi sua previsão de como se sentiriam depois que os bombardeios começassem.* As bombas alemãs caíram como granizo por meses e meses, e milhões de remotamente atingidos que haviam previsto que morreriam de medo das bombas passaram a entender que seus temores foram excessivos. Eles estavam bem. E o que aconteceu depois? *O domínio do medo produz euforia.* E: *O contraste entre a apreensão anterior e o alívio e a sensação de segurança atuais promove uma autoconfiança que é o pai e a mãe da coragem.*

Coragem não é algo que você já tem e o torna destemido quando tempos difíceis começam. Coragem é o que você conquista quando passou por tempos difíceis e descobriu que não são tão difíceis assim. Ficou claro o erro catastrófico que os alemães cometeram? Eles bombardearam Londres achando que o trauma associado à Blitz destruiria a coragem do povo britânico. Na verdade, o efeito foi inverso. Os ataques criaram uma cidade de remotamente atingidos, mais corajosos do que jamais haviam sido antes. Os alemães se sairiam melhor se não tivessem bombardeado Londres.

O próximo capítulo de *Davi e Golias* é sobre o movimento dos direitos civis americanos, quando Martin Luther King Jr. levou sua campanha para Birmingham, no Alabama. Existe uma parte da

---

* A previsão que fazemos sobre como nos sentiremos em alguma situação futura é chamada de "previsão afetiva", e todos os sinais apontam para o fato de que somos péssimos fazendo isso. O psicólogo Stanley J. Rachman, por exemplo, fez coisas como pegar um grupo de pessoas com medo de cobras e depois lhes mostrar o próprio animal. Ou colocar vários claustrofóbicos de pé dentro de um pequeno armário de metal. O que ele constatou foi que a experiência real com a coisa temida é bem menos assustadora do que a pessoa imaginava.

história de Birmingham que vale a pena ser mencionada agora, por ser um exemplo perfeito dessa ideia de coragem adquirida.

Um dos aliados mais importantes de King em Birmingham foi um pregador batista negro chamado Fred Shuttlesworth, que vinha liderando a luta contra a segregação racial na cidade havia anos. Na manhã do Natal de 1956, Shuttlesworth anunciou que pegaria um dos ônibus segregados da cidade em desafio às leis locais que proibiam negros de viajarem junto com os brancos. Na véspera do protesto, na noite de Natal, sua casa sofreu um ataque de bombas por membros da Ku Klux Klan, que tentaram fazer com Shuttlesworth o que os nazistas haviam tentado fazer com os ingleses durante a Blitz. Mas eles também não sabiam a diferença entre um quase e um remotamente atingido.

No livro *Carry Me Home* (Leve-me para casa), que conta a magnífica história da campanha pelos direitos civis em Birmingham, Diane McWhorter descreveu o que aconteceu quando a polícia e os vizinhos foram correndo até as ruínas fumegantes da casa de Shuttlesworth. Era noite avançada e Shuttlesworth já tinha ido dormir. Temeram que estivesse morto:

> Uma voz se elevou dos destroços: "Não vou sair nu." E, após alguns minutos, Shuttlesworth emergiu de baixo de uma capa de chuva que alguém lançara nos escombros do presbitério. Não estava estropiado, ensanguentado ou cego; nem sequer estava surdo, embora a explosão tivesse estilhaçado janelas de casas a um quilômetro e meio de distância. [...] Shuttlesworth ergueu uma mão bíblica aos vizinhos preocupados e disse: "O Senhor me protegeu. Não me feri." [...]
> Um policial grandão estava chorando:
> – Reverendo, conheço essas pessoas – disse ele, a respeito dos agressores. – Eu não imaginava que fossem tão longe assim. Se eu fosse você, sairia da cidade. Essas pessoas são cruéis.

— Olhe, oficial, você não sou eu – disse Shuttlesworth.
— Volte e conte aos seus irmãos da Klan que, se o Senhor me salvou disto, estou aqui para perdurar. A luta está apenas começando.

Este é um caso clássico de um remotamente atingido. Shuttlesworth não foi morto (diretamente atingido). Não ficou estropiado nem ferido com gravidade (quase atingido). Escapou ileso. O tiro que a Ku Klux Klan esperava acertar saiu pela culatra. Shuttlesworth estava agora com menos medo do que antes.

Na manhã seguinte, membros de sua congregação imploraram a ele que cancelasse o protesto. Ele se recusou. Diane McWhorter continuou:

— Nós vamos, sim, pegar esse ônibus! – exclamou o pregador, persistente, e se dirigiu ao seu conselho. – Procurem qualquer tipo de brecha para se esconderem se estiverem assustados, mas eu vou andar até o centro após esta reunião e pegar o ônibus. Não vou olhar para trás para ver quem está me acompanhando. – Sua voz se aprofundou. – Meninos, recuem – ordenou ele –, e homens, avancem.

Alguns meses depois, Shuttlesworth decidiu levar pessoalmente sua filha para se matricular na Escola John Herbert Phillips, só para brancos. Ao se dirigir até lá, vários homens brancos raivosos cercaram o carro. Diane escreveu:

Para espanto da criança, seu pai saltou do carro. Os homens investiram contra Shuttlesworth, expondo socos-ingleses, porretes de madeira e correntes. Andando pela calçada, ele foi repetidamente derrubado. Alguém puxara seu paletó acima da cabeça para ele não poder abaixar os braços. "Pegamos este filho da puta agora", um homem berrou. "Vamos matá-lo", a multidão uivou. De uma torcida de mulheres brancas veio o conselho "Matem o safado deste negro e tudo estará acabado". Homens começaram a espatifar os vidros do carro dele.

Então o que ocorreu com Shuttlesworth? Não muita coisa. Ele conseguiu rastejar de volta ao carro. Foi para o hospital, onde se constatou que sofrera danos pequenos nos rins e alguns arranhões e contusões. Teve alta naquela tarde, e à noite, do púlpito de sua igreja, contou à congregação que, para seus agressores, só tinha perdão.

Shuttlesworth deve ter sido alguém de grande determinação e força. Mas, ao sair ileso dos destroços de sua casa, acrescentou uma camada extra de armadura psicológica. *Somos também passíveis de temer sentir medo, e o domínio do medo produz euforia. [...] Quando tememos entrar em pânico durante um ataque aéreo e, depois do ocorrido, exibimos aos outros pura calma exterior por estarmos agora seguros, o contraste entre a apreensão anterior e o alívio e a sensação de segurança atuais promove uma autoconfiança que é o pai e a mãe da coragem.*

E o que aconteceu na Escola John Herbert Phillips? Outra vez foi remotamente atingido! Ao deixar o hospital, Shuttlesworth contou aos repórteres: "Hoje foi a segunda vez em um ano que um milagre me poupou a vida." Se ser remotamente atingido uma vez produz euforia, dá para imaginar o que a segunda vez acarreta.

Pouco depois, Shuttlesworth levou um colega, Jim Farmer, a um encontro com Martin Luther King numa igreja em Montgomery, no Alabama. Lá fora, uma multidão irada se reunira, agitando bandeiras dos Confederados. Começaram a apedrejar o carro. O chofer deu marcha à ré e tentou um caminho alternativo, mas voltou a ser bloqueado. O que Shuttlesworth fez? Como fizera na Escola Phillips, *saltou* do carro. Eis de novo o relato de Diane McWhorter:

> Garrafas de Coca-Cola estilhaçaram vidros de carros à sua volta enquanto ele parava para identificar um cheiro estranho, a primeira vez que sentia os efeitos do gás lacrimogêneo. Aí fez sinal para que Farmer saísse do carro e andou até a multidão. Farmer foi atrás "morrendo de medo", tentando esconder seu corpo amplo de *bon-vivant* na sombra magra de Shuttlesworth. Os valentões se afastaram, seus porretes foram abaixados e Shuttlesworth caminhou até a porta da Igreja Batista sem que um fio de sua jaqueta fosse perturbado. "Saiam do caminho", foi tudo que disse. "Vamos lá. Fora do caminho."

Ele foi *três* vezes remotamente atingido.

Perder pai ou mãe não é como ter sua casa atingida por uma bomba ou ser cercado por uma multidão ensandecida. É pior. Não é algo que acaba após um momento terrível, e suas feridas não cicatrizam tão rápido como uma contusão ou escoriação. Mas o que acontece com crianças cujo pior temor se realiza – e que depois descobrem que continuam de pé? Não poderiam também adquirir o que Shuttlesworth e aqueles remotamente atingidos pela Blitz adquiriram: uma autoconfiança que é o pai e a mãe da coragem?*

---

* "Tive um paciente assim anos atrás", contou-me o psiquiatra nova-iorquino Peter Mezan. "Ele construiu um império. Mas não poderia ter tido uma infância mais catastrófica. A mãe morreu na sua frente quando ele tinha 6 anos, com o pai a ameaçando, berrando de raiva. Ela estava tendo uma convulsão. Depois o pai, que era gângster, foi assassinado, e ele e a irmã foram mandados para um orfanato. Ele cresceu cercado apenas de situações a serem superadas. Portanto estava disposto a assumir riscos que outras pessoas não assumiriam. Acho que sentia que não tinha nada a perder." Para Mezan não

"O policial que conduziu Shuttlesworth à prisão", Diane McWhorter escreveu sobre outro dos muitos confrontos de Shuttlesworth com as autoridades brancas, "golpeou-o, chutou-o na canela, xingou-o de macaco e depois o desafiou: 'Por que você não me bate?' Shuttlesworth respondeu: 'Porque eu te amo.' Cruzou os braços e sorriu o resto do percurso até a prisão, onde, proibido de cantar ou orar, tirou uma soneca."

8.

A ação de Freireich para deter as hemorragias foi uma revolução. Possibilitou que as crianças fossem mantidas vivas tempo suficiente para que a causa subjacente de sua doença pudesse ser tratada. Mas a leucemia era um problema ainda pior. Poucos medicamentos eram capazes de exercer algum efeito contra a doença. Havia os remédios matadores de células 6-MP e metotrexato, e havia o esteroide prednisona. Mas todos eram potencialmente tóxicos e só podiam ser ministrados em doses limitadas, razão pela qual só conseguiam eliminar algumas das células cancerosas da criança. O paciente melhorava por cerca de uma semana. Depois as células que sobreviveram começavam a se multiplicar, e o câncer voltava com tudo.

"Um dos consultores no centro clínico era um homem chamado Max Wintrobe", disse Freireich. "Ele era mundialmente

---

havia mistério – pela sua experiência através dos anos – quanto à relação entre esse tipo de patologia descomunal na infância e os sucessos exuberantes que algumas daquelas crianças destituídas teriam depois na vida adulta. O fato de ter suportado e sobrevivido a tamanho trauma exerce um efeito libertador. "Essas são pessoas capazes de romper a moldura do mundo conhecido – as crenças, os pressupostos, o senso comum, o familiar, o que todos aceitam como normal, seja sobre o câncer ou as leis da física", ele disse. "Elas não estão confinadas à moldura. Têm a capacidade de sair dela, acho que porque a moldura normal da infância não existiu para essas pessoas. Foi destroçada."

famoso por ter escrito o primeiro livro-texto de hematologia, e havia feito uma análise do estado corrente do tratamento da leucemia em crianças. Mostro uma citação dele aos meus alunos até hoje. Diz: 'Esses remédios causam mais mal do que bem porque apenas prolongam a agonia. De qualquer modo, os pacientes acabam morrendo. Os remédios os deixam pior, portanto você não deveria usá-los.' Aquela era a autoridade mundial."

Mas Tom Frei, Freireich e um grupo associado do Roswell Park Memorial Institute, de Buffalo, encabeçado por James Holland, convenceram-se de que a ortodoxia médica estava redondamente equivocada. Se os remédios não estavam matando células cancerosas suficientes, não seria sinal de que as crianças precisavam de um tratamento mais agressivo, e não menos? Por que não *combinar* 6-MP e metotrexato? Cada um atacava as células cancerosas de formas diferentes. Eram como o exército e a marinha. De repente as células que sobrevivessem ao 6-MP seriam mortas pelo metotrexato. E se acrescentassem prednisona à mistura? Poderia ser a força aérea, bombardeando do ar enquanto os outros remédios atacavam por terra e por mar.

Então Freireich deparou com um quarto medicamento, derivado da planta pervinca. Chamava-se vincristina. Alguém da empresa farmacêutica Eli Lilly o levou ao Instituto Nacional do Câncer para os pesquisadores o estudarem. Ninguém sabia muito a respeito, mas Freireich teve um palpite de que funcionaria contra a leucemia.

"Eu tinha 25 crianças morrendo", ele disse. "Não havia nada para lhes oferecer. Meu pensamento foi: vou testar. Por que não? Elas vão morrer de qualquer jeito."

A vincristina mostrou-se promissora. Freireich e Frei a testaram em crianças que já não respondiam aos demais medicamentos, e várias tiveram uma remissão temporária. Assim, Frei e Freireich foram pedir permissão ao comitê de supervisão de pesquisas do Instituto para testar todos os quatro remédios juntos: exército, marinha, força aérea e fuzileiros navais.

O câncer é agora rotineiramente tratado com "coquetéis" de remédios, combinações complicadas de dois, três ou mesmo quatro ou cinco medicamentos simultaneamente. Mas no início da década de 1960 eles ainda não eram conhecidos. Os remédios disponíveis para tratar o câncer naqueles anos eram considerados perigosos demais. Mesmo a vincristina, a aclamada nova descoberta de Freireich, era assustadora. Freireich descobriu isso da pior forma.

"Se tinha efeitos colaterais? Com certeza", ele disse. "Causava depressão grave, neuropatias. As crianças ficavam paralisadas. Quando alguém recebe uma dose tóxica, acaba em coma. Das primeiras 14 crianças que tratamos, uma ou duas realmente morreram. O cérebro delas ficou totalmente frito."

Max Wintrobe achava que uma abordagem humana seria não usar remédio algum. Freireich e Frei queriam usar *quatro* ao mesmo tempo. Frei foi ao comitê consultivo do Instituto pedir aprovação. Não conseguiu.

"Havia um hematologista veterano no comitê chamado Dr. Carl Moore, que por acaso foi amigo do meu pai em St. Louis", Frei recordou anos depois. "Eu sempre o considerei um amigo também. Mas minha apresentação lhe pareceu absurda. Como não lidava com doenças pediátricas como leucemia infantil, ele conversou sobre a doença de Hodgkin em adultos. Disse que, se você tem um paciente com esse mal disseminado, é preferível mandar a pessoa à Flórida curtir o resto de sua vida. Se os pacientes estão tendo sintomas excessivos da doença de Hodgkin, você os trata com um pouco de raios X ou possivelmente um pouco de mostarda de nitrogênio, mas ministra a menor dose possível. Qualquer coisa mais agressiva do que isso é antiética, e ministrar quatro remédios ao mesmo tempo é irresponsável."

Frei e Freireich estavam desesperados. Foram falar com seu chefe, Gordon Zubrod, que participara com Freireich das guerras em torno da controvérsia das plaquetas. Apenas relutantemente aprovara o experimento com vincristina. Ele era responsável pelo que acontecia no segundo andar. Se por acaso as coisas dessem errado, seria ele o convocado diante de um comitê do Congresso. Dá para imaginar? Dois pesquisadores renegados dando coquetéis de drogas experimentais e altamente tóxicas a crianças de 4 e 5 anos num laboratório do governo. Zubrod tinha fortes ressalvas. Mas Frei e Freireich persistiram. Na verdade, Frei persistiu. Freireich não era o tipo de pessoa que pudesse ser incumbida de uma negociação delicada.

"Eu não poderia ter feito nada sem o Frei", Freireich admitiu. "Ele é o oposto de mim. É ponderado e muito humano."

Sim, as drogas eram todas venenosas, Frei argumentou. Mas eram venenosas de diferentes formas, de modo que, se você tomasse cuidado com as dosagens – e fosse agressivo no tratamento dos efeitos colaterais –, as crianças poderiam ser mantidas vivas. Zubrod cedeu.

"Foi loucura", Freireich disse. "Mas foi inteligente e correto. Eu refletira a respeito e sabia que ia funcionar. Era como as plaquetas. Tinha que funcionar!"

O teste foi chamado de regime VAMP. Alguns dos colegas do corpo clínico – os médicos principiantes que auxiliavam na enfermaria – recusaram-se a tomar parte. Achavam que Freireich estava louco.

"Precisei fazer tudo sozinho", Freireich contou. "Tive que encomendar as drogas, misturá-las, injetá-las, fazer as contagens sanguíneas, medir o sangramento, coletar amostras das medulas ósseas, verificar as lâminas."

Havia 13 crianças na rodada inicial do teste. A primeira testada foi uma menina. Freireich começou com uma dose que se mostrou alta demais, e ela quase morreu. Ele ficou sentado com ela durante horas, alternando antibióticos com respiradores. Ela sobreviveu, mas morreu depois, quando seu câncer voltou. Mas Frei e Freireich estavam aprendendo. Reformularam o protocolo e passaram para a paciente número dois. Seu nome era Janice. Ela se recuperou, como ocorreu com a criança seguinte, e a próxima. Foi um começo.

O único problema era que o câncer não fora embora. Um punhado de células malignas ainda espreitava. Uma rodada de quimioterapia não seria suficiente, eles perceberam. Então começaram outra rodada. A doença retornaria? Sim. Precisavam tentar de novo.

"Ministramos às crianças três tratamentos", Freireich declarou. "Doze das 13 tiveram recaída. Então decidi: só tem um jeito de fazer isso. Vamos continuar tratando-as mensalmente, durante um ano.* Se as pessoas pensavam que eu era estranho antes, agora achavam que tinha enlouquecido de vez", Freireich prosseguiu. "Aquelas crianças pareciam completamente normais, em completa remissão, andando por aí, jogando futebol, e eu ia mandá-las de volta ao hospital e deixá-las doentes de novo. Sem nenhuma plaqueta. Nenhum glóbulo branco. Com hemorragia. Infecção."

VAMP destruía o sistema imunológico das crianças. Elas ficavam indefesas. Para os pais, era uma agonia. Para seus filhos terem uma chance de viver, eles teriam que ser levados, violenta e repetidamente, à beira da morte.

---

* A ideia de ministrar rodadas repetidas de quimioterapia – mesmo depois que o paciente parecia livre do câncer – veio de M. C. Li e Roy Hertz, do Instituto Nacional do Câncer, no final da década de 1950. Li atacou o coriocarcinoma – um raro câncer de útero – com rodada após rodada de metotrexato até enfim expulsá-lo do corpo de suas pacientes. Foi a primeira vez que um tumor sólido foi curado por quimioterapia. Quando Li apenas propôs a ideia, ordenaram que parasse. As pessoas consideraram aquilo uma barbaridade. Ele persistiu. Foi despedido – *embora tenha curado suas pacientes*. "Assim era a atmosfera então", DeVita disse. "Lembro que houve uma reunião clínica naquela época para discutir o coriocarcinoma. E o tema da conversa era se aquele foi um caso de remissão espontânea. Ninguém conseguia aceitar a ideia de que o metotrexato havia curado a paciente." Freireich fala de Li, até hoje, com admiração. Certa vez num congresso científico, um orador menosprezou as realizações de Li, e Freireich se levantou e berrou, no meio dos trabalhos: "*M. C. Li curou o coriocarcinoma!*"

Freireich lançou-se à tarefa, usando cada grama de energia e audácia para manter seus pacientes vivos. Naquele tempo, quando um paciente desenvolvia febre, o médico extraía uma cultura de sangue e, quando os resultados retornavam, o médico associava a infecção ao antibiótico mais apropriado. Os antibióticos nunca eram ministrados em combinação. Você dava um segundo antibiótico somente depois que o primeiro parasse de agir.

"Uma das primeiras coisas que Jay nos disse foi 'Nada disso'", DeVita lembrou. "'Essas crianças estão ardendo em febre e precisam ser tratadas imediatamente com combinações de antibióticos, porque estarão mortas em três horas se você não fizer assim.'"

DeVita tinha um antibiótico que, segundo instruções, jamais deveria ser ministrado no líquido raquidiano. Freireich mandou que o dessem a um paciente – no líquido raquidiano.

"Freireich nos mandava fazer coisas que havíamos aprendido serem heréticas", DeVita disse. "Ele foi objeto de muitas críticas. Os colegas do corpo clínico achavam que o que estava fazendo era completamente insano. Mas suportou o fardo. Eles o insultavam, especialmente o pessoal de Harvard. Costumavam se postar nos fundos da sala e importuná-lo. Ele dizia algo, e eles comentavam: 'Certo, Jay, e eu vou voar até a Lua.' Foi horrível. Mas Jay estava ali o tempo todo, pairando sobre você, olhando cada exame de laboratório, examinando cada boletim. Deus me livre se você não fizesse algo para um de seus pacientes. Ele ficava feroz. Era capaz de fazer e dizer coisas que o deixavam em apuros, ou de ir a alguma reunião e insultar alguém, e Frei tinha que aparecer para acalmar os ânimos. Se ele se importava com o que as pessoas pensavam dele? Talvez. Mas não o suficiente para impedi-lo de fazer o que julgava correto.* Como Jay fazia isso", DeVita enfim disse, "eu não sei."

---

* São inúmeras as histórias sobre Freireich. A certa altura, ele se aventurou no 12º andar do centro clínico do Instituto, que abrigava a enfermaria para adultos com leucemia mieloide crônica. Trata-se de uma forma de leucemia que produz um excesso

Mas nós sabemos, não é? Ele havia passado por coisas piores.

Em 1965, Freireich e Frei publicaram "Progress and Perspectives in the Chemotherapy of Acute Leukemia" (Progresso e perspectivas na quimioterapia de leucemia aguda) no periódico *Advances in Chemotherapy*, anunciando que haviam desenvolvido um tratamento de sucesso para a leucemia infantil.* Hoje o índice de cura dessa forma de câncer supera 90%. O número de crianças cujas vidas foram salvas pelos esforços de Freireich e Frei e dos pesquisadores que seguiram suas pegadas está na casa dos muitos, muitos milhares.

9.

Será que isso significa que Freireich deveria estar contente por ter tido a infância que teve? A resposta é um simples não. O que ele sofreu na infância, nenhuma criança deveria sofrer. No mesmo espírito, fiz a cada disléxico que entrevistei a pergunta

---

de glóbulos brancos. O maquinário produtor de células do paciente entra em marcha acelerada. Já as crianças que Freireich vinha tratando sofriam de leucemia linfocítica aguda. É um câncer que resulta da superprodução de glóbulos brancos defeituosos – e é por isso que ficam à mercê das infecções. Assim, Freireich começou a extrair sangue desses adultos no 12º andar e a ministrá-lo às crianças do 2º andar. Consideraram estranho extrair glóbulos brancos de pacientes de leucemia mieloide? "*Loucura*", Freireich disse, recordando aquele experimento. "Todo mundo dizia que era loucura. E se as crianças acabassem contraindo a leucemia mieloide também? E se ficassem ainda mais doentes?" Freireich deu de ombros. "Aquele era um ambiente em que as crianças tinham cem por cento de mortalidade em meses. Nada tínhamos a perder."

* Simplifiquei a história da leucemia. Para uma versão mais completa, ver *O imperador de todos os males*, de Mukherjee. Depois que Freireich e Frei demonstraram que conseguiram progredir na luta contra a leucemia com doses sem precedentes de drogas de quimioterapia, o oncologista Donald Pinkel entrou em ação e levou aquela lógica ainda mais longe. O grupo de Pinkel no St. Jude's Children's Research Hospital, em Memphis, foi pioneiro na "terapia total", cuja melhor descrição é VAMP elevado ao quadrado. Os tratamentos atuais da leucemia em grande parte bem-sucedidos são essencialmente a versão potencializada de Pinkel do regime VAMP.

do início do capítulo anterior: eles gostariam de ter um filho disléxico? Todos responderam que não. Grazer estremeceu ao pensar nisso. Gary Cohn ficou horrorizado. David Boies tem dois filhos disléxicos e vê-los crescerem num ambiente onde ler bem desde cedo é a chave de tudo foi doloroso. Ali estavam um dos maiores produtores de Hollywood, um dos banqueiros mais poderosos de Wall Street e um dos melhores advogados de tribunal dos Estados Unidos – todos eles reconhecendo como a dislexia foi crucial para o seu sucesso. No entanto, também conheciam em primeira mão o alto preço de seu sucesso – e estavam longe de desejar a mesma experiência para os próprios filhos.

Mas perguntar o que qualquer um de nós desejaria em nossos filhos é a pergunta errada, não é? A pergunta certa é se, como uma sociedade, *precisamos* de pessoas que emergiram de algum tipo de trauma – e a resposta é sim. Não se trata de um fato agradável de contemplar. Para cada remotamente atingido que se fortalece, existem inúmeros quase atingidos esmagados pelo que sofreram. Há momentos e lugares, porém, em que todos nós dependemos de pessoas que ficaram calejadas por suas experiências.* Freireich teve a coragem de pensar o impensável. Ele fez experimentos em crianças. Submeteu-as a uma dor que nenhum ser humano deveria sofrer. E o fez, em grande parte, porque entendia, baseado na própria experiência de infância, que é possível

---

* Em suas memórias *The Theory and Practice of Hell* (Teoria e prática do inferno), Eugen Kogon escreveu sobre o que acontecia no campo de concentração de Buchenwald sempre que os nazistas exigiam aos líderes do campo que selecionassem para as câmaras de gás aqueles dentre as próprias fileiras que fossem "socialmente incapazes". Desobedecer acarretava um desastre: os nazistas entregariam então a liderança dos prisioneiros aos "verdes" – elementos criminosos sádicos também internados em Buchenwald junto com os judeus e os prisioneiros políticos. De jeito nenhum, Kogon escreveu, os "puros de coração" podiam ser incumbidos dessa decisão. Às vezes a sobrevivência humana exige que cometamos o mal em prol de algum bem maior – e, segundo Kogon, "quanto mais compassiva a consciência, mais difícil era tomar tais decisões".

emergir curado e restaurado mesmo do pior dos infernos. Sofrer de leucemia era ser diretamente atingido. Ele transformou em remotamente atingido.

Em certo ponto, no meio de sua batalha, Freireich percebeu que o método-padrão de monitorar o câncer das crianças – extrair uma amostra de sangue e contar o número de células cancerosas sob o microscópio – não era eficiente. O sangue era enganador. O de uma criança podia parecer livre do câncer, mas a doença talvez ainda estivesse espreitando na medula óssea – o que significava passar pelo processo doloroso de coletar amostras de medula, repetidamente, mês após mês, até se ter certeza de que o câncer desaparecera. Max Wintrobe ouviu falar do que Freireich vinha fazendo e tentou detê-lo. Freireich estava torturando os pacientes, Wintrobe disse. Não estava errado; a reação que teve foi empática. Mas é também a reação que jamais teria levado a uma cura.

"Costumávamos coletar medulas ósseas agarrando as pernas das crianças assim" – ao dizer isso, Freireich estendeu uma de suas mãos gigantes como que envolvendo o fêmur minúsculo de uma criança. "Enfiávamos a agulha sem anestesia. Isso porque as crianças berravam do mesmo jeito quando você aplicava uma injeção de anestesia. É uma agulha de calibre 18 ou 19 direto na tíbia, logo abaixo do joelho. As crianças ficavam histéricas. Os pais e enfermeiras imobilizavam-nas. Fazíamos isso a cada ciclo. Precisávamos saber se a medula óssea delas havia se recuperado."

Quando disse as palavras "agarrando as pernas das crianças assim", um esgar involuntário perpassou o rosto de Freireich, como se por um momento ele pudesse sentir uma agulha de calibre 18 perfurando a tíbia de uma criancinha, e como se a sensação daquela dor o fizesse parar para pensar. Mas essa reação, assim como surgira, rapidamente foi embora.

10.

Quando Jay Freireich fez seu treinamento médico, conheceu uma enfermeira chamada Haroldine Cunningham. Convidou-a para sair com ele e ela disse não.

"Todos os médicos jovens eram bem agressivos", ela recordou. "Ele tinha fama de ser franco. Me chamou algumas vezes, e eu não aceitei."

Um fim de semana, Haroldine foi visitar sua tia num subúrbio de Chicago – e o telefone tocou. Era Freireich. Ele saíra de trem atrás dela e estava ligando da estação. "Ele disse: 'Estou aqui'", ela lembrou. "Foi bem persistente."

Isso foi no início da década de 1950. Eles estão casados desde então.

A esposa de Freireich é tão pequena quanto ele é enorme, uma mulher miúda com um profundo e óbvio reservatório de força. "Vejo o homem. Vejo suas necessidades", ela disse. Ele voltava para casa tarde da noite, do hospital, do sangue e do sofrimento, e ela estava ali.

"Ela foi a primeira pessoa que chegou a me amar", Freireich disse simplesmente. "É meu anjo do céu. Ela me encontrou. Acho que detectou algo em mim que podia ser alimentado. Eu a venero em todas as coisas. Ela me mantém vivo todos os dias."

Haroldine cresceu pobre também. Sua família morava em um apartamento minúsculo na periferia de Chicago. Quando tinha 12 anos, ela tentou abrir a porta do banheiro por fora, mas não conseguiu.

"Minha mãe tinha trancado a porta", ela disse. "Chamei o vizinho do andar de baixo, que era o senhorio. Ele abriu a janela e entrou. Ligamos para o hospital. Ela morreu lá. Aos 12, 13 anos, você não entende direito o que está acontecendo, mas eu sabia que ela andava infeliz. Meu pai estava afastado, é claro. Não era um pai excelente."

Ela estava sentada na cadeira do consultório de Freireich, essa mulher que transformou em uma ilha de calma a turbulência da vida de seu marido.

"Você tem que perceber que o amor nem sempre salva as pessoas que você quer salvar. Alguém me perguntou certa vez: 'Você não sentiu raiva de sua mãe?' Eu disse que não, não senti, porque entendia a angústia dela. Tem coisas que ou elevam você, ou o derrubam. Jay e eu temos isso em comum."

CAPÍTULO SEIS

Wyatt Walker

"O COELHO É O ANIMAL MAIS ÁGIL QUE
DEUS CRIOU."

1.

A fotografia mais famosa na história do movimento americano pelos direitos civis foi tirada em 3 de maio de 1963 por Bill Hudson, um fotógrafo da Associated Press. Hudson estava em Birmingham, no Alabama, onde os ativistas de Martin Luther King Jr. haviam enfrentado o racista comissário de segurança pública Eugene "Bull" Connor. A foto mostra um adolescente sendo atacado por um cão da polícia e até hoje não perdeu o poder de nos chocar.

Hudson entregou o rolo de filme daquele dia ao seu editor, Jim Laxon. Este examinou as fotos até deparar com o adolescente inclinado em direção ao cão. Como disse mais tarde, ficou fascinado com a "calma angelical do adolescente frente à mandíbula rosnadora do pastor-alemão". Não sentia essa emoção ao ver uma imagem desde que publicara uma foto vencedora do Prêmio Pulitzer 17 anos antes, de uma mulher saltando de uma janela do último andar de um hotel em chamas em Atlanta.

Laxon pegou a foto e a enviou pelo telex. No dia seguinte, o *New York Times* a publicou em destaque, ocupando três colunas da primeira página de sua edição de sábado, como fizeram praticamente todos os grandes jornais do país. O presidente

Kennedy viu a foto e ficou abismado. O secretário de Estado Dean Rusk temeu que aquilo "constrangesse nossos amigos no exterior e contentasse nossos inimigos". A foto foi discutida no Congresso e em um sem-número salas de estar e de aula. Durante um tempo, parecia que os americanos não conseguiam falar de outra coisa. Foi uma imagem, nas palavras de um jornalista, que "ficaria na lembrança para sempre [...] o adolescente magro, bem-vestido, parecendo se inclinar em direção ao cão, seus braços caídos ao lado do corpo, calmamente olhando para a frente como que para dizer: 'Me pegue, estou aqui.'" Durante anos, Martin Luther King e seu exército de ativistas dos direitos civis vinham combatendo o emaranhado de leis e políticas racistas que manchavam o sul dos Estados Unidos – as regras que tornavam difícil ou impossível para os negros conseguirem empregos, votarem, obterem uma educação apropriada ou até usarem o mesmo bebedouro de uma pessoa branca. De repente, as coisas mudaram. Um ano depois de a foto ter sido tirada, o Congresso americano aprovou a histórica Lei dos Direitos Civis de 1964, um dos mais importantes atos legislativos da história dos Estados Unidos. Como muitas vezes se disse, essa lei foi "escrita em Birmingham".

2.

Em 1963, quando Martin Luther King foi a Birmingham, seu movimento estava em crise. Ele acabara de passar nove meses organizando protestos contra a segregação em Albany, na Geórgia, 320 quilômetros ao sul, e saíra de lá enfraquecido, sem obter concessões significativas. A maior vitória que o movimento dos direitos civis conquistara até então havia sido a decisão da Suprema Corte na famosa causa *Brown versus Conselho Escolar* em 1954, que declarou inconstitucional a segregação nas escolas públicas. Mas, passados quase 10 anos, as escolas públicas do extremo sul continuavam tão racialmente divididas como sempre. Nas décadas de 1940 e 1950, a maioria dos estados sulistas havia sido governada por políticos relativamente moderados que estavam ao menos dispostos a reconhecer a dignidade das pessoas negras. O Alabama teve nessa época um governador chamado "Big Jim" Folsom, que gostava de dizer que "todos os homens são iguais". Mas no início da década de 1960 os moderados haviam saído de cena. As assembleias legislativas estavam sob o controle de segregacionistas linha-dura. O Sul parecia estar retrocedendo.

E quanto a Birmingham? Birmingham era a cidade racialmente mais dividida do país, conhecida como "a Johanesburgo do Sul". Se um ônibus cheio de ativistas dos direitos civis estivesse a caminho de lá, a polícia local permanecia inerte enquanto o pessoal da Ku Klux Klan forçava o veículo a parar na beira da estrada e o incendiava. Negros que tentavam se mudar para bairros brancos tinham suas casas dinamitadas por membros locais da Ku

Klux Klan com tanta frequência que o outro apelido de Birmingham era Bombingham. "Em Birmingham", Diane McWhorter escreveu em *Carry Me Home*, "considerava-se um fato da ciência criminal que o meio mais eficaz de deter uma onda de crimes – arrombamentos, estupros, qualquer coisa – era sair e atirar em alguns suspeitos. ('Este negócio está fugindo do controle', um tenente [da polícia] diria. 'Vocês sabem o que temos que fazer.')."

Eugene "Bull" Connor, o comissário de segurança pública da cidade, era um homem atarracado, com orelhas enormes e uma "voz de sapo-boi". Ficou conhecido em 1938 quando uma conferência política foi realizada no centro de Birmingham com delegados negros e brancos. Connor amarrou uma corda comprida em uma estaca no gramado do lado de fora do auditório, estendeu a corda ao longo do centro do corredor entre as cadeiras e insistiu – de acordo com os decretos segregacionistas da cidade – que os negros se sentassem de um lado da linha e os brancos, do outro. Um dos participantes do encontro foi a esposa do presidente, Eleanor Roosevelt. Ela estava sentada do lado "errado", e o pessoal de Connor teve que forçá-la a mudar para o lado branco. (Imagine alguém tentando fazer isso com Michelle Obama.)* Connor gostava de passar as manhãs no Hotel Molton, no centro, tomando doses de bourbon Old Grand-Dad, de alto teor alcoólico, e dizendo coisas como "um judeu não passa de um negro ao avesso".

As pessoas costumavam contar piadas um tanto sem graça sobre Birmingham: certo dia, um negro de Chicago acorda e conta à esposa que Jesus lhe aparecera em sonho e ordenara que fosse até Birmingham. Ela fica horrorizada: "Jesus disse que iria com você?" O marido responde: "Ele disse que iria só até Memphis."

---

* Na biografia de Connor, escrita por William Nunnelley e intitulada *Bull Connor*, o autor identifica a seção exata do código municipal de Birmingham como sendo a 369, que proibia servir "pessoas brancas e de cor" na mesma sala a não ser que estivessem separadas por uma divisória de 2 metros de altura com entradas separadas.

Ao chegar a Birmingham, King convocou uma reunião de sua equipe de planejamento. "Tenho que lhes dizer", ele declarou, "que, na minha opinião, algumas das pessoas aqui sentadas hoje não sairão vivas desta campanha." Depois percorreu a sala e fez um pseudoelogio fúnebre para cada um. Um dos auxiliares de King mais tarde admitiria que nunca quis ir a Birmingham: "Quando beijei minha esposa e meus filhos ao me despedir deles em Atlanta, achei que nunca mais os veria."

King estava em inferioridade de armas e de forças. Ele era o supremo azarão. Contava, porém, com uma vantagem – da mesma variedade paradoxal da dislexia de David Boies e da infância dolorosa de Jay Freireich. Ele era de uma comunidade que *sempre* fora desprivilegiada, marginalizada. Na época em que a cruzada dos direitos civis chegou a Birmingham, os negros haviam passado 100 anos lidando com a inferioridade de armas e de forças. No processo, tinham aprendido algumas coisas sobre combater gigantes.

3.

No centro de muitas das culturas oprimidas do mundo está a figura do "herói embusteiro". Nas lendas e canções, aparece em forma de um animal aparentemente inofensivo que triunfa sobre outros bem maiores valendo-se de astúcia e manha. Os escravos das Antilhas trouxeram da África lendas de uma aranha maliciosa chamada Anansi. Entre os escravos americanos, o mais embusteiro costumava ser o Coelho Brer de cauda curta.* "O coelho

---

* Em *Black Culture and Black Consciousness: Afro-American Folk Thought from Slavery to Freedom* (Cultura e consciência negras: Pensamento folclórico afro-americano da escravidão à liberdade), Lawrence Levine escreveu: "O coelho, como os escravos que teciam lendas sobre ele, tinha que se virar com aquilo de que dispunha: sua cauda curta e sua porção natural de intelecto. Tendo apenas isso, precisava recorrer a quaisquer meios à sua disposição – meios que podem tê-lo manchado moralmente, mas que lhe permitiam sobreviver e até vencer."

é o animal mais ágil que Deus criou", um ex-escravo contou em entrevista a folcloristas 100 anos atrás:

> Não é o maior, nem é o mais ruidoso, mas com certeza é o mais astuto. Ao entrar em apuros, se safa atraindo outro para seu lugar. Certa vez caiu num poço profundo, e será que gritou e chorou? Não, senhor. Ele assobiou e cantou bem alto, e o lobo, quando passou e ouviu, inclinou a cabeça sobre o poço. O coelho disse: "Vá embora. Aqui não tem lugar para dois. Está um calorão aí em cima e fresquinho aqui embaixo. Não vá me entrar naquele balde e descer até aqui." Isso deixou o lobo curioso, fazendo com que saltasse dentro do balde. Enquanto estava descendo, o coelho vinha subindo, e ao passarem um pelo outro o coelho riu e disse: "Assim é a vida: uns sobem enquanto outros descem."

Na história mais famosa do Coelho Brer, a Raposa Brer o captura fazendo uma boneca de piche. O coelho tenta se relacionar com ela, mas fica preso, e quanto mais tenta se livrar, mais grudado fica. "Não me importo com o que você fizer de mim, Raposa Brer", o coelho implora para a raposa exultante, "mas não me lance no canteiro de espinheiros." É claro que ela faz exatamente isso – e o coelho, que nasceu e foi criado no canteiro de espinheiros, usa os espinhos para se soltar da boneca e escapa. A raposa é derrotada. O coelho senta-se num tronco próximo, triunfante, "removendo o piche do pelo com uma lasca".

Lendas de embusteiros eram formas de os escravos satisfazerem seus desejos, uma vez que eles sonhavam com o dia em que seriam superiores aos seus senhores brancos. Mas, como escreveu o historiador Lawrence Levine, eram também "histórias dolorosamente realistas que ensinavam a arte de sobreviver e até de triunfar em um ambiente hostil". Os negros americanos estavam em minoria, e a ideia embutida nas histórias do Coelho Brer era de que os fracos podiam competir mesmo na mais desigual das pelejas se estivessem dispostos a usar sua esperteza. O Coelho Brer *entendia* a Raposa Brer mais do que ela entendia a si mesma. Ele percebeu que a raposa, sua oponente, era tão malévola que não conseguiria resistir a lhe dar a punição que este disse que queria desesperadamente evitar. Assim o coelho *passou a perna* na raposa, apostando que esta não suportaria a ideia de um animal menor e mais fraco estar se divertindo tanto. Levine argumentou que, no decorrer de sua longa perseguição, os negros americanos levaram a sério as lições do embusteiro:

> Os registros deixados por observadores da escravidão do século XIX e pelos próprios senhores indicam que um número significativo de escravos mentia, trapaceava, roubava, inventava estar doente, vadiava, fingia não entender as ordens recebidas, colocava pedras no fundo das cestas de algodão para cumprir suas cotas, quebrava ferramentas, queimava as propriedades dos senhores, mutilava-se para escapar do trabalho, cuidava com indiferença das culturas agrícolas e maltratava o gado posto sob seus cuidados a ponto de os senhores muitas vezes julgarem necessário usar mulas, menos eficientes, no lugar dos cavalos, por elas aguentarem melhor o tratamento brutal dos escravos.

Os disléxicos compensam sua incapacidade desenvolvendo outras habilidades que – às vezes – podem se mostrar extremamente vantajosas. Ser bombardeado ou ficar órfão pode tornar alguém um quase atingido e deixá-lo arrasado. Ou pode fazer com que seja remotamente atingido e deixá-lo mais forte. Estas são as oportunidades de Davi: as ocasiões em que as dificuldades, paradoxalmente, se mostram desejáveis. A lição das lendas do embusteiro expõe a terceira dificuldade desejável: a liberdade inesperada que advém de não se ter nada a perder. O embusteiro consegue romper as regras.

O diretor executivo da Southern Christian Leadership Conference, a organização liderada por Martin Luther King Jr., era Wyatt Walker. Ele esteve na linha de frente em Birmingham desde o princípio, arregimentando o escasso exército de King contra as forças do racismo e a reação. King e Walker não tinham ilusões de que pudessem combater o racismo de forma convencional. Eles não conseguiriam derrotar Bull Connor nas urnas, nem nas ruas, nem no tribunal. Não adiantaria enfrentá-lo usando as mesmas armas. O que poderiam fazer seria dar uma de Coelho Brer e tentar induzir Connor a lançá-los no espinheiro.

"Wyatt, você tem que achar um meio de criar uma crise", King disse, "de fazer com que Bull Connor seja desmascarado."

Foi exatamente o que Walker fez. E a crise teve início com a fotografia do adolescente sendo atacado pelo cão da polícia – inclinado em direção ao cão, braços caídos, como que para dizer: "Me pegue, estou aqui."

4.

Wyatt Walker era um pastor batista de Massachusetts. Ele aderiu ao movimento de Martin Luther King em 1960. Era o homem prático do grupo, seu organizador e reparador. Era um encrenqueiro – esguio, elegante e intelectual, com um bigodinho fino e senso de humor. Suas tardes das quartas-feiras eram reservadas a uma partida de golfe. Para ele, todas as mulheres eram "queridas", a quem dizia: "Não é difícil conviver comigo, querida. Só exijo perfeição." Na juventude, ingressou na Liga Comunista Jovem porque esse era – como costumava dizer ironicamente – um dos únicos meios de um negro naquele tempo conhecer mulheres brancas. "Na universidade", escreveu o historiador Taylor Branch, "adquiriu óculos com armação escura que davam ao seu rosto o aspecto de um trotskista taciturno."* Certa vez, quando estava pregando em Petersburg, uma cidadezinha da Virgínia, apareceu na biblioteca local só para brancos com sua família e um pequeno séquito, com a intenção de ser preso por violar as leis segregacionistas da cidade. Qual livro escolheu para poder brandir diante dos fotógrafos e repórteres reunidos? Uma biografia do grande herói do Sul branco, Robert E. Lee, o general da Guerra Civil que liderou o Exército Confederado em sua batalha em defesa da escravidão. Aquilo era típico de Wyatt Walker. Não se importava em ser levado à prisão por violar as leis segregacionistas de Petersburg, mas ao mesmo tempo fazia questão de esfregar no nariz da cidade as próprias contradições dela.

Em Birmingham, King, Walker e Fred Shuttlesworth formavam um triunvirato. Shuttlesworth era o velho rosto da luta pelos direitos civis de Birmingham, o pregador local que a Ku Klux Klan não podia matar. King era o profeta, afável e carismático. Walker permanecia nas sombras. Não se deixava fotografar ao lado de King. Mesmo em Birmingham, havia gente no pessoal de Bull Connor que não sabia qual era sua aparência. King e Shuttlesworth eram dotados de certa serenidade; Walker, não. "Se você me atrapalhar, eu vou atropelar você" é como Walker descrevia seu estilo gerencial. "Não tenho tempo para 'bom dia, boa tarde, como você está'. Temos uma revolução em nossas mãos."

---

* O historiador Taylor Branch escreveu sobre Walker: "Walker foi um cabeça quente. Quando era estudante do ensino médio em Nova Jersey na década de 1940, ouviu Paul Robeson dizer que, se ser a favor da liberdade e igualdade significava ser um Vermelho, então ele era um Vermelho. Walker prontamente ingressou na Liga Comunista Jovem. Um de seus trabalhos no ensino médio foi um plano quinquenal para uma economia de tipo soviética nos Estados Unidos, e ele sonhava em realizar assassinatos tecnicamente engenhosos de segregacionistas eminentes."

Certa vez, em Birmingham, um homem branco de 90 quilos subiu num palanque e começou a esmurrar King, que estava discursando. Sobre o momento em que os auxiliares do líder acorreram em sua defesa, McWhorter escreveu:

> Ficaram pasmos ao verem King se tornar o protetor de seu agressor. Segurou-o preocupado e, enquanto o público começava a entoar canções do Movimento, explicou-lhe que sua causa era justa, que a violência era autodegradante e que "nós iremos vencer". Depois King o apresentou à multidão, como se fosse um convidado inesperado. Roy James, um nova-iorquino de 24 anos que morava num alojamento do Partido Nazista Americano em Arlington, Virgínia, pôs-se a chorar, abraçado por King.

King era um absolutista moral que não se afastava de seus princípios nem quando sob ataque. Walker gostava de se autodenominar um pragmático. Certa vez foi atacado por uma "montanha em forma de homem" – quase 2 metros de altura, 120 quilos – diante de um tribunal na Carolina do Norte. Walker não abraçou seu agressor. Levantou-se e o enfrentou, e, a cada vez que os golpes do grandalhão faziam Walker rolar pelos degraus do tribunal, ele se recompunha e o homem o atingia de novo. Na terceira vez, Walker recordou, "ele me pegou de jeito e me deixou quase sem sentidos. E contra-ataquei pela quarta vez. Se eu portasse minha navalha, teria retalhado o cara."

Houve uma noite memorável em que os três – Walker, King e Shuttlesworth – estavam prestes a pregar para 1.500 pessoas na Primeira Igreja Batista em Montgomery quando o templo foi cercado por uma multidão branca raivosa que ameaçava incendiá-lo. King, como era de esperar, optou pela ação moralmente correta.

– Só tem um jeito de salvarmos as pessoas lá em cima – ele disse aos outros. – Nós, da liderança, temos que nos entregar à multidão.

Shuttlesworth, imperturbável como sempre, concordou:
– Se é isso que temos que fazer, vamos fazer.

E Walker? Ele olhou para King e disse para si mesmo:
– Esse cara ficou maluco.

(No último momento, tropas federais chegaram e dispersaram a multidão.)

Mais tarde, Walker adotaria a não violência. Mas ele sempre dava a impressão de que oferecer a outra face não era uma decisão que surgisse naturalmente.

"Às vezes eu tinha que me adaptar ou alterar minha moralidade para que o serviço fosse realizado, porque eu era o cara que precisava lidar com os resultados", ele disse certa vez. "Eu fazia aquilo conscientemente. Não tinha escolha. Não estava lidando com uma situação moral quando lidei com Bull Connor."

Walker adorava pregar peças em Connor.

"Vim a Birmingham montar no Touro"*, ele anunciou, olhos piscantes, após sua chegada. Walker era capaz de simular o sotaque sulista e ligar para a polícia local com uma queixa imaginária contra uns "crioulos" indo a algum lugar em protesto, fazendo com que partissem numa busca inútil. Ou poderia liderar uma marcha fictícia, que ficasse dando voltas e mais voltas, passando por portarias de escritórios e descendo por ruelas, até deixar a polícia desesperada.

"Ah, foi uma época ótima", ele disse, recordando essas brincadeiras. Walker não era louco de contar a King o que estava fazendo. King desaprovaria. Walker mantinha suas travessuras em segredo.

---

* Jogo de palavras com o nome Bull, que significa "touro". (*N. do T.*)

"Acho que negros como eu desenvolveram quase um catálogo mental dos tons de voz usados por um branco falando com eles", Walker contou ao poeta Robert Penn Warren em longa entrevista logo após o encerramento da campanha de Birmingham: "Mas tudo que uma pessoa branca diz é interpretado pela nuance do tom de voz, ou talvez pela inclinação da cabeça [...] – coisas sem significado no sistema de referência étnico normal assumem um sentido importante e profundo."

Walker então mencionou as lendas de embusteiro da tradição afro-americana. Quase dá para ver um sorriso astuto no rosto de Walker. "Sim", ele respondeu, ele tinha "puro prazer" em zombar dos "senhores", dizendo "algo que você sabia que eles queriam ouvir, mas significando, na verdade, algo diferente".

As pessoas chamavam Martin Luther King de "Sr. Líder" ou, em momentos mais descontraídos, "O Senhor". Walker era o Coelho Brer.

5.

O plano que Walker bolou para Birmingham chamou-se Projeto C – de "confronto". A base de operações foi a venerável Igreja Batista da Rua 16, perto do parque Kelly Ingram, a poucos quarteirões do centro de Birmingham. O Projeto C teve três atos, cada um visando ser maior e mais provocador que o anterior. Começou com uma série de ocupações em estabelecimentos comerciais. Isso foi para chamar a atenção da mídia para o problema da segregação na cidade. À noite, Shuttlesworth e King lideravam grandes encontros da comunidade negra local para manter o moral elevado. O segundo estágio foi o boicote às lojas do centro, para pressionar financeiramente a comunidade de negócios branca, fazendo-a reconsiderar suas práticas em relação aos clientes negros. (Nas lojas de departamentos, por exemplo, negros não podiam usar os banheiros ou os provadores, por medo de que uma superfície ou um artigo de vestuário tocado por uma pessoa negra pudesse depois ser tocado por uma pessoa branca.) O terceiro ato foi uma série de passeatas para respaldar o boicote e lotar as prisões – porque depois que as celas de Connor ficassem lotadas ele não poderia mais se livrar do problema dos direitos civis simplesmente detendo os manifestantes. Teria que lidar com eles diretamente.

O Projeto C foi uma operação altamente arriscada. Para que funcionasse, Connor teria que contra-atacar. Nas palavras de King, Connor precisaria ser induzido a "abrir o jogo" – revelando assim o lado feio de seu mundo. Mas não havia garantia de que o oponente reagiria assim. King e Walker tinham acabado de conduzir sua longa campanha em Albany, na Geórgia, e haviam falhado ali porque o chefe de polícia de Albany, Laurie Pritchett, recusara-se a morder a isca. Ele orientou sua polícia a não usar de violência ou força excessiva. Foi amigável e educado. Seu ponto de vista sobre os direitos civis pode ter sido primário, mas tratava King com respeito. A imprensa do Norte foi a Albany cobrir o confronto entre brancos e negros e constatou – para sua surpresa – que gostava de Pritchett. Quando King enfim foi preso, um homem misterioso e bem-vestido – enviado, reza a lenda, pelo próprio Pritchett – apareceu no dia seguinte para libertá-lo sob fiança. Como você pode ser um mártir se é libertado da prisão assim que chega lá?

A certa altura, Pritchett mudou-se para um hotel no centro da cidade para que pudesse estar a postos caso irrompesse algum ato violento. Em meio a uma longa sessão de negociação com King, Pritchett recebeu um telegrama. Como este recordou, anos depois:

Devo ter mostrado certa preocupação [com aquilo] porque o Dr. King perguntou se eram más notícias. Eu respondi: "Não, não são más notícias, Dr. King. Acontece que hoje é meu 12º aniversário de casamento e minha esposa me enviou um telegrama." Ele então me disse – e nunca vou me esquecer disso, pois mostra o entendimento que tínhamos: "Quer dizer que hoje é seu aniversário de casamento?" E eu: "Isso mesmo, e estou longe de casa faz três semanas." E King concluiu: "Bem, chefe Pritchett, você vai para casa esta noite, ou melhor, vai agora mesmo. Vá celebrar seu aniversário de casamento. Dou minha palavra de que nada acontecerá em Albany até amanhã. Pode ir, levar sua esposa para jantar, fazer o que quiser, e amanhã às 10 horas reiniciaremos as nossas atividades."

Pritchett não lançaria King no canteiro de espinheiros. Pouco tempo depois, King faria as malas e deixaria a cidade.*

Walker percebeu que um revés em Birmingham tão pouco tempo após o fracasso em Albany seria desastroso. Naqueles anos, o noticiário noturno na televisão era visto na maior parte dos lares americanos, e Walker queria desesperadamente ver o Projeto C sendo exibido nele todos os dias. Mas sabia que, se a campanha fosse percebida como vacilante, a mídia poderia perder o interesse e procurar outro assunto.

"Como um princípio geral, Walker afirmava que tudo tinha que aumentar", Taylor Branch escreveu. "Se eles mostrassem for-

---

* Pritchett chegou a ir a Birmingham e alertou Bull Connor sobre King e Walker. Queria ensinar a Connor como lidar com os embusteiros dos direitos civis. Mas Connor não estava inclinado a ouvir: "Nunca me esquecerei de quando entramos no escritório dele", Pritchett recordou. "Ele estava de costas para nós numa grande cadeira de executivo, e quando se virou lá estava aquele homem pequenino – veja bem, em altura. Mas tinha uma voz estrondosa, e ficou me contando que haviam fechado o campo de golfe naquele dia. Ele disse: 'Eles podem jogar golfe, mas tapamos todos os buracos com concreto. Não vão conseguir acertar a bola.' Aquilo me deu uma ideia do tipo de homem que ele era."

ça, o apoio externo aumentaria mais do que proporcionalmente. Uma vez que começassem, porém, não poderiam esmorecer. [...] De jeito nenhum, disse Walker, a campanha de Birmingham poderia ser menor que a de Albany. O que significava que precisavam estar preparados para colocar mais de mil pessoas na prisão de uma vez, talvez mais."

Após algumas semanas, Walker viu sua campanha começar a perder aquele impulso precioso. Muitos negros em Birmingham temiam – com toda a razão – que, caso fossem vistos com King, seriam despedidos por seus chefes brancos. Em abril, um dos auxiliares do líder negro falou diante de 700 pessoas num culto, mas só conseguiu persuadir nove a marcharem com ele. No dia seguinte, Andrew Young – outro dos homens de King – tentou de novo, dessa vez obtendo apenas sete voluntários. O jornal negro conservador local chamou o Projeto C de "esbanjador e inútil". Os repórteres e fotógrafos reunidos ali para registrar o espetáculo do confronto entre negros e brancos estavam ficando inquietos. Connor fazia prisões ocasionais, mas na maior parte do tempo permanecia sentado observando. Walker estava em constante contato com King, enquanto este deslocava-se para lá e para cá entre Birmingham e sua base domiciliar em Atlanta.

– Wyatt – King disse-lhe pela centésima vez –, você tem que encontrar um meio de fazer Bull Connor abrir o jogo.

Walker fez que não com a cabeça:

– Sr. Líder, ainda não achei o segredo, mas hei de achar.

O divisor de águas veio no Domingo de Ramos. Walker tinha 22 manifestantes prontos para partir. A marcha seria liderada pelo irmão de King, Alfred Daniel, conhecido como A. D.

"Nosso grande comício lentamente vinha se formando", Walker recordou. "Deveríamos nos concentrar em torno das duas e meia da tarde, mas só começamos a marchar lá pelas quatro. Naquele tempo, o povo, sabendo do protesto, reunia-se nas ruas. No momento em que a marcha estava prestes a começar, havia mil pessoas acima e abaixo daquela área de três quarteirões, postadas ao longo das calçadas, como espectadoras, observando."

No dia seguinte, Walker abriu os jornais para ler os relatos da mídia sobre o que ocorrera, e para sua surpresa descobriu que os repórteres haviam entendido tudo errado. Os jornais diziam que 1.100 manifestantes haviam marchado em Birmingham.

"Liguei para o Dr. King e disse: 'Dr. King, consegui!'", Walker recordou. "'Não dá para contar pelo telefone, mas consegui!' Então todos os dias passamos a prolongar nossas reuniões até que as pessoas saíssem do trabalho no fim da tarde. Elas se enfileiravam na calçada e parecia que havia mil pessoas. Os manifestantes eram apenas 12, 14, 16, 18, mas os jornais estavam informando que eram 1.400."

Trata-se de uma situação saída de uma das mais famosas histórias de embusteiros – a da humilde tartaruga marinha que se vê apostando corrida com o cervo. Ela se esconde junto à linha de chegada e espalha seus parentes por toda a pista, a intervalos estratégicos, para parecer que está disputando a corrida toda. Aí, na linha de chegada, surge à frente do cervo para reivindicar a vitória. O cervo é completamente enganado, já que, como a tartaruga sabe, para o cervo as tartarugas "são tão parecidas entre si que não dá para distinguir uma da outra".

Os negros desprivilegiados precisam ser estudiosos das nuances da expressão dos brancos – a inclinação da cabeça ou o tom de voz. Sua sobrevivência depende disso. Mas aqueles em posição de poder não têm necessidade de *olhar* para os fracos. O cervo sentia desdém pela humilde tartaruga marinha. Para ele, uma tartaruga era uma tartaruga. A elite confortável de Birmingham era como o cervo.

"Eles só conseguem enxergar através de olhos de brancos", Walker explicou alegremente. "Não sabem distinguir manifestantes negros de espectadores negros. Tudo que conhecem são negros."*

Connor era um homem arrogante que gostava de percorrer Birmingham dizendo: "Aqui neste lugar fazemos nossa própria lei." Ele se sentava para beber seu bourbon a cada manhã no Hotel Molton, prevendo em voz alta que King "acabaria ficando sem negros". Agora ele olhava pela janela e via tartarugas na frente dele a cada curva. Estava chocado. Aqueles mil manifestantes imaginários eram uma *provocação*.

"Bull Connor tinha a intenção de não deixar aqueles negros chegarem à prefeitura", Walker contou. "Eu torcia para que continuasse tentando nos impedir. [...] Birmingham teria sido perdida se Bull nos deixasse chegar à prefeitura e rezar. Se tivesse nos deixado fazer isso e ficasse de lado, que novidade haveria? Não haveria movimento, nem publicidade."

Por favor, Connor Brer, por favor. Seja lá o que você fizer, não me lance no canteiro de espinheiros. E foi isso, é claro, que Connor fez.

Um mês depois de iniciado o protesto, Walker e King aumentaram a pressão. Um membro da equipe de Birmingham, James Bevel, vinha lidando com colegiais locais, instruindo-os nos princípios da resistência não violenta. Bevel era um flautista de Hamelin: um orador alto, calvo e hipnótico que usava solidéu e macacão e dizia ouvir vozes. Na última segunda-feira de abril, distribuiu panfletos em todas as escolas de ensino médio negras do município: "Venham à Igreja Batista da Rua 16 ao meio-dia de quinta-feira. Não peçam permissão." O locutor de rádio negro mais popular da cidade – Shelley "o Playboy" Stewart

---

* Esse era um tema recorrente de Walker. Certa vez, Birmingham pediu uma liminar contra a Southern Christian Leadership Conference, o que significou que Walker teria que comparecer ao tribunal. O problema era: se Walker ficasse detido, como dirigiria a campanha? A solução de Walker foi registrar-se no tribunal e depois mandar outra pessoa aparecer no seu lugar a cada dia. Por que não? Ele disse: "Você sabe, todos os negros têm a mesma cara."

– enviou a mesma mensagem a seus jovens ouvintes: "Moçada, vai ter uma festa no parque."* O FBI ficou sabendo do plano e contou a Bull Connor, que anunciou que qualquer jovem que faltasse à escola seria expulso. Não fez diferença. Eles chegaram aos bandos. Walker chamou esse dia de "Dia D".

À uma hora da tarde, as portas da igreja se abriram, e os assistentes de King começaram a mandar os jovens para fora. Eles carregavam cartazes dizendo "Liberdade" ou "Morrerei para Tornar Este País Meu Lar". Cantavam "We Shall Overcome" (Venceremos) e "Ain't Gonna Let Nobody Turn Me Around" (Ninguém me fará mudar). Do lado de fora da igreja, os policiais de Connor aguardavam. Os meninos se ajoelharam e rezaram, depois entraram em fila pelas portas abertas dos camburões. Depois outra dúzia de jovens apareceu. Depois outra, e outra, e outra – até que os homens de Connor tiveram uma noção de que as apostas haviam aumentado de novo.

Um policial viu Fred Shuttlesworth e perguntou:

– Ei, Fred, quantas pessoas você ainda tem?

– Pelo menos mais mil – respondeu ele.

– Meu Deus! – exclamou o policial.

Ao final do dia, mais de 600 jovens estavam presos.

O dia seguinte – sexta-feira – foi o "Dia D Duplo". Dessa vez 1.500 estudantes faltaram às aulas para irem à Igreja Batista da Rua 16. À uma hora, começaram a encher a igreja. As ruas em torno do parque Kelly Ingram foram obstruídas por barricadas da polícia e dos bombeiros. Não havia mistério sobre a causa de estes últimos terem sido chamados. Seus caminhões dispunham de mangueiras de alta pressão, e os "canhões d'água", como eram

---

* Stewart era famoso em Birmingham. Todos os adolescentes negros ouviam seu programa. A segunda parte de sua mensagem aos ouvintes foi "Tragam suas escovas de dente, porque será servido almoço". "Escovas de dente" era um código para "estejam trajados e preparados para passar umas noites na cadeia".

chamados, haviam sido comuns no controle de multidões desde a década de 1930 nos primórdios da Alemanha nazista. Walker sabia que, se os protestos crescessem a ponto de derrotar a polícia de Birmingham, Connor sentiria uma forte tentação de recorrer às mangueiras. Ele *queria* que Connor ativasse as mangueiras.

"Estava quente em Birmingham", ele explicou. "Eu disse [a Bevel] que deixasse a reunião se estender um pouco e fizesse aqueles bombeiros ficarem sentados ali torrando ao sol até que seu mau humor fosse como um gatilho pronto a disparar."

E quanto aos cães? Connor estava ansioso por usar o K-9 Corps da cidade. Meses antes, durante um discurso, ele prometera combater os manifestantes dos direitos civis com 100 pastores-alemães da polícia. "Quero que vejam os cães atuarem", Connor rosnou quando as coisas começaram a ficar fora de controle no parque Kelly Ingram – e nada deixou Walker mais contente do que quando soube daquilo. Ele tinha jovens marchando nas ruas, e agora Connor queria lançar pastores-alemães contra eles? Todos no lado de King sabiam como seria se alguém publicasse uma foto de um cão da polícia investindo contra um jovem.

Connor montava guarda quando os estudantes se aproximaram.

"Não transponham o limite", ele alertou. "Se avançarem mais, usaremos as mangueiras contra vocês."

As cadeias de Connor estavam lotadas. Ele não podia prender mais ninguém, porque não tinha onde colocar. Os manifestantes continuaram a marcha. Os bombeiros hesitavam. Não estavam habituados a controlar multidões. Connor dirigiu-se ao chefe dos bombeiros: "Acione-as, ou vá para casa." Os bombeiros ligaram suas válvulas que transformavam o borrifo de suas mangueiras em uma torrente de alta pressão. Os jovens se agarraram uns aos outros e foram arremessados, em desordem, para trás. A força da água arrancou as camisas de alguns manifestantes e lançou outros de encontro a paredes e portais.

Lá na igreja, Walker começou a enviar levas de jovens à outra extremidade do parque para abrir outra frente. Connor não tinha mais caminhões de bombeiros, mas estava determinado a não permitir que os manifestantes transpusessem o limite para a Birmingham "branca".

"Tragam os cães", Connor ordenou, convocando oito unidades K-9. "Por que trouxeram o velho Tigre?", Connor berrou com um de seus policiais. "Por que não trouxeram um cão mais bravo? Este não é malvado!"

Os jovens se aproximaram. Um pastor-alemão arremeteu contra um rapaz. Ele se inclinou, braços caídos, como que para dizer: "Me pegue, estou aqui." No sábado, a foto apareceu na primeira página de todos os jornais do país.

6.

O comportamento de Wyatt Walker é revoltante? James Forman, uma figura-chave no movimento dos direitos civis naqueles anos, estava com ele quando Connor mobilizou as unidades K-9. Forman conta que Walker pôs-se a saltar de alegria. "Conseguimos um movimento! A polícia agiu com brutalidade."

Forman ficou estupefato. Walker sabia muito bem quão perigosa Birmingham podia ser. Estava no salão quando King fez o pseudoelogio *fúnebre* a cada um. Como poderia estar saltando de alegria ao ver manifestantes serem atacados por cães da polícia?*

Após o Dia D, King e Walker ouviram críticas de todos os lados. O juiz julgando os manifestantes detidos disse que as pessoas que "desencaminharam aqueles jovens" para protestarem

---

* Forman escreveu: "Parecia muito frio, cruel e calculista estar contente com a brutalidade policial reprimindo pessoas inocentes [...] não importa o propósito a que servisse."

"deveriam ser postas atrás das grades". No Congresso, um dos congressistas do Alabama tachou o uso de pessoas tão novas de "vergonhoso". O prefeito de Birmingham denunciou os "agitadores irresponsáveis e negligentes" que estavam usando jovens como "ferramentas". Malcolm X – ativista negro bem mais radical que King – disse que "homens de verdade não colocam suas crianças na linha de fogo". O *New York Times* afirmou em editorial que King estava envolvido em "aventuras de uma temeridade perigosa" e a *Time* o criticou por usar até crianças como "tropas de choque". O procurador geral americano Robert F. Kennedy alertou que "pessoas tão novas participando de protestos de rua são um negócio perigoso" e completou: "Um jovem ferido, mutilado ou morto é um preço que nenhum de nós pode se dar ao luxo de pagar."*

Na noite de sexta-feira, após o segundo dia dos protestos, King discursou na Igreja Batista da Rua 16 para os pais dos meninos que haviam sido detidos naquele dia e no dia anterior. Eles conheciam bem os perigos e humilhações de ser um negro em Birmingham. *Jesus disse que iria só até Memphis.* Você pode imaginar como se sentiam, com seus filhos naquele momento padecendo nas prisões de Bull Connor? King se levantou e tentou atenuar a situação: "Não apenas se ergueram quando jogaram água, mas foram *de encontro* à água!", ele disse. "E os cães? Bem, vou lhes contar. Quando eu era pequeno, fui mordido por um cão [...] por *nada*. Portanto não me importo em ser mordido para defender a liberdade!"

---

* Martin Luther King pensou longamente antes de concordar em usar os estudantes. Teve que ser convencido por James Bevel. A conclusão deles foi que, se alguém tinha idade suficiente para pertencer a uma igreja – para tomar uma decisão tão importante assim para sua vida e sua alma –, teria também para lutar por uma causa de grande importância para sua vida e sua alma. Na tradição da Igreja Batista, a criança podia ingressar na igreja quando atingisse a idade escolar. Isso significou que King também aprovou o uso de meninos e meninas a partir de 6 anos contra Bull Connor.

Se algum daqueles pais ou mães estava aceitando aquela argumentação, não dá para saber. King prosseguiu:

"Suas filhas e seus filhos estão na prisão. [...] Não se preocupem com eles. [...] Estão sofrendo por aquilo em que acreditam e para fazer desta uma nação melhor."

Não se preocupem com eles? Taylor Branch escreveu que circulavam rumores – "verdadeiros e falsos" – sobre "ratazanas, espancamentos, camas de concreto, latrinas transbordando, agressões na prisão e exames humilhantes de doenças venéreas". Em celas com capacidade para 8 pessoas foram espremidos 75, 80 jovens e crianças. Alguns foram levados de ônibus para a área de feiras do estado e mantidos sem comida e sem água em campos prisionais sob chuva torrencial. A reação de King? "A prisão ajuda você a se elevar acima do miasma do dia a dia", ele disse, tranquilo. "Se quiserem alguns livros, vamos obtê-los. Eu ponho minhas leituras em dia cada vez que vou para a prisão."

Walker e King estavam tentando explorar aquela foto – o pastor-alemão atacando o jovem. Mas para isso tiveram que ser parte de um jogo complexo e enganoso. Para Bull Connor, os dois fingiram ter 100 vezes mais partidários do que de fato tinham. Para a imprensa, fingiram estar chocados com a forma como Connor lançou seus cães contra os manifestantes – ao mesmo tempo que pulavam de alegria a portas fechadas. E, para os pais cujos filhos estavam sendo usados como bucha de canhão, fingiram que os presídios de Bull Connor eram um bom lugar para leituras serem colocadas em dia.

Mas *não* deveríamos estar chocados com isso. De quais outras opções Walker e King dispunham? Na fábula tradicional da tartaruga e da lebre, a tartaruga derrota a lebre por pura persistência e puro esforço. Devagar e sempre se vence a corrida. Eis uma lição apropriada e poderosa – mas somente num mundo em que a tartaruga e a lebre estão seguindo as mesmas regras e em que os esforços de todos são recompensados. Num mundo que não é justo – e ninguém consideraria Birmingham justa em 1963 – a tartaruga marinha precisa colocar seus parentes em pontos estratégicos ao longo da pista de corrida. O embusteiro não é um embusteiro por natureza, mas por necessidade. No próximo grande confronto dos direitos civis em Selma, no Alabama, dois anos depois, um fotógrafo da revista *Life* pôs de lado sua câmera para poder ajudar os jovens atacados por policiais. Depois King o repreendeu: "O mundo não sabe que isto aconteceu porque você não fotografou. Não estou sendo frio a respeito, mas é bem mais importante você tirar uma foto de nós sendo espancados do que ser mais uma pessoa aderindo à briga." King precisava da foto para responder às queixas sobre o uso de crianças. Fred Shuttlesworth deu a melhor explicação: "Temos que usar aquilo de que dispomos."

Um disléxico, se quer ter sucesso, está exatamente na mesma posição, é claro. Isso faz parte do que significa ser "inadequado". Gary Cohn entrou no táxi fingindo conhecer o mercado de opções, e é notável quantos disléxicos bem-sucedidos tiveram um momento semelhante em suas carreiras. Brian Grazer, o produtor de Hollywood, conseguiu após a universidade um estágio de três meses como auxiliar no departamento comercial do estúdio Warner Bros. Ele manobrava um carrinho de correspondências pelo estúdio.

"Consegui uma sala grande com duas secretárias", ele recordou. "Meu chefe tinha trabalhado para Jack Warner. Estava deixando o emprego. Era um ótimo sujeito. Havia aquela grande sala disponível, e eu perguntei: 'Posso ficar com ela?' Era maior do que a minha sala atual. Ele respondeu: 'Com certeza. Use-a.'" Aquele se tornou o negócio de Brian Grazer. "Em uma hora eu conseguia terminar o que devia fazer em oito. Usava minha sala e minha posição para obter acesso a todos os contratos jurídicos, contratos comerciais, as propostas submetidas à Warner Brothers

– por que foram aprovadas, o que apreciavam. Aproveitei aquele ano para obter conhecimentos e informações sobre a indústria cinematográfica. Todo dia eu ligava para alguém. Costumava dizer: 'Sou Brian Grazer. Trabalho no departamento comercial da Warner Brothers. Quero conhecê-lo.'"

Ele acabou sendo despedido, mas somente depois de ter estendido seu período de trabalho de três meses para um ano e vendido duas ideias à NBC por 5 mil dólares cada.

Grazer e Cohn – dois intrusos com distúrbios de aprendizado – pregaram uma peça. Blefaram para ingressar em áreas profissionais quase impossíveis para eles. O homem no táxi presumiu que ninguém teria a audácia de dizer que sabia transacionar opções sem realmente saber. E nunca ocorreu às pessoas às quais Brian Grazer ligava que a função dele na Warner Brothers era transportar o carrinho de correspondências. O que fizeram não está "certo", assim como não está "certo" jogar jovens e crianças contra cães da polícia. Mas precisamos lembrar que nossa definição do que está certo é, com frequência, simplesmente a forma como pessoas em posições privilegiadas fecham as portas aos de fora. Davi nada tem a perder, e por isso goza da liberdade de desprezar as regras estabelecidas pelos outros. É assim que pessoas com cérebros um pouco diferentes do resto de nós conseguem empregos como corretores de opções e produtores de Hollywood – e um pequeno grupo de manifestantes armados apenas com sua sagacidade tem uma chance contra tipos como Bull Connor.

– Continuo achando que sou o corredor mais veloz do mundo – reclama o perplexo cervo após uma corrida em que a tartaruga marinha fez algo que provocaria sua expulsão de qualquer competição do mundo.

– Talvez até seja – responde a tartaruga marinha –, mas posso vencê-lo com minha astúcia.

7.

O rapaz na fotografia famosa de Bill Hudson é Walter Gadsden, um aluno do ensino médio da escola Parker High, em Birmingham, com 1,80 metro de altura e 15 anos. Não era um manifestante. Era um espectador. Vinha de uma família negra conservadora proprietária de dois jornais em Birmingham e Atlanta que criticavam King fortemente. Gadsden faltara à escola naquela tarde para assistir ao espetáculo que se desenrolava em torno do parque Kelly Ingram.

O policial que está de frente na foto é Dick Middleton, um homem modesto e reservado. "O K-9 Corps", Diane McWhorter escreveu, "era conhecido por atrair pessoas certinhas que não queriam saber das fraudes e propinas que costumavam resultar das rondas normais. Tampouco os tratadores dos cães eram conhecidos por serem ideólogos racistas." O nome do cão era Leo.

Agora observe os rostos dos espectadores negros em segundo plano. Não deveriam estar surpresos ou horrorizados? Não estão. Olhe a correia na mão de Middleton. Está esticada, como se ele estivesse tentando conter Leo. E atente para a mão esquerda de Gadsden. Está segurando Middleton pelo antebraço. Veja a perna esquerda do adolescente. Ele está dando uma joelhada em Leo, não está? O rapaz diria mais tarde que foi criado em meio a cães e aprendera a se proteger.

"Automaticamente lancei meu joelho na cabeça do cachorro", ele disse. Gadsden não era um mártir, inclinando-se à frente como que para dizer: "Me pegue, estou aqui." Ele está se firmando, com uma mão em Middleton, para poder dar um golpe mais forte. Segundo comentários posteriores sobre o movimento, ele quebrou a mandíbula de Leo. A foto de Hudson não é o que o mundo pensou que fosse. Foi como um truque do Coelho Brer.

Você tem que usar aquilo de que dispõe.

"É claro que pessoas foram mordidas por cães", Walker disse, lembrando 20 anos depois. "Eu diria que pelo menos duas ou três. Mas uma foto vale por mil palavras, cara."*

---

* Walker fez uma alegação semelhante sobre as fotografias famosas de manifestantes sendo atingidos pelos canhões d'água de Connor. As pessoas nas fotos, ele diz, eram espectadores como Gadsden, não manifestantes. E estiveram postadas diante da Igreja Batista da Rua 16 a tarde inteira – num dia de primavera tipicamente úmido de Birmingham. Estavam com calor. "Haviam se reunido no parque, que é uma área sombreada. E os bombeiros mantinham suas mangueiras em dois cantos do parque, um na rua 5 e outro na rua 6. O astral era o de um espetáculo romano. Não havia ninguém entre os espectadores que estivesse irritado. Eles haviam esperado muito tempo, e começava a escurecer. Alguém lançou um tijolo e Bull Connor mandou que ligassem as mangueiras. Então simplesmente dançaram e brincaram no esguicho de água. Eles estavam de mãos dadas na foto famosa porque foi um dos momentos em que tentavam se ajudar a levantar. Eles se reerguiam e corriam de volta, e a água os derrubava na calçada. Aí começaram a trazer a mangueira do outro canto (...). Foi uma festa para eles, e prosseguiu por algumas horas. Uma piada, na verdade. Tudo com bom humor e alto-astral. Não houve reação rancorosa nem mesmo por parte dos espectadores negros, o que para mim, de novo, foi um exemplo da mudança de estado de espírito. Se os negros antes se intimidavam na presença de policiais e talvez de mangueiras de água, ali mostraram total desdém por eles. Fizeram uma piada daquilo."

PARTE III
OS LIMITES DO PODER

PERCEBI AINDA OUTRA COISA DEBAIXO DO SOL: OS VELOZES NEM SEMPRE VENCEM A CORRIDA; OS FORTES NEM SEMPRE TRIUNFAM NA GUERRA; OS SÁBIOS NEM SEMPRE TÊM COMIDA; OS PRUDENTES NEM SEMPRE SÃO RICOS; OS INSTRUÍDOS NEM SEMPRE TÊM PRESTÍGIO; POIS O TEMPO E O ACASO AFETAM A TODOS.

ECLESIASTES 9:11

CAPÍTULO SETE

Rosemary Lawlor

"EU NÃO NASCI ASSIM. AQUILO ME FOI IMPOSTO."

1.

Quando começou o conflito sectário na Irlanda do Norte, Rosemary Lawlor era recém-casada. Ela e seu marido haviam acabado de comprar uma casa em Belfast. Tinham um bebê. Era o verão de 1969, e católicos e protestantes – as duas comunidades religiosas que tinham relutantemente vivido lado a lado ao longo da história do país – estavam se enfrentando. Havia bombardeios e distúrbios. Bandos de militantes protestantes – os legalistas, como eram chamados – percorriam as ruas, queimando casas. Os Lawlor eram católicos, minoria na Irlanda do Norte. A cada dia, ficavam mais assustados.

"Eu chegava em casa no fim do dia", contou Rosemary, "e encontrava pichações na porta com palavras depreciativas para um católico irlandês. Certa noite uma bomba caiu no quintal e não explodiu. Fui bater na porta da minha vizinha e percebi que ela tinha ido embora. Constatei naquele momento que um monte de gente havia partido. Quando meu marido Terry voltou do trabalho, perguntei o que estava acontecendo e ele respondeu: 'Estamos correndo perigo.' Deixamos a casa naquela mesma noite."

Ela continuou o relato: "Não tínhamos telefone em casa. Partimos enfim. Eu estava com medo. Coloquei meu filho no carrinho de bebê, reuni da melhor forma possível algumas peças de roupas e escondemos tudo no compartimento na parte de baixo. Terry me disse: 'Rosie, vamos sair andando e sorrir para todo mundo.' Eu tremia. Era uma mãe adolescente de 19 anos, casada, com um bebê recém-nascido, num novo mundo, numa vida nova. Que me foi roubada sem mais nem menos. E eu não tinha poder para impedir isso. O medo é algo horrível, e lembro que estava realmente assustada."

O lugar mais seguro que conheciam era o bairro católico de Ballymurphy, em West Belfast, onde moravam os pais de Rosemary. Mas eles não tinham carro, e com a confusão em Belfast nenhum táxi queria se arriscar num bairro católico. Finalmente conseguiram pegar um dizendo que o bebê estava doente e precisava ir ao hospital. Fecharam a porta do carro, e Terry disse ao motorista: "Quero que nos leve até Ballymurphy." O taxista protestou, mas Terry tinha um atiçador e o pegou, encostou a ponta atrás do pescoço do rapaz e disse: "Você vai nos levar." O motorista foi até o limite de Ballymurphy e parou. "Não me importo se você enfiar isso em mim", ele disse. "Eu não vou passar daqui." Os Lawlor pegaram seu bebê e seus pertences e correram para salvar a própria vida.

No início de 1970, as coisas pioraram. Na Páscoa, ocorreu um tumulto em Ballymurphy e o Exército britânico foi chamado; uma frota de carros blindados com arame farpado nos para-choques passou a patrulhar as ruas. Rosemary Lawlor empurrava seu carrinho de bebê por entre soldados com rifles automáticos e granadas de gás lacrimogêneo. Num fim de semana em junho, estourou um conflito armado no bairro vizinho: um grupo de pistoleiros católicos foi para o meio da estrada e abriu fogo contra um grupo de transeuntes protestantes. Em resposta, legalistas tentaram incendiar uma igreja católica perto do cais. Durante cinco horas, os dois lados lutaram, empenhados num combate armado mortal. Centenas de incêndios arderam pela cidade. Na noite de domingo, seis pessoas estavam mortas e mais de 200, feridas. O ministro do Interior britânico, responsável pela Irlanda do Norte, voou de Londres até lá, inspecionou o caos e voltou correndo para seu avião.

"Pelo amor de Deus, tragam uma boa dose de uísque", ele disse, enterrando a cabeça entre as mãos. "Que país horrível!"

Uma semana depois, uma mulher apareceu em Ballymurphy. Seu nome era Harriet Carson.

"Ela ficou famosa por bater na cabeça de Margaret Thatcher com uma bolsa no City Hall", Rosemary disse. "Um dia, no período dos distúrbios, Harriet estava andando com duas tampas de panela, batendo uma na outra e gritando: 'Venham! Saiam! Saiam! O povo em Lower Falls está sendo assassinado!' Fui até a porta. Minha família estava toda lá e ela gritava: 'Eles estão trancados em casa. Seus filhos não conseguem leite, eles não têm como preparar um chá e não há pão. Saiam, saiam, precisamos fazer alguma coisa!'"

Lower Falls é um bairro católico vizinho a Ballymurphy. Rosemary frequentara a escola por lá, onde seu tio morava, assim como vários primos. Ela conhecia tantas pessoas em Lower Falls quanto em Ballymurphy. O Exército britânico submetera Lower Falls inteiro ao toque de recolher enquanto procurava armas ilegais.

"Eu não sabia o que significava 'toque de recolher'", Rosemary contou. "Não tinha ideia. Harriet me explicou: 'Eles não têm permissão para sair de casa.' Então perguntei: 'Como podem fazer isso?' Fiquei completamente chocada. As pessoas eram mantidas presas em suas casas sem poder sair para conseguir pão ou leite. Enquanto o Exército britânico estava chutando portas, destruindo, arruinando e revistando, o pensamento principal na cabeça de todos era: há pessoas trancadas em suas casas, e há crianças. Algumas residências tinham 12, 15 crianças dentro."

Eles estavam *revoltados*.

Rosemary Lawlor está agora com seus 60 anos. É uma mulher de constituição vigorosa, bochechas coradas e cabelos curtos e louros grisalhos, penteados para o lado. Sendo costureira, estava trajada com bom gosto quando conversei com ela: uma blusa floral e calça Capri branca. Falava de coisas que aconteceram meia vida antes. E se lembrava de cada instante.

"Meu pai falava: 'Os britânicos dizem que estão aqui para nos proteger, mas vão se voltar contra nós. Espera e verás.' Ele estava cem por cento certo. Eles se voltaram contra nós. E o toque de recolher foi o início de tudo."

2.

No mesmo ano em que a Irlanda do Norte descambou no caos, dois economistas – Nathan Leites e Charles Wolf Jr. – escreveram um informe sobre como lidar com insurgências. Eles trabalhavam para a Rand Corporation, a prestigiosa instituição fundada pelo Pentágono após a Segunda Guerra Mundial, considerada um *think tank* (organização que se dedica a produzir e difundir conhecimentos e estratégias sobre assuntos vitais). Seu informe intitulou-se *Rebellion and Authority* (Rebelião e autoridade). Naqueles anos, quando o mundo explodia em violência, todo mundo lia Leites e Wolf. O trabalho deles tornou-se o modelo para a Guerra do Vietnã, para a forma como os departamentos de polícia lidavam com a agitação civil e os governos enfrentavam o terrorismo. Sua conclusão é simples:

> Fundamental à nossa análise é o pressuposto de que a população, individualmente ou em grupos, comporta-se "racionalmente", calcula custos e benefícios, na medida em que estes podem ser relacionados às diferentes linhas de ação, e faz suas opções conforme esse cálculo. [...] Consequentemente, influenciar o comportamento popular não requer compaixão nem misticismo, e sim uma melhor compreensão de quais custos e benefícios preocupam o indivíduo ou o grupo e de como são calculados.

Em outras palavras, fazer com que insurgentes se comportem é fundamentalmente um problema matemático. Se existem distúrbios nas ruas de Belfast, é porque os custos de queimar casas e estilhaçar janelas não são elevados o bastante para os baderneiros. E quando Leites e Wolf afirmam que "influenciar o comportamento popular não requer compaixão nem misticismo", querem dizer que nada importaria além daquele cálculo. Se você estivesse em uma posição de poder, não precisaria se preocupar com o *sentimento* dos infratores em relação ao que você estava fazendo. Bastaria ser duro o suficiente para fazer com que pensassem duas vezes.

O general encarregado das forças britânicas na Irlanda do Norte era um homem saído das páginas de *Rebellion and Authority*. Seu nome era Ian Freeland. Ele servira com distinção na Normandia durante a Segunda Guerra Mundial e mais tarde combateu insurreições em Chipre e Zanzibar. Era elegante e direto, com boa postura, queixo quadrado e pulso firme: "Transmitia a correta impressão de um homem que sabia o que precisava ser feito e o faria." Quando chegou à Irlanda do Norte, deixou claro que sua paciência era limitada. Não tinha medo de recorrer à força. Recebera suas ordens do primeiro-ministro: o Exército britânico "deveria agir duramente, e ser visto agindo assim".

Em 30 de junho de 1970, o Exército britânico recebeu um aviso. Havia explosivos e armas escondidos numa casa no número 24 da Balkan Street, em Lower Falls. Freeland imediatamente despachou cinco blindados repletos de soldados e policiais. Uma revista da casa revelou um depósito de armas e munições. Lá fora, uma multidão se formou. Alguém começou a lançar pedras, que então deram lugar a coquetéis molotov. Um tumulto teve início e, às 10 da noite, os britânicos perderam a paciência. Um helicóptero do Exército munido de um alto-falante circulou por Lower Falls, exigindo que todos os moradores permanecessem dentro de casa, caso contrário seriam presos. Quando as ruas ficaram vazias, o Exército iniciou uma revista sistemática de casa em casa. A desobediência recebia uma punição firme e imediata. Na manhã seguinte, o triunfante Freeland conduziu duas autoridades do governo protestante e um grupo de jornalistas num percurso pelo bairro em um caminhão-plataforma aberto, inspecionando as ruas desertas como – conforme disse mais tarde um soldado – "o Raj britânico caçando tigres".

O Exército britânico foi para a Irlanda do Norte com a melhor das intenções. A força policial local estava assoberbada, e os britânicos estavam ali simplesmente para ajudar – para preservar a paz entre as duas populações beligerantes da Irlanda do Norte. Aquele não era um país remoto e estrangeiro: estavam lidando com o próprio país, a própria língua e a própria cultura. Dispunham de bem mais recursos, armas, soldados e experiência do que tinham os elementos insurgentes que tentavam conter. Quando Freeland percorreu as ruas vazias de Lower Falls naquela manhã, acreditava que ele e seus homens estariam de volta à Inglaterra ao final do verão. Mas não foi o que aconteceu. Em vez disso, o que deveria ter sido alguns meses difíceis se transformou em 30 anos de tumultos e derramamento de sangue.

Na Irlanda do Norte, os britânicos cometeram um erro simples. Caíram na armadilha de crer que, porque dispunham de bem mais recursos, armas, soldados e experiência do que os elementos insurgentes que tentavam conter, não importava o que a população da Irlanda do Norte pensasse sobre eles. O general Freeland acreditou em Leites e Wolf quando disseram que "influenciar o comportamento popular não requer compaixão nem misticismo". Mas Leites e Wolf estavam errados.

"Dizem que a maioria das revoluções não é causada originalmente por revolucionários, mas pela estupidez e pela brutalidade dos governos", afirmou certa vez Seán Mac Stíofáin, o primeiro chefe do estado-maior provisório do IRA, rememorando aqueles anos iniciais. "Isso certamente aconteceu na Irlanda do Norte."

3.

A forma mais simples de entender o erro britânico na Irlanda do Norte é imaginar uma sala de aula. Pense em uma de jardim de infância, com paredes em cores fortes cobertas de desenhos de crianças.

Uma sala dessas, a da professora Stella, foi filmada como parte do projeto da Escola de Educação da Universidade da Virgínia, e a filmagem é mais que suficiente para dar uma boa ideia do tipo de professora que ela é e do tipo de classe que tem. Mesmo após alguns minutos, fica bem claro que as coisas não estão indo bem.

Stella está sentada numa cadeira diante da turma. Lê em voz alta um livro que ergue de lado: "... sete fatias de tomate", "oito azeitonas saborosas", "nove fatias de queijo...". Uma menina está de pé diante dela, lendo junto, enquanto ao seu redor a turma é um caos, uma miniversão de Belfast no verão de 1970. Uma garotinha está dando estrelinhas pela sala. Um menino faz caretas. Grande parte da turma parece não estar prestando nenhuma atenção. Alguns dos alunos se viram e ficam de costas para Stella.

Se você entrasse nessa sala de aula, o que acharia? Desconfio que julgaria que ela tem um grupo de crianças indisciplinadas. Talvez ela lecione numa escola de um bairro pobre e seus alunos venham de famílias problemáticas. Talvez aqueles estudantes cheguem à escola sem qualquer respeito real pela autoridade ou pelo aprendizado. Leites e Wolf diriam que a professora realmente precisa usar certa disciplina. Crianças assim necessitam de pulso firme e de regras. Sem ordem na sala de aula, como pode haver aprendizado?

Mas a verdade é que a escola de Stella não fica num bairro desprivilegiado. Seus alunos não são particularmente ou anormalmente rebeldes. Quando a aula começa, eles se mostram perfeitamente comportados e atentos, dispostos e prontos para aprender. Não parecem problemáticos. Só começam a fazer bagunça no meio da aula, e somente em reação à maneira como Stella está agindo. *Stella* causa a crise. Como? Fazendo um péssimo serviço ao ensinar a lição.

Stella pediu que a menina lesse com ela como um meio de envolver o resto da turma. Mas o ritmo das alternâncias entre as duas era torturantemente lento e canhestro. "Observe a linguagem corporal dela", uma pesquisadora da Virgínia, Bridget Hamre, disse ao observarmos Stella. "Neste momento ela está conversando com esta aluna, e ninguém mais está ouvindo." Seu colega Robert Pianta acrescentou: "Não há ritmo algum. Isso não vai dar em nada. Não há valor no que ela está fazendo."

Somente então a turma passa a se dispersar. O menino começa a fazer caretas. Quando a criança dá estrelinhas, Stella nem percebe. Três ou quatro alunos à direita da professora continuam tentando acompanhar a aula, mas Stella está tão concentrada no livro que não os encoraja. Enquanto isso, à esquerda de Stella, cinco ou seis crianças lhe dão as costas. Mas isso porque estavam confusas, não por serem desobedientes. Sua visão do livro foi totalmente bloqueada pela menininha de pé diante de Stella. Não tinham como acompanhar.

Com frequência pensamos na autoridade como uma resposta à desobediência: uma criança se comporta mal, de modo que a professora a reprime. A turma de Stella, porém, sugere algo bem diferente: a desobediência pode também ser uma reação à autoridade. Se a professora não faz seu serviço direito, a criança *se torna* desobediente.

"Em turmas assim, as pessoas chamarão o que está ocorrendo de um problema comportamental", Hamre disse. Estávamos observando uma das crianças de Stella se sacudindo, se contorcendo, fazendo caretas e se esforçando ao máximo para evitar sua professora. "Mas uma das coisas que descobrimos é que esse tipo de conduta costuma ser mais um problema de envolvimento do que de comportamento. Se o professor está de fato fazendo algo interessante, essas crianças são totalmente capazes de se envolver. Em vez de reagir de forma a controlar o comportamento da criança, o professor precisa pensar: 'O que posso fazer de interessante para impedir vocês de se comportarem mal?'"

O vídeo que Pianta e Hamre exibiram a seguir foi de uma professora do terceiro ano passando dever de casa para seus alunos. Cada criança recebeu uma cópia da tarefa, e a professora e a turma leram as instruções juntos em voz alta. Pianta ficou horrorizado.

"A ideia de ler em coro um conjunto de instruções para um bando de crianças de 8 anos é quase desrespeitosa", ele disse. "Para que isso? Existe algum propósito pedagógico?"

Elas sabem ler. É como se um garçom no restaurante lhe entregasse o menu e depois começasse a ler cada item para você exatamente como aparece na página.

Um menino sentado ao lado da professora levanta a mão no meio da leitura e, sem olhar para ele, a professora estende a mão, agarra-lhe o pulso e empurra a mão do menino de volta para baixo. Outro começa a fazer o dever – uma ação totalmente lógica, dada a inutilidade do que a professora está fazendo. A professora se dirige a ele severamente: "Querido. Este é o dever de *casa*." Foi um momento de disciplina. A criança havia quebrado as regras. A professora reagiu, firme e imediatamente. Se você assiste a esse momento com o som desligado, tem a impressão de uma aplicação perfeita dos princípios de Leites e Wolf. Mas, se ouve o que a professora estava dizendo e pensa no incidente da perspectiva da criança, fica claro que a ação não está tendo o efeito visado. O aluno não sairá do episódio com uma compreensão renovada da importância de seguir as regras. Ele sairá irritado e desiludido. Por quê? Porque a punição é completamente arbitrária. Ele não pode se manifestar e dar a própria versão da história. *E ele quer aprender.* Se aquele menininho se tornasse desafiador, seria porque sua professora o deixara desse jeito, assim como Stella transformou uma aluna disposta e concentrada em alguém que dava estrelinhas pelo chão. Quando pessoas com autoridade querem que as demais se comportem, o mais importante é atentar para o modo como *elas mesmas* se comportam.

Isto se chama "princípio da legitimidade", e a legitimidade se baseia em três fatores. Primeiro, as pessoas que devem obedecer à autoridade precisam sentir que têm voz – e que, caso se manifestem, serão ouvidas. Segundo, a lei deve ser previsível. É necessário haver uma expectativa razoável de que as regras amanhã serão mais ou menos iguais às de hoje. E terceiro, a autoridade tem que ser justa; não pode tratar cada grupo de forma diferente.

Todos os bons pais subentendem esses três princípios. Se você quer impedir que o pequeno Júnior bata na irmã, não pode desviar o olhar uma vez e gritar com ele na próxima. Não pode tratar a irmã diferentemente quando ela bater nele. E, se ele diz que não bateu na irmã, você precisa lhe dar uma chance de se explicar.

A maneira como você pune é tão importante quanto o próprio ato de punir. Por isso a história de Stella não é tão surpreendente. Quem já esteve numa sala de aula sabe que é importante os professores conquistarem o respeito de seus alunos.

Mais difícil de entender, porém, é a importância desses mesmos princípios quando se trata de lei e ordem. Conhecemos nossos pais e nossos professores, portanto faz sentido que a legitimidade deva importar muito dentro de casa ou na escola. Mas a decisão entre assaltar um banco ou atirar em alguém parece pertencer a uma categoria bem diferente, não parece? Foi o que Leites e Wolf tiveram em mente quando disseram que combater criminosos e insurgentes "não requer compaixão nem misticismo". Eles estavam dizendo que, naquele nível, a decisão de obedecer à lei é uma função de um cálculo racional dos riscos e benefícios. *Não* é pessoal. Mas foi exatamente aí que erraram, porque fazer com que criminosos e insurgentes se comportem depende da legitimidade tanto quanto disciplinar crianças em sala de aula.

4.

Como exemplo, vou falar de um experimento que vem ocorrendo nos últimos anos num bairro nova-iorquino. Brownsville abriga pouco mais de 100 mil pessoas e fica na parte leste do Brooklyn, depois das elegantes casas com fachadas de arenito de Park Slope e das sinagogas de Crown Heights.* Por mais de um século,

---

* Um número impressionante de pessoas famosas veio de Brownsville: dois campeões de boxe pesos-pesados (Mike Tyson e Riddick Bowe); o compositor Aaron Copland; os Três Patetas (interpretados por Moe e Shemp Howard [mais tarde substituído por seu irmão Curly] e Larry Fine); e o apresentador de TV Larry King – sem falar na longa lista de astros do basquete, do futebol americano e do beisebol profissionais. As palavras-chave, porém, são *"veio* de Brownsville". Ninguém que possa sair permanece nesse bairro.

tem sido uma das regiões mais carentes da cidade de Nova York. Existem 18 conjuntos habitacionais públicos no bairro, mais do que em qualquer outro lugar da cidade, e eles dominam a paisagem: quarteirão após quarteirão de prédios lúgubres de tijolos aparentes e concreto. Enquanto a taxa de criminalidade de Nova York caiu substancialmente nos últimos 20 anos, Brownsville sempre ficou um passo atrás, infestado por grupos de adolescentes que percorriam as ruas assaltando os transeuntes. De tempos em tempos, a polícia inundava as ruas com oficiais extras. Mas o efeito era só temporário.

Em 2003, uma policial chamada Joanne Jaffe assumiu a chefia do Housing Bureau da cidade, o grupo responsável basicamente pelos conjuntos habitacionais de Brownsville. Ela decidiu tentar algo novo: começou fazendo uma lista de todos os delinquentes juvenis em Brownsville que haviam sido presos ao menos uma vez nos últimos 12 meses. A busca rendeu 106 nomes, correspondendo a 180 detenções. O pressuposto de Joanne era de que qualquer pessoa detida por um assalto havia provavelmente cometido uns 20 a 50 outros crimes que nunca chamaram a atenção da polícia. Assim, de acordo com sua regra básica, seus 106 delinquentes tinham sido responsáveis por até 5 mil crimes no ano anterior.

Ela então formou uma força-tarefa de policiais e fez com que entrassem em contato com cada nome da lista.

"Dissemos para eles: 'Você está no programa'", Joanne começou a explicar. "'E o programa estabelece que nós vamos lhe dar uma escolha. Queremos fazer todo o possível para convencê-lo a voltar à escola, ajudá-lo a se formar no ensino médio, prover serviços básicos à sua família e descobrir o que está faltando em casa. Forneceremos oportunidades de emprego, educacionais, médicas – tudo que pudermos. Desejamos colaborar com você. Mas a conduta criminosa precisa parar. E, se não parar e você for preso por qualquer coisa, faremos o possível para mantê-lo na prisão, mesmo que seja por um delito leve. Vamos ficar no seu pé.'"

O programa chamou-se J-RIP (Juvenile Robbery Intervention Program, ou Programa de Intervenção na Delinquência Juvenil). Não havia nada de complicado nele – ao menos na superfície. O J-RIP era um policiamento moderno padrão, de alta intensidade. Joanne colocou sua força-tarefa em um trailer num estacionamento de um conjunto habitacional, e não numa delegacia em algum lugar distante. Disponibilizou todas as ferramentas de vigilância à sua equipe. Eles fizeram listas dos comparsas dos delinquentes – as pessoas com quem haviam sido presos. Acessaram o Facebook, baixaram fotos de seus amigos e procuraram ligações destes com gangues. Conversaram com irmãos, irmãs e mães, e prepararam diagramas gigantes mostrando a rede de amizades e associações que cercava cada pessoa – assim como um serviço de inteligência faria para rastrear os movimentos de terroristas suspeitos.

"Tenho pessoas lá fora 24 horas por dia, sete dias por semana", disse Joanne. "Assim, quando um delinquente é preso, estou disposta a enviar uma equipe se preciso. Não importa que seja no Bronx ou que seja no meio da noite. As consequências precisam ser duras. Eles têm que saber o que vai acontecer. Deve ser rápido. Se você for preso, vai ter que me encarar."

E ela prosseguiu: "Costumo dizer a eles: 'Vocês podem bater a porta na minha cara quando eu for à casa de vocês. Mas os verei na rua. Falarei com vocês. Descobrirei tudo sobre vocês. Se vão do Brooklyn ao Bronx, saberei quais trens pegam.' Dizemos para um garoto: 'Johnnie, venha ao escritório do J-RIP amanhã', e quando ele aparece eu falo: "Você foi parado no Bronx na noite passada. Foi intimado.' E ele diz: 'O quê?' 'Estava com Raymond Rivera e Mary Jones.' 'Como você sabe disso?' E aí eles começam a achar que estamos em todo lugar. Como preparamos um dossiê sobre cada rapaz, mostramos o que sabemos sobre eles. Dizemos: 'Estes são os seus amigos. Aqui estão todas as informações sobre eles, as fotos. Sabemos que você mora neste conjunto habitacional e que pode fazer parte de uma gangue. Conhecemos seu mundo.' Começamos a investigar qual escola deviam estar frequentando, com quem estavam se relacionando lá. Quando não vão para a escola, somos informados. Então minha equipe sai e vai até a casa deles acordá-los."

Mas aquilo era apenas parte da estratégia de Joanne Jaffe. Ela também fazia coisas que não soam como uma estratégia de policiamento típica. Passava um tempão, por exemplo, procurando o tipo *certo* de policial para servir na força-tarefa.

"Eu não poderia colocar qualquer um lá", ela disse, soando mais como assistente social do que como chefe de polícia. "Eu precisava de alguém que adorasse os jovens. Que soubesse lidar com eles sem prejulgá-los e fosse capaz de ajudar a influenciá-los e impeli-los na direção certa."

Para chefiar o grupo, ela enfim escolheu David Glassberg, um ex-detetive de narcóticos sociável e com filhos.

Ela também estava obcecada, desde o princípio, em conhecer as famílias dos seus jovens. Isso se mostrou surpreendentemente difícil. Em sua primeira tentativa, enviou cartas a todas as casas, convidando as famílias para uma reunião numa igreja local. Ninguém apareceu. Então Joanne e sua equipe foram de porta em porta. De novo, nada conseguiram.

"Acabamos visitando a família de cada um dos 106 jovens", ela contou. "Eles diziam: 'Vá se ferrar. Não entre na minha casa.'"

O divisor de águas finalmente chegou meses depois de iniciado o programa.

"Havia um garoto realmente perverso", disse Joanne. Ela criou um nome para ele: Johnnie Jones. "Ele tinha 14, 15 anos na época. Morava com uma irmã de 17 ou 18 anos. A mãe morava no Queens. Até a mãe nos odiava. Não tínhamos ninguém com quem nos comunicar. Até que, em novembro do primeiro ano, 2007, Dave Glassberg veio ao meu escritório, na quarta-feira antes do Dia de Ação de Graças, e disse: 'O pessoal da equipe fez uma vaquinha e comprou para Johnnie Jones e sua família o jantar de Ação de Graças.' Fiquei perplexa. Ele continuou: 'Quer saber por que fizemos isso? Está na cara que vamos perder esse garoto, mas tem outros sete jovens naquela família. Tínhamos que fazer algo por eles.' Fiquei emocionada. Mas ainda havia várias outras famílias. O que fazer? Eram 10 da manhã da véspera de Ação de Graças, e eu disse: 'Dave, e se eu for ao comissário de polícia tentar arranjar 2 mil dólares para conseguirmos comprar um peru pra cada família? Daria para fazer isso?'"

Ela foi até o nível executivo da sede da polícia no andar de cima e implorou por dois minutos com o comissário.

"Falei para ele: 'Quero comprar 125 perus. Tem como conseguir o dinheiro em algum lugar?' Ele disse que sim e pôs seu pessoal para fazer horas extras. Eles encheram caminhões refrigerados de perus e naquela noite foram de porta em porta nos conjuntos habitacionais de Brownsville. Nós os colocamos em um saco com um bilhete: 'Da nossa família para sua família, Feliz Ação de Graças.'"

Joanne Jaffe estava sentada em seu escritório na sede da polícia de Nova York no centro de Manhattan. Estava com seu uniforme completo – alta e intimidadora, cabelos negros abundantes e um forte sotaque do Brooklyn.

Ela continuou: "Batíamos na porta, a mãe ou a avó atendia e dizia: 'Johnnie, a polícia está aqui.' Eu então a cumprimentava: "Oi, Sra. Smith. Sou a policial Joanne Jaffe. Trouxemos algo a vocês para lhes desejar um feliz Dia de Ação de Graças.' A mulher nos mandava entrar e nos arrastava para dentro. Os apartamentos eram tão quentes... Aí chamava o Johnnie outra vez e de repente tinha um monte de gente correndo, dando abraços e chorando. Em todas as famílias – visitei cinco – houve abraços e choro. E eu sempre dizia a mesma coisa: 'Sei que às vezes vocês sentem raiva da polícia. Entendo tudo isso. Mas só quero que saibam que, embora pareça que estamos incomodando vocês ao bater em suas portas, realmente nos importamos com vocês e queremos que tenham um feliz Dia de Ação de Graças.'"

Ora, por que Joanne estava tão obcecada em conhecer as famílias do bairro? *Porque ela não achava que a polícia em Brownsville fosse vista como uma instituição legítima, justa.* Por todo o país, um número espantoso de homens negros passara algum período na prisão. (Para dar apenas uma estatística: 69% dos homens negros com ensino médio incompleto, nascidos no final da década de 1970, passaram algum tempo atrás das grades.) Brownsville é um bairro cheio de jovens negros que abandonaram o ensino médio, o que significa que praticamente todos os nomes na lista de Joanne tinham um irmão, pai ou primo que passou algum tempo na prisão.* Se tanta gente próxima a um jovem ficou presa por um período, a lei parece justa para ele? Ela parece previsível? Faz com que ele acredite que pode se manifestar e ser ouvido? O que Joanne percebeu ao chegar em Brownsville foi que a polícia era vista como inimiga. Sendo assim, como ela conseguiria induzir jovens de 15 e

---

* Eis as porcentagens de detenções americanas por raça e grau de instrução.

	1945–1949	1960–1964	1975–1979
HOMENS BRANCOS			
Ensino médio incompleto	4,2	8	15,3
Ensino médio completo	0,7	2,5	4,1
Curso superior incompleto	0,7	0,8	1,2
HOMENS NEGROS	1945–1949	1960–1964	1975–1979
Ensino médio incompleto	14,7	**41,6**	**69**
Ensino médio completo	10,2	12,4	18
Curso superior incompleto	4,9	5,5	7,6

As marcações em negrito são as estatísticas-chave – *69%* de todos os homens negros com ensino médio incompleto nascidos entre 1975 e 1979 passaram algum tempo atrás das grades. Isto é Brownsville em poucas palavras.

16 anos – *já iniciados numa vida de assaltos e furtos* – a mudar seus hábitos? Poderia ameaçá-los e adverti-los para as consequências graves de cometer mais crimes. Mas tratava-se de *adolescentes*, teimosos e rebeldes por natureza, que já haviam resvalado para uma vida de crimes. Por que deveriam lhe dar ouvidos? Ela representava a instituição que havia posto seus pais, irmãos e primos na cadeia. Tinha que reconquistar o respeito da comunidade e, para isso, precisava do apoio da família dos delinquentes. Seu pequeno discurso naquele Dia de Ação de Graças – *Sei que às vezes vocês sentem raiva da polícia. Entendo tudo isso. Mas só quero que saibam que, embora pareça que estamos incomodando vocês ao bater em suas portas, realmente nos importamos com vocês e queremos que tenham um feliz Dia de Ação de Graças* – foi um apelo por legitimidade. Ela estava tentando fazer com que famílias que se mantinham do lado errado da lei – às vezes por gerações – enxergassem que a lei poderia estar do lado delas.

Após o sucesso com os perus, Joanne começou a distribuir brinquedos no Natal. A força-tarefa do J-RIP passou a jogar basquete com seus jovens. Os policiais os levavam para jantar. Tentavam conseguir empregos de verão para eles. Levavam-nos de carro para consultas médicas. Depois Joanne começou a promover um jantar de Natal, em que cada jovem era convidado com toda a sua família.

"Sabe o que faço no jantar de Natal com meus jovens?", Joanne perguntou. "Sei que eles costumam bancar os machões diante dos amigos, então eu abraço cada um deles."

Joanne Jaffe não é uma mulher pequena. Ela é forte e imponente. Imagine-a abordando algum adolescente magrelo, de braços abertos. Um abraço dela o engoliria.

Esta não parece uma cena de um filme ruim de Hollywood? Peru no Dia de Ação de Graças! Abraços e choro! O motivo pelo qual muitos departamentos de polícia ao redor do mundo não têm seguido o exemplo de Joanne é que o que ela fez não *parece* certo. Johnnie Jones era um garoto perverso. Comprar comida e brinquedos para pessoas como ele parece a pior forma de complacência liberal. Se o chefe de polícia de sua cidade anunciasse, diante de uma grande onda de crimes, que começaria a abraçar as famílias dos criminosos que infestavam as ruas, você ficaria boquiaberto – certo? Então veja o que aconteceu em Brownsville.

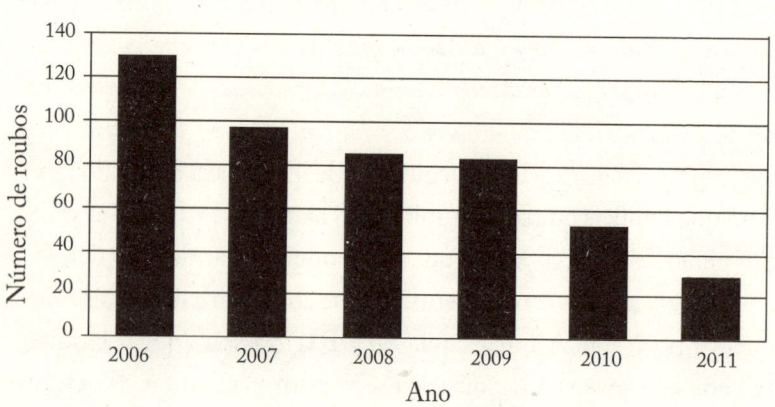

Roubos em Brownsville

Prisões de delinquentes por roubo

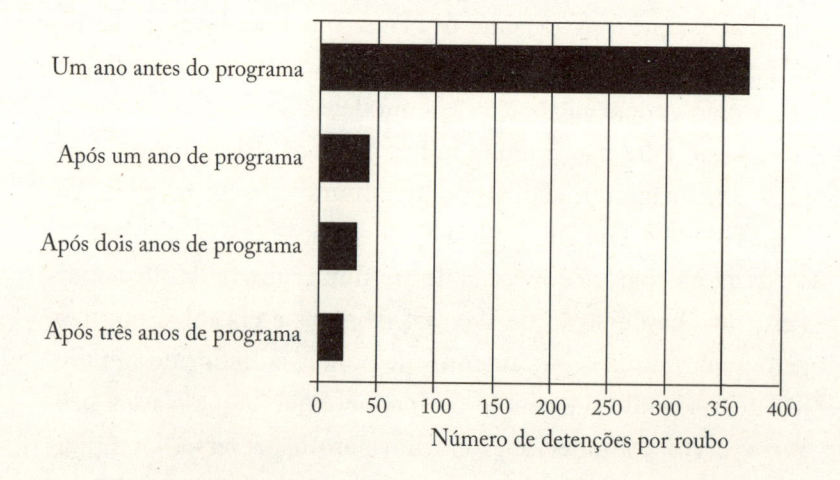

Quando Leites e Wolf escreveram que "influenciar o comportamento popular não requer compaixão nem misticismo", quiseram dizer que o poder do Estado era ilimitado. Se alguém quisesse impor a ordem, não precisava se preocupar com o que as pessoas que recebiam as ordens pensariam dele, que estava acima delas. Mas Leites e Wolf se equivocaram. O que Joanne Jaffe provou foi que os poderosos *precisam* se preocupar com o que os outros pensam deles – que aqueles que mandam são fortemente vulneráveis às opiniões de quem recebe as ordens.

Esse foi o erro do general Freeland em Lower Falls. Ele não olhou o que estava ocorrendo através dos olhos de pessoas como Rosemary Lawlor. Achou que havia sufocado a insurreição ao percorrer as ruas silenciadas de Lower Falls como um Raj britânico caçando tigres. Se tivesse se dado ao trabalho de seguir rua acima até Ballymurphy, onde Harriet Carson estava batendo as tampas de panela e dizendo "Venham! Saiam! Saiam! O povo de Lower Falls está sendo assassinado!", teria percebido que a insurreição estava apenas começando.

5.

Em julho na Irlanda do Norte ocorre o auge do que se conhece como "temporada das marchas", quando os legalistas protestantes do país organizam paradas para comemorar suas longínquas vitórias contra a minoria católica. Acontecem centenas de paradas – religiosas, com bandas, etc. – envolvendo dezenas de milhares de pessoas, culminando a cada ano em uma enorme marcha no dia 12 de julho, aniversário da vitória de Guilherme de Orange na Batalha de Boyne, em 1690, quando o controle protestante sobre a Irlanda do Norte se consolidou definitivamente.

Na noite antes da Twelfth, como é chamada essa marcha, participantes em todo o país organizam festas de rua e armam enormes fogueiras.* Quando a fogueira está na sua altura máxima, o grupo escolhe um símbolo para queimar. Nos últimos anos, geralmente tem sido uma efígie do papa ou de alguma autoridade católica local odiada. Eis uma cantiga do Twelfth entoada com a melodia de "Clementine":

> *Build a bonfire, build a bonfire,*
> *Put the Pope right in the middle,*
> *Stick a Catholic on the top,*
> *And burn the fucking lot.*

> *Façam uma fogueira, façam uma fogueira,*
> *Coloquem o papa bem no meio,*
> *Enfiem um católico no alto,*
> *E queimem esses filhos da puta.*

A Irlanda do Norte não é um país grande. Suas cidades são densas e compactas, e os legalistas, ao marcharem a cada verão com seus chapéus de feltro, faixas e flautas, inevitavelmente passam pelos bairros das pessoas cuja derrota estão celebrando. A artéria central do oeste católico de Belfast fica, em certos lugares, a poucos minutos de distância da rua que percorre o coração do

---

* Em Belfast, a marcha de 12 de julho percorre a cidade e termina no Field, uma grande área onde as multidões se reúnem para ouvir discursos públicos. Eis uma amostra de um discurso proferido em 1995. Observe que isso foi depois da Declaração de Downing Street, que oficialmente iniciou o processo de paz na Irlanda do Norte:

> Lemos os livros de história de 200 anos atrás. Os católicos organizavam-se em grupos conhecidos como os Defensores, para se livrarem dos chamados cães heréticos, mais conhecidos por você e eu como povo protestante. Bem, hoje não é diferente de 1795. Existe um papa no trono, um papa polonês que já vivia no tempo de Hitler e dos campos de concentração de Auschwitz, que ficou em cima do muro e assistiu a milhares serem mortos sem proferir uma palavra de condenação.

oeste protestante de Belfast. Existem lugares em Belfast onde as casas dos católicos dão de fundos para os quintais dos protestantes, e a proximidade é tanta que cada casa possui uma grade de metal gigante sobre seu quintal para proteger os moradores contra entulhos ou coquetéis molotov lançados pelos vizinhos. Na noite antes da Twelfth, quando os legalistas acendem fogueiras pela cidade, os moradores dos bairros católicos sentem o cheiro, ouvem as cantigas e veem sua bandeira ser incendiada.

Na temporada das marchas, a violência *sempre* irrompe na Irlanda do Norte. Um dos incidentes que iniciou o conflito sectário foi em 1969, quando dois dias de tumultos se sucederam a uma parada que passou por um bairro católico. Quando os participantes voltavam para casa, promoveram um tumulto pelas ruas da parte oeste de Belfast, incendiando dezenas de residências. Os tiroteios que tanto impacientaram Freeland no verão seguinte aconteceram também durante as marchas protestantes. Imagine se a cada verão veteranos do Exército americano dos estados do norte desfilassem pelas ruas de Atlanta e Richmond para comemorar sua antiga vitória na Guerra Civil americana. Nos anos sombrios da Irlanda do Norte, quando católicos e protestantes estavam sempre brigando, a temporada das marchas era assim.

Quando os moradores de Lower Falls viram o Exército britânico chegar ao seu bairro naquela tarde, ficaram desesperados por ver a lei e a ordem impostas em Belfast. Mas também queriam saber *como* isso seria feito. Seu mundo não parecia justo. A Twelfth, quando sua bandeira ou seu papa seriam queimados em fogueiras gigantes, estava a poucos dias de acontecer. A instituição encarregada de apartar os dois lados durante a temporada das marchas era a força policial, o Royal Ulster Constabulary (RUC), mas ela era predominantemente protestante – pertencia ao outro lado. Quase nada fizera para tentar impedir os distúrbios no verão anterior. Um tribunal reunido pelo governo britânico concluiu, depois que os legalistas haviam incendiado as casas, que as autoridades do RUC haviam "deixado de tomar uma atitude eficaz". Jornalistas no local informaram que legalistas se dirigiram a policiais e pediram suas armas emprestadas. Um dos motivos por que o Exército britânico havia sido levado à Irlanda do Norte foi para servir de juiz imparcial entre protestantes e católicos. Mas a Inglaterra era um país predominantemente protestante, parecendo portanto natural aos católicos sitiados da Irlanda do Norte que a simpatia dos soldados acabasse se voltando para os protestantes. Quando uma grande marcha legalista percorreu Ballymurphy na Páscoa antes do toque de recolher, os soldados britânicos se postaram entre os manifestantes e os moradores, ostensivamente para agir como um tampão. Mas os soldados ficaram na calçada, de frente para os católicos e de costas para os legalistas – como se sua missão fosse proteger os legalistas dos católicos, mas não os católicos dos legalistas.

O general Freeland estava tentando impor a lei em Belfast, mas precisava primeiro se perguntar se possuía legitimidade para isso – e a verdade era que não possuía. Estava no comando de uma instituição que os católicos da Irlanda do Norte acreditavam, com boas razões, ser totalmente simpatizante das próprias pessoas que haviam incendiado as casas de seus amigos e parentes no verão anterior. E, quando aplicada na ausência de legitimidade, a lei não produz obediência, pelo contrário.*

O grande enigma da Irlanda do Norte é por que os britânicos levaram tanto tempo para entender isso. Em 1969, o conflito sectário resultou em 13 mortes, 73 tiroteios e oito ataques a bomba. Em 1970, Freeland decidiu ser mais rígido com os baderneiros e pistoleiros, alertando que qualquer um lançando coquetéis molotov "estava sujeito a ser alvejado". O que aconteceu? O historiador Desmond Hamill escreveu:

---

* Como Gerry Adams, líder do Sinn Féin, diria anos depois, o resultado do toque de recolher foi que "milhares de pessoas [...] que nunca tiveram tempo para a violência física agora a aceitaram como uma necessidade prática".

O [IRA] retaliou dizendo que atiraria nos soldados caso irlandeses fossem alvejados. A Força Voluntária do Ulster Protestante – uma unidade paramilitar extremista e ilegal – rapidamente aderiu, oferecendo-se para atirar em um católico em troca de cada soldado alvejado pelo IRA. O *Times* citou um morador de Belfast que disse: "Quem não está confuso aqui realmente não entende o que anda acontecendo."

Naquele ano, ocorreram 25 mortes, 213 tiroteios e 155 ataques a bomba. Os britânicos permaneceram firmes. Reprimiram com vigor redobrado – e em 1971 houve 184 mortes, 1.020 ataques a bomba e 1.756 tiroteios. Aí os britânicos radicalizaram. O Exército instituiu uma política conhecida como "internamento". Os direitos civis na Irlanda do Norte foram suspensos. O país foi inundado de tropas e o Exército declarou que qualquer suspeito de atividades terroristas poderia ser detido e mantido na prisão, indefinidamente, sem acusações ou julgamento. Tantos homens católicos jovens foram capturados durante o internamento que num bairro como Ballymurphy todo mundo tinha um irmão, pai ou primo na prisão. Se tanta gente próxima a uma pessoa passou algum tempo atrás das grades, a lei parece justa para ela? Parece previsível? Faz com que ela acredite que pode se manifestar e ser ouvida?

A situação piorou ainda mais. Em 1972, houve 1.495 tiroteios, 531 assaltos à mão armada, 1.931 ataques a bomba e 497 pessoas mortas. Uma dessas 497 foi um menino de 17 anos chamado Eamon, o irmão mais novo de Rosemary Lawlor.*

"Eamon apareceu na minha porta", Rosemary contou. "Ele disse para mim: 'Adoraria ficar aqui por um ou dois dias.' Eu

---

* A propósito, as coisas não melhoraram muito em 1973. Os britânicos aumentaram ainda mais a repressão naquele ano, e houve 171 civis mortos, 5.018 tiroteios, 1.007 explosões, 1.317 assaltos à mão armada e 17,2 toneladas de explosivos foram confiscadas pelo Exército.

perguntei: 'Por que não fica?' 'Porque mamãe vai ter um ataque.' Aí confidenciou para mim e meu marido que vinha sendo perseguido pelo Exército britânico. Cada vez que saía na rua, a cada esquina que virava, por onde quer que fosse, estava sendo parado e ameaçado."

Estaria ele realmente colaborando com o IRA? Ela não sabia, e disse que não se importava.

"*Éramos todos suspeitos aos olhos deles*", ela prosseguiu. "Essa era a realidade. E Eamon foi alvejado por um soldado britânico. Ele e outro sujeito estavam fumando um cigarro, houve um tiroteio e o meu irmão foi atingido. Ele viveu mais 11 semanas. Morreu em 16 de janeiro, com 17 anos e meio de idade." Ela estava prestes a chorar, mas prosseguiu: "Meu pai jamais voltou a trabalhar nas docas. Minha mãe ficou arrasada, inconsolável. Faz 40 anos que isso aconteceu. Ainda é duro."

Rosemary Lawlor era uma jovem esposa e mãe, vivendo o que esperava ser uma vida normal na Belfast moderna. Então perdeu sua casa. Foi ameaçada e perseguida. Seus parentes ficaram presos em casa. O irmão foi alvejado e morto. Ela nunca quis nem pediu nada disso, nem sequer conseguia entender o que acontecera.

"Aquela era minha vida, toda a minha nova vida", ela comentou. "Uma situação que me foi imposta. Achei que não era certo. As pessoas com quem cresci na escola estavam tendo suas casas queimadas. O Exército britânico que viera aqui nos proteger se voltou contra nós e estava barbarizando e destruindo. Fiquei obcecada. Não poderia ficar sentada em casa enquanto aquilo ocorria."

Ela continuou: "As pessoas chamam esses conflitos de Troubles (Perturbações). Foi uma guerra! O Exército britânico chegou com carros blindados, armas e tudo a que tinham direito. Vivíamos numa zona de guerra. E éramos como um joão bobo – sempre voltando a nos erguer. Não me entenda mal. Nós nos machucamos ao sermos derrubados. Muitas pessoas ficaram arrasadas. Sofri de raiva por um longo tempo e pedi desculpas aos meus filhos por isso. Mas as circunstâncias me impuseram isso. Eu não era assim. Eu não nasci assim. Aquilo me foi imposto."

6.

Quando os homens do general Freeland chegaram a Lower Falls, a primeira coisa que os moradores fizeram foi correr para a Catedral de São Pedro, a igreja católica local, a poucos quarteirões de distância. O aspecto definidor de Lower Falls, como de tantos outros bairros católicos do oeste de Belfast, era sua religiosidade. A Catedral de São Pedro era o coração do bairro. Quatrocentas pessoas compareciam à missa ali num dia de semana típico. O homem mais importante da comunidade era o sacerdote local. Ele saiu correndo e dirigiu-se aos soldados. A ação deles teria que ser breve, ele alertou, senão haveria problemas.

Decorridos 45 minutos, os soldados emergiram com o material apreendido: 15 pistolas, um rifle, uma submetralhadora Schmeisser e um caixote de explosivos e munições. A patrulha embalou o material e partiu, pegando uma rua lateral que a levaria para fora de Lower Falls. Nesse ínterim, porém, uma pequena multidão se reunira, e, quando os carros blindados viraram a esquina, alguns homens jovens avançaram correndo e começaram a lançar pedras nos soldados. A patrulha parou. A multidão se enfureceu. Os soldados reagiram com gás lacrimogêneo. A multidão ficou ainda mais furiosa. Pedras deram lugar a coquetéis molotov, e estes a balas. Um taxista disse que viu alguém carregando uma submetralhadora a caminho da Balkan Street. Os baderneiros montaram barricadas para retardar o avanço do Exército: um caminhão foi incendiado, bloqueando o fim da rua. Os soldados lançaram ainda mais gás lacrimogêneo, até que o vento o espalhou por Lower Falls. A multidão agora era pura ira.

Por que a patrulha parou? Por que não continuou? Permanecer no bairro foi exatamente o que o padre aconselhou a *não* fazerem. O sacerdote foi aos soldados e apelou a eles de novo. Se parassem com o gás lacrimogêneo, prometeu convencer a multidão a parar de lançar pedras. Os soldados não lhe deram ouvidos. As instruções que tinham recebido eram de que fossem duros e vistos como duros por baderneiros e pistoleiros. Quando o padre voltou para a multidão, os soldados lançaram outra rodada de gás lacrimogêneo. Uma bomba caiu aos pés do padre, que cambaleou pela rua, apoiando-se num peitoril enquanto ofegava por ar. Num bairro tão devoto onde 400 pessoas apareciam para a missa num dia de semana típico, *o Exército britânico lançou gás contra o padre*.

Foi aí que o tumulto começou. Freeland mandou reforços. A fim de subjugar uma comunidade de 8 mil pessoas – apinhadas em casas minúsculas ao longo de ruas estreitas – os britânicos levaram 3 mil soldados. E não foram soldados quaisquer. Para um bairro fervorosamente católico, Freeland selecionou soldados dos Royal Scots – um dos regimentos mais obviamente protestantes de todo o Exército. Helicópteros circularam no alto, ordenando por megafone que os moradores permanecessem dentro de casa. Barricadas foram erguidas em cada saída. Um toque de recolher foi declarado, e teve início uma revista sistemática de casa em casa. Soldados de 20 e 21 anos, ainda revoltados com a afronta de serem alvejados com pedras e coquetéis molotov, forçaram a entrada em uma residência após outra, esburacando paredes e tetos, saqueando quartos. Veja o relato de um soldado britânico rememorando o que ocorreu naquela noite:

> Um sujeito ainda de pijama apareceu xingando, segurando uma lâmpada, e golpeou Stan na cabeça. Stan se esquivou

do golpe seguinte e bateu no sujeito com a coronha do seu rifle. Eu sabia que muitos dos rapazes estavam aproveitando aquela oportunidade para descarregar sua raiva pelos fatos já ocorridos. Cabeças vinham sendo rachadas e residências, destruídas, de alto a baixo. Tudo nas casas tornou-se uma massa de escombros, mas, em meio à confusão, pequenos detalhes nítidos se destacavam: fotos escolares; retratos de famílias sorrindo (rasgados); enfeites e crucifixos (quebrados); crianças chorando; vidro estilhaçado da foto emoldurada do papa; refeições inacabadas e papel de parede simples; brinquedos coloridos, barulho de TV e estalos do rádio; pratos pintados; sapatos; um corpo no corredor, achatado de encontro à parede. [...] Foi aí que senti que tínhamos executado uma invasão.

Naquela noite, 337 pessoas foram detidas; 60 foram feridas. Charles O'Neill, um veterano inválido da Força Aérea, foi atropelado e morto por um carro blindado britânico. Perto de onde seu corpo ficou no chão, um dos soldados empurrou um transeunte com um cassetete e disse: "Saia daqui, seu irlandês safado – ainda têm que morrer mais de vocês!" Um homem chamado Thomas Burns foi alvejado por um soldado na Falls Road às oito da noite ao lado de um amigo que protegia com tábuas as vitrines de sua loja. Quando sua irmã veio apanhar o corpo, disseram que ele não deveria estar na rua àquela hora. Às 11 da noite, um homem idoso chamado Patrick Elliman, achando que o pior havia passado, saiu de chinelos e mangas de camisa para um passeio antes de dormir. Morreu com uma rajada de tiros do Exército. Um dos relatos do bairro sobre o toque de recolher fala da morte de Elliman:

> Naquela mesma noite soldados britânicos entraram e se alojaram na casa do homem alvejado; a irmã desesperada foi transferida para a casa de outro irmão rua acima. Aque-

la invasão de mau gosto da casa abandonada foi descoberta na tarde seguinte durante o intervalo do "toque de recolher", quando o irmão, sua filha e seu genro desceram até a casa e acharam a porta arrombada, uma janela quebrada, objetos abandonados no chão, utensílios de barbear no sofá e xícaras sujas na copa. Os vizinhos informaram que, além disso, os soldados dormiram nos quartos de cima.

Uma porta arrombada. Uma janela quebrada. Louça suja deixada na pia. Leites e Wolf acreditavam que tudo que deve ser levado em consideração são regras e princípios racionais. Mas o que realmente importa são as centenas de pequenas coisas que os poderosos fazem – ou não – para consolidar sua legitimidade, como dormir na cama de um homem inocente em quem você acabou de atirar por acidente e espalhar seus pertences pela casa.

Na manhã de domingo, a situação em Lower Falls estava ficando desesperadora. Lower Falls não era um bairro rico. Muitos dos adultos eram desempregados ou dependiam de pequenos bicos. As ruas eram apinhadas, e as casas, simples – construções geminadas do século XIX, com tijolos vermelhos e terraço, com um quarto por andar e banheiros no quintal. Pouquíssimas tinham refrigerador. Eram escuras e úmidas. As pessoas compravam pão diariamente para não mofar. Mas o toque de recolher durava agora 36 horas – e não restava mais pão. Os bairros católicos do oeste de Belfast são tão próximos e ligados por tantos vínculos de casamento e sangue que a notícia sobre os apuros de Lower Falls rapidamente se espalhou de um bairro a outro. Harriet Carson percorreu Ballymurphy batendo as tampas de panela. Depois foi uma mulher chamada Máire Drumm.* Ela tinha um megafone.

---

* Seis anos depois, Máire Drumm foi morta a tiros em sua cama por extremistas protestantes enquanto era medicada no Hospital Mater, em Belfast.

Marchava pelas ruas gritando às mulheres: "Venham! Encham seus carrinhos de bebê com pão e leite! As crianças estão sem comida!"

As mulheres começaram a se reunir em grupos de duas e quatro, depois 10 e 20, até chegarem aos milhares.

"Algumas saíam de casa com bobes nos cabelos e lenços na cabeça", Rosemary Lawlor recordou. "Demos os braços e cantamos: 'Nós vamos vencer. Nós vamos vencer um dia.' Descemos até a base do morro. O clima estava pesado. Os britânicos estavam postados com seus capacetes e armas – todos preparados. Os cassetetes estavam à mostra. Demos meia-volta e descemos a Grosvenor Road, cantando e gritando. Acho que os britânicos ficaram espantados. Não conseguiam acreditar que aquelas mulheres com carrinhos de bebê estavam indo enfrentá-los. Lembro que vi um britânico de pé coçando a cabeça, parecendo pensar: 'O que fazemos com todas essas mulheres? Declaramos que se trata de perturbação da ordem?' Depois entramos na Slate Street, onde ficava a escola – *minha escola*. E os britânicos estavam lá. Saíram correndo [da escola] e houve luta corpo a corpo. Nossos cabelos foram puxados. Os britânicos simplesmente nos agarraram e nos jogaram contra as paredes. Ah, sim. Eles bateram em nós. E se você caísse tinha que se levantar bem rápido para não ser pisoteada. Eles vieram para cima com brutalidade. Lembro-me de que subi em um carro e dei uma olhada no que estava acontecendo no front. Aí vi um homem com creme de barbear no rosto colocando seus suspensórios – e subitamente os soldados pararam de nos bater."

O homem vestindo suspensórios era o comandante do posto de controle da Slate Street. Deve ter sido a única voz lúcida do lado britânico naquele dia, o único que entendeu as reais dimensões da catástrofe que se desenrolava. Vários soldados fortemente armados estavam espancando um grupo de mulheres empurran-

do carrinhos de bebê, indo alimentar as crianças de Lower Falls.*
Ele mandou que seus homens parassem.

"Você tem que entender que a marcha ainda estava descendo a rua e as pessoas atrás não tinham ideia alguma do que estava ocorrendo na frente", Rosemary prosseguiu. "Elas continuavam andando. Mulheres estavam chorando. Moradores saíam de suas casas, puxavam as pessoas feridas para dentro. Depois todos começaram a sair de casa e os britânicos perderam o controle. Eram centenas e centenas de pessoas. Foi como um efeito dominó. Os britânicos desistiram. Ficaram impotentes. As mulheres forçaram até ocuparem as ruas e romperem o toque de recolher. Tenho pensado muito nisso. Deus, todo mundo estava eufórico. *Conseguimos!* Lembro-me de que cheguei em casa e subitamente me senti muito insegura, aborrecida e nervosa com todo aquele episódio. Falei com meu pai a respeito depois: 'Pai, aconteceu o que você disse. Eles se voltaram contra nós.' E ele retrucou: 'Verdade. É o que o Exército britânico faz.' Ele estava certo. Eles se voltaram contra nós. E aquilo foi o começo de tudo."

---

* Uma das muitas lendas do toque de recolher de Lower Falls é que os carrinhos de bebê empurrados pelas manifestantes tinham dois propósitos. O primeiro era levar pão e leite a Lower Falls. O segundo era retirar armas e explosivos – passando pelos olhos confiantes do Exército britânico.

CAPÍTULO OITO

Wilma Derksen

"TODOS JÁ FIZEMOS ALGO TERRÍVEL EM NOSSA VIDA, OU SENTIMOS O IMPULSO DE FAZÊ-LO."

1.

Num fim de semana de junho de 1992, a filha de Mike Reynolds foi para casa, pois tinha um casamento para ir. Ela tinha 18 anos e longos cabelos louros. Seu nome era Kimber. Era estudante do Fashion Institute of Design and Merchandising, em Los Angeles, e sua casa ficava em Fresno, a várias horas de distância ao norte, no vale Central, na Califórnia. À noite, depois do evento, ela saiu para jantar com um velho amigo, Greg Calderon, trajando short, botas e a jaqueta esporte xadrez vermelha e preta do pai.

Kimber e Greg comeram no restaurante Daily Planet, no Tower District de Fresno. Tomaram café e depois andaram até o carro dela, um Isuzu. Eram 22h41. Kimber abriu a porta do carona para Greg, depois contornou o carro até o lado do motorista. Enquanto isso, dois homens jovens numa motocicleta Kawasaki roubada saíram sorrateiramente de um estacionamento próximo. Usavam capacetes com visores escuros. O condutor, Joe Davis, tinha um longo histórico de condenações por drogas e porte de armas. Acabara de receber liberdade condicional após cumprir sentença por roubo de automóvel. Na garupa ia Douglas Walker, que estivera na prisão sete vezes. Ambos os homens eram viciados em metanfetamina. Naquela noite já haviam tentado roubar um carro na Shaw Avenue, a principal avenida de Fresno.

"Eu não estava realmente pensando em muita coisa", Walker diria meses depois ao ser indagado sobre seu estado mental naquela noite. "Quando algo acontece, acontece. Foi de repente. Estávamos apenas na rua fazendo o que fazemos. Quer dizer, isso é tudo que posso lhe contar."

Walker e Davis pararam ao lado do Isuzu, usando o peso da moto para prender Kimber de encontro ao carro. Greg saltou do banco do carona e contornou correndo a traseira do carro. Walker bloqueou seu caminho. Davis agarrou a bolsa de Kimber, pegou uma pistola Magnum 357 e encostou na orelha direita dela. Ela resistiu. Ele disparou. Davis e Walker pularam de volta na motocicleta e avançaram o sinal vermelho. Pessoas saíram correndo do Daily Planet. Alguém tentou estancar a hemorragia. Greg voltou de carro à casa dos pais de Kimber, mas não conseguiu acordá-los. Telefonou, e a chamada caiu na secretária eletrônica. Finalmente, às duas e meia da madrugada, conseguiu contactá-los. Mike Reynolds ouviu sua esposa gritar: "Na cabeça! Ela foi baleada na cabeça!" Kimber morreu um dia depois.

"O relacionamento entre pai e filha é algo especial", Mike Reynolds contou não faz muito tempo, rememorando aquela noite fatídica. Ele é um homem mais velho agora. Anda mancando e perdeu grande parte dos cabelos. Estava sentado a uma mesa no escritório de sua ampla casa, a menos de cinco minutos de distância de carro da rua onde sua filha foi morta. Na parede atrás dele havia uma foto de Kimber. Na cozinha ao lado, uma pintura de Kimber com asas de anjo ascendendo ao céu.

"Você pode brigar com sua mulher", ele prosseguiu, sua voz embargada de emoção por causa da lembrança. "Mas sua filha é como uma princesa, incapaz de fazer algo errado. E por isso seu pai é o sujeito que pode consertar tudo, de um triciclo quebrado a um coração partido. O papai consegue consertar tudo, e, quando aquilo aconteceu com a Kimber, não pude consertar. Literalmente segurei sua mão enquanto ela morria. É uma sensação de total impotência."

Naquele momento, ele fez um juramento.

"Tudo que realizei desde então tem a ver com uma promessa que fiz a Kimber em seu leito de morte", Reynolds disse. "Não posso salvar sua vida. Mas farei todo o possível para impedir que isso aconteça com outras pessoas."

2.

Quando Reynolds voltou do hospital para casa, recebeu uma ligação de Ray Appleton, o apresentador de um programa de rádio popular em Fresno.

"A cidade estava se tornando um caos", Appleton recorda. "Na época, Fresno era a número um em assassinatos per capita no país, ou estava perto disso. Mas aquilo foi muito escancarado, diante de muitas pessoas, em frente a um restaurante movimentado. Recebi a notícia de que Kimber havia morrido e liguei para Mike. Eu disse: 'Quando estiver preparado para vir, me avise.' E ele disse: 'Que tal hoje?' Foi aí que toda essa coisa começou, 14 horas após a morte de sua filha.

Reynolds descreveu as duas horas que passou no programa de Appleton como as mais difíceis de sua vida. Estava em prantos.

"Nunca tinha visto uma desolação como aquela antes", Appleton recordou. No início, os dois receberam chamadas de pessoas que conheciam a família Reynolds ou que queriam apenas expressar sua solidariedade. Mas aí ele e Reynolds passaram a falar sobre o que o assassino dizia sobre o sistema judicial da Califórnia, e as chamadas começaram a vir de todo o estado.

Reynolds voltou para casa e convocou uma reunião com todos que achava que pudessem fazer uma diferença. Sentaram-se no seu quintal em torno de uma longa mesa de madeira perto da churrasqueira.

"Reunimos três juízes, policiais, advogados, o xerife, pessoas do escritório do promotor público, membros da comunidade, do sistema escolar", ele disse. "E nos perguntávamos: 'Por que isso está acontecendo? O que está causando isso?'"

Sua conclusão foi a de que as penalidades da Califórnia associadas à transgressão da lei eram leves demais. A liberdade condicional era concedida muito fácil e rapidamente. Criminosos reincidentes não vinham sendo tratados de modo diferente dos que haviam cometido crimes pela primeira vez. Douglas Walker, o homem na garupa da moto, teve seu primeiro problema com a lei aos 13 anos por tráfico de heroína. Recebera recentemente uma soltura temporária para poder visitar a esposa grávida e não retornara à prisão. Aquilo fazia sentido?

O grupo preparou uma proposta. Por insistência de Reynolds, foi curta e simples, escrita em termos leigos. Ficou conhecida como a Lei das Três Infrações. Qualquer pessoa condenada por um segundo delito grave ou criminoso na Califórnia, dizia, teria que cumprir o dobro da sentença prevista pela lei. E, no caso de ser o terceiro – que poderia incluir todos os crimes imagináveis –, o criminoso perderia todas as chances e cumpriria uma sentença compulsória de 25 anos a prisão perpétua.* Não haveria exceções nem brechas.

---

* Em termos práticos, Três Infrações significou algo como: primeiro delito (arrombamento). Antes: dois anos. Agora: dois anos; segundo delito (arrombamento). Antes: quatro anos e meio. Agora: nove anos; terceiro delito (receptação de produtos roubados). Antes: dois anos. Agora: 25 anos a prisão perpétua. Outros estados e governos ao redor do mundo passariam a aprovar uma versão própria dessa lei, mas nenhuma foi tão longe quanto a da Califórnia.

Reynolds e seu grupo coletaram milhares de assinaturas para levarem a proposta a referendo estadual. Existem inúmeras ideias de referendo em cada temporada eleitoral na Califórnia, mas a maioria jamais é concretizada. A Lei das Três Infrações, porém, atingiu um ponto sensível. Foi aprovada com o apoio de incríveis 72% dos eleitores do estado, e na primavera de 1994 foi promulgada, quase palavra por palavra da forma como fora redigida no quintal de Mike Reynolds. O criminologista Franklin Zimring denominou-a "o maior experimento penal da história americana". Havia 80 mil pessoas atrás das grades na Califórnia em 1989. Decorridos 10 anos, esse número dobraria – e ao longo do caminho a taxa de criminalidade na Califórnia despencou. Entre 1994 e 1998, o número de homicídios no estado caiu 41,4%; os estupros caíram 10,9%; os roubos, 38,7%; os assaltos, 22,1%; os arrombamentos, 29,9%; e os roubos de carros, 36,6%. Mike Reynolds prometeu, no leito de morte da filha, assegurar que o que ocorrera com Kimber jamais ocorreria com mais ninguém – e de sua dor veio uma revolução.

"Naquela época, estávamos vendo 12 homicídios por dia no estado da Califórnia. Hoje são uns seis", Reynolds disse. "Assim, a cada dia que passa, gosto de pensar que existem seis pessoas que não estariam vivas se isso não houvesse acontecido."

Ele estava sentado no escritório de sua casa em Fresno, cercado de fotos suas com todo tipo de placas, certificados assinados e cartas emolduradas – tudo testemunhando o extraordinário papel que ele desempenhou na política do maior estado dos Estados Unidos.

"De vez em quando, no decorrer de sua vida, você pode ter uma oportunidade de salvar a vida de outra pessoa", ele prosseguiu. "Você sabe, resgatá-la de um prédio em chamas, salvá-la de um afogamento ou algo assim. Mas quantos têm a chance de salvar a vida de seis pessoas a cada dia? Tenho muita sorte."

Ele fez uma pausa, como se fosse retroceder por tudo que ocorrera nos quase 20 anos desde que fez aquela promessa a Kimber. Era notadamente eloquente e persuasivo. Ficou óbvio por que, mesmo em meio a uma dor esmagadora, tinha sido tão convincente anos atrás no programa de Ray Appleton. Ele recomeçou:

"Pense no sujeito que inventou os cintos de segurança. Você sabe o nome dele? Eu não sei. Não tenho a menor ideia. Mas quantas pessoas estão vivas por causa dos cintos de segurança, dos airbags ou dos frascos de remédios a prova de adulteração? Eu poderia ficar horas falando sobre isso. Dispositivos simples que são feitos por um sujeito comum, como eu, e que passaram a salvar numerosas vidas. Mas não estamos atrás de elogio algum, nem de tapinhas nas costas. Tudo que queremos são resultados, e estes são minha maior recompensa."

Os britânicos foram à Irlanda do Norte com as melhores intenções e acabaram envolvidos em 30 anos de derramamento de sangue e caos. Não obtiveram o que queriam porque não entenderam que o poder tem uma importante limitação. Precisa ser visto como legítimo, senão seu emprego terá o efeito oposto ao desejado. Mike Reynolds veio a ter uma influência extraordinária em seu estado natal. Existem poucos outros californianos de sua geração cujas ações e ideias afetaram tanta gente. Mas, no seu caso, o poder parece ter atingido seu propósito. Basta olhar a estatística de crimes na Califórnia. Ele obteve o que queria, não foi?

Nada poderia estar mais longe da verdade.

3.

Voltemos à teoria da curva em U invertido que discutimos no capítulo sobre o tamanho da turma. Aqueles gráficos dizem respeito a *limites*. Ilustram o fato de que "mais" nem sempre é melhor. Chega um ponto, na verdade, em que os recursos extras que os poderosos julgam ser sua maior vantagem apenas tornam as coisas piores. A forma do U invertido descreve claramente os efeitos do tamanho da turma e se aplica também à relação entre criação de filhos e riqueza. Mas, alguns anos atrás, estudiosos começaram a defender um argumento mais ambicioso, que acabaria lançando Mike Reynolds e sua defesa das Três Infrações no centro de duas décadas de controvérsia. E se a relação entre punição e crime também fosse um U invertido? Em outras palavras, e se – depois de certo ponto – reprimir o crime deixasse de ter qualquer efeito sobre os criminosos e talvez até começasse a piorar a criminalidade?

Quando a Lei das Três Infrações foi aprovada, ninguém cogitou essa possibilidade. Mike Reynolds e seus partidários supunham que cada criminoso extra que trancafiassem e cada ano acrescentado à sentença média provocariam um decréscimo correspondente na criminalidade.

"Naquela época, mesmo o homicídio qualificado só dava 16 anos, e você cumpria oito", Mike Reynolds explicou. Estava descrevendo a Califórnia antes de sua revolução das Três Infrações. Então continuou: "Tornou-se uma opção bem viável ingressar no negócio do crime. A psique humana segue o caminho de menor resistência. É bem mais fácil assaltar e usar drogas do que dar duro 40 horas por semana, bater o cartão de ponto num emprego e ouvir desaforos dos clientes. Quem precisa disso? Posso sair por aí, apontar um revólver e ganhar o que eu quiser, e, se eu for pego, sei que 95% dos casos acabam em redução de pena. Eles me acusam do crime, eu admito a culpa e fazemos um acordo. Além disso, posso cumprir só metade da pena. Pesando tudo, as chances são de que uma pessoa cometa uma série de crimes antes de ser pega e processada."

Reynolds estava propondo uma versão do argumento que Leites e Wolf apresentaram em sua obra clássica sobre dissuasão: *Fundamental à nossa análise é o pressuposto de que a população, individualmente ou em grupos, comporta-se "racionalmente", calcula custos e benefícios, na medida em que estes podem ser relacionados às diferentes linhas de ação, e faz suas opções conforme esse cálculo.* Na visão de Reynolds, os criminosos achavam os benefícios de cometer um crime na Califórnia bem maiores do que os riscos. A solução, ele intuiu, era aumentar os custos de cometer um crime a ponto de que roubar e furtar deixassem de ser mais fáceis do que ter um emprego honesto. E para aqueles que continuassem infringindo a lei – mesmo em face desses riscos alterados – a Lei das Três Infrações dizia: jogue-os na cadeia pelo resto da vida deles, para que nunca mais tenham uma chance de cometer outro crime. Quando se tratava de lei e ordem, Reynolds e os eleitores da Califórnia acreditavam que "mais" era sempre melhor.

Mas será mesmo? É aqui que entram em ação os teóricos do U invertido. Comecemos pelo primeiro pressuposto – de que os criminosos reagem a aumentos do custo do crime cometendo menos infrações. Trata-se de uma verdade clara quando as penalidades por infringir a lei são realmente leves. Um dos estudos de caso mais conhecidos na criminologia é sobre o que aconteceu no outono de 1969, quando a polícia de Montreal entrou em greve por 16 horas. Montreal era, e continua sendo, uma cidade com ótima qualidade de vida, considerada uma das mais cumpridoras das leis e mais estáveis do mundo. Então, o que aconteceu? Caos. Ocorreram tantos assaltos a bancos naquele dia – em plena luz do dia – que praticamente todos os bancos da cidade tiveram que fechar as portas. Saqueadores atacaram o centro, estilhaçando vitrines. O mais chocante foi que uma rixa antiga entre os motoristas de táxi e um serviço de limusines, chamado Murray Hill Limousine Service, em torno do direito de pegar passageiros no aeroporto eclodiu em violência, como se os dois lados estivessem lutando por principados na Europa medieval. Os motoristas de táxi atacaram o Murray Hill com coquetéis molotov. Os guardas de segurança deste abriram fogo. Os motoristas de táxi então incendiaram um ônibus e o lançaram de encontro aos portões trancados da garagem do Murray Hill. É sobre o *Canadá* que estamos falando. Assim que a polícia voltou ao trabalho, porém, a ordem foi restaurada. A ameaça de prisão e punição *funcionou*.

Claramente, existe uma grande diferença entre a falta de penalidades por infringir a lei e a existência de algumas penalidades – assim como existe uma grande diferença entre uma turma com 40 alunos e outra com 25. Do lado esquerdo da curva em U invertido, intervenções fazem uma diferença.

Mas lembre-se de que, pela lógica desse gráfico, as mesmas estratégias que funcionam realmente bem de início deixam de fazer efeito após certo ponto, e é exatamente isso que, segundo muitos criminologistas, ocorre com a punição.

Alguns anos atrás, por exemplo, os criminologistas Richard Wright e Scott Decker entrevistaram 86 condenados por assalto à mão armada. Quase tudo que ouviram foram comentários como:

> Tentei me esforçar para não pensar [em ser capturado]. É uma distração grande demais. Não dá para se concentrar em algo se você está pensando: "O que vai acontecer se isto não der certo?" Com o passar do tempo, se eu tomasse a decisão de assaltar alguém, ficava totalmente concentrado naquilo e em mais nada.

Ou:

Por isso [meus comparsas e eu] ficamos doidões tantas vezes. Ficamos doidões e desligados, assim não temos medo de sermos pegos. O que tiver que acontecer vai acontecer. [...] Você não se importa na hora.

Mesmo quando pressionados, os criminosos entrevistados por Decker e Wright "permaneciam indiferentes às ameaças de sanções". Eles simplesmente não estavam pensando tão à frente.

O assassinato de sua filha fez com que Reynolds quisesse inculcar o temor a Deus nos aspirantes a criminosos da Califórnia – fazendo com que pensassem duas vezes antes de transporem o limite. Mas essa estratégia não funciona se os criminosos pensam como os entrevistados. Joe Davis e Douglas Walker – os assaltantes que encurralaram Kimber Reynolds em frente ao Daily Planet – eram viciados em metanfetamina. Naquele mesmo dia, haviam tentado roubar um carro à luz do dia. Você se lembra do que Walker disse? *Eu não estava realmente pensando em muita coisa. Quando algo acontece, acontece. Foi de repente. Estávamos apenas na rua fazendo o que fazemos. Quer dizer, isso é tudo que posso lhe contar.* Esse é o tipo de pessoa que pensa duas vezes?

"Conversei com amigos da família que conheciam Joe e seu irmão, e eles lhe perguntaram por que atirara em Kimber", Reynolds certa vez contou, rememorando aquela noite trágica. "Ele disse que já tinha a bolsa, portanto aquilo não foi o problema. Mas que atirou nela por causa da maneira como estava olhando para ele. Foi porque achou que ela não o estava levando a sério nem o respeitando."

As palavras do próprio Reynolds contradizem a lógica das Três Infrações. Joe Davis matou Kimber Reynolds porque ela não concedeu o respeito que ele julgava merecer *ao encostar o revólver em sua cabeça e pegar sua bolsa.* De que maneira mudar a severidade das penas desencoraja alguém cujo cérebro funciona assim? Você e eu somos sensíveis a punições maiores, porque temos um interesse na sociedade. Mas os criminosos não têm. Como escreveu o criminologista David Kennedy: "Talvez aqueles que estão dispostos a se arriscar hoje, muitas vezes por impulso e se sentindo prejudicados, sabendo que há uma pequena possibilidade de sofrer uma sanção severa, estejam dispostos amanhã a correr o mesmo risco."*

O segundo argumento a favor das Três Infrações – de que cada ano extra que um criminoso passa atrás das grades é mais um ano em que não pode cometer crimes – é igualmente problemático. A matemática não fecha. A idade média de um criminoso californiano em 2011, no momento em que foi condenado por seu terceiro delito, por exemplo, foi 43 anos. Antes da Lei das Três Infrações, aquele homem poderia ter cumprido algo como cinco anos por um crime típico e ser solto aos 48 anos. Depois dela, pegaria no mínimo 25 anos – e seria solto aos 68. Logicamente, a questão é: quantos crimes os delinquentes cometem entre os 48 e 68 anos? Não muitos. Observe os gráficos seguintes, que mostram a relação entre idade e crime tanto para lesões corporais qualificadas e homicídios como para roubos e arrombamentos.

---

* Kennedy prosseguiu argumentando que, se examinar as motivações reais dos criminosos, você descobrirá que o cálculo dos custos e benefícios é um processo "radicalmente subjetivo". Ele escreveu: "O crucial na dissuasão é *o que importa aos transgressores e potenciais transgressores*. São benefícios e custos conforme eles os entendem e definem." Como os criminologistas Anthony Doob e Cheryl Marie Webster recentemente concluíram de uma análise exaustiva de todos os grandes estudos sobre punições severas: "Uma avaliação razoável das pesquisas até agora – com um foco particular em estudos conduzidos na última década – é que a severidade das penas não tem efeito sobre o nível de criminalidade na sociedade. [...] Nenhum conjunto sistemático de publicações se desenvolveu nos últimos 25 a 30 anos indicando que sanções duras desencorajam crimes." O que quiseram dizer é que a maioria dos países no mundo desenvolvido está na parte do meio da curva. Trancafiar delinquentes além de seu pico criminoso e ameaçar infratores mais jovens com algo com que eles simplesmente não se importam não traz resultados tão significativos assim.

Lesões corporais qualificadas e homicídios em 1985

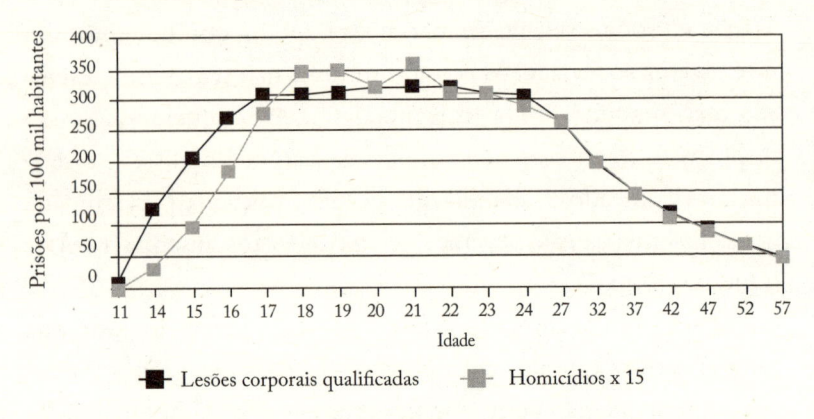

[Gráfico: Prisões por 100 mil habitantes vs. Idade (11 a 57). Legenda: Lesões corporais qualificadas — Homicídios x 15]

Roubos e arrombamentos em 1985

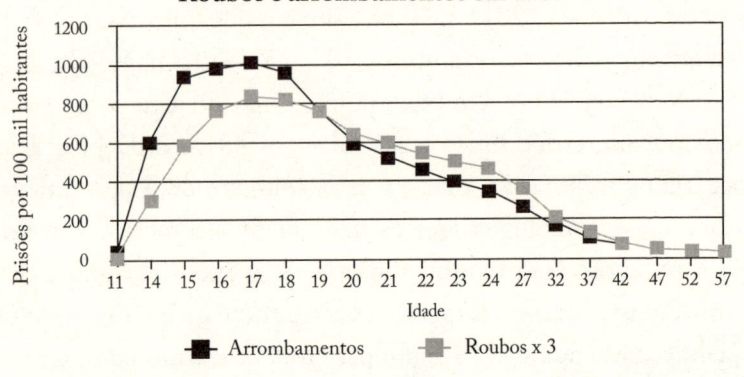

[Gráfico: Prisões por 100 mil habitantes vs. Idade (11 a 57). Legenda: Arrombamentos — Roubos x 3]

Sentenças mais longas funcionam com homens jovens. Mas, uma vez ultrapassada aquela marca crucial dos meados dos 20 anos, tudo que elas fazem é nos proteger de criminosos perigosos no momento em que se tornam menos perigosos. De novo, o que começa como uma estratégia promissora deixa de funcionar.

Agora vem a pergunta crucial: existe um ponto no lado direito da curva do crime e da punição em que a repressão começa realmente a *piorar* as coisas? O criminologista que apresentou esse argumento de forma mais persuasiva foi Todd Clear, e seu raciocínio foi mais ou menos este:

A prisão tem um efeito direto sobre a criminalidade: coloca o infrator atrás das grades, onde não pode mais vitimizar ninguém. Mas também tem um efeito indireto, já que afeta todas as pessoas com quem aquele criminoso tem contato. Muitos homens enviados à prisão, por exemplo, são pais. (Um quarto dos delinquentes juvenis condenados por crimes tem filhos.) E o efeito sobre uma criança que vê seu pai ir para a prisão é devastador. Alguns criminosos são péssimos pais: agressivos, inconstantes, ausentes. Mas muitos não são. Seus rendimentos – provenientes tanto do crime quanto de empregos lícitos – ajudam a sustentar sua família. Para uma criança, perder o pai para a prisão é uma dificuldade indesejável. Ter um pai encarcerado aumenta entre 300% e 400% as chances de delinquência juvenil de um filho e 250% as chances de um distúrbio psicológico grave.

Uma vez cumprida a sua pena, o criminoso retorna ao antigo lar. Existe uma boa chance de que esteja psicologicamente abalado pelo período atrás das grades. Suas perspectivas de emprego despencaram. Durante a prisão, perdeu muitos de seus amigos não criminosos, substituindo-os por colegas infratores. E agora ele está de volta, pressionando ainda mais, emocional e financeiramente, um lar já destroçado por sua partida. O encarceramento cria danos colaterais. Na maioria dos casos, o prejuízo provocado pela prisão é menor que seus benefícios. A melhor opção continua sendo colocar pessoas atrás das grades. Mas o argumento de Clear é que, se você encarcera pessoas *demais* por tempo *demais*, o dano colateral começa a superar o benefício.*

---

* Clear descreveu pela primeira vez suas ideias alguns anos atrás num artigo de pesquisa intitulado "Backfire: When Incarceration Increases Crime" (Tiro pela culatra: quando o encarceramento aumenta a criminalidade). O artigo apresentou 10 argumentos de por que colocar um grande número de pessoas atrás das grades poderia ter efeito oposto ao desejado. De início, Clear não encontrou quem o publicasse. Tentou as grandes revistas acadêmicas em sua área, sem sucesso. Ninguém acreditou nele, exceto a comunidade penal. Clear afirmou: "Um dos fatos pouco conhecidos do meu mundo é que os profis-

Clear e uma colega – Dina Rose – testaram sua hipótese em Tallahassee, na Flórida.* Percorreram a cidade e compararam o número de pessoas enviadas à prisão em um dado bairro num ano com a taxa de criminalidade no mesmo local, mas no ano seguinte – e tentaram estimar matematicamente se havia um ponto em que a curva em U invertido começa a subir novamente. Conseguiram. "Se mais de 2% do bairro vão para a prisão", Clear concluiu, "o efeito sobre a criminalidade passa a se inverter."

Era sobre isso que Joanne Jaffe estava falando em Brownsville. O dano que estava tentando reparar com seus abraços e perus não era causado pela ausência de lei e ordem, mas pelo *excesso*: eram tantos pais, irmãos e primos na prisão que as pessoas no bairro passaram a ver a lei como inimiga. Brownsville estava do lado direito do U invertido. Na Califórnia, em 1989, 76 mil pessoas encontravam-se atrás das grades. Dez anos depois, em grande parte por conta das Três Infrações, aquele número mais do que dobrara. Em termos per capita, na virada do século XXI a Califórnia tinha entre *cinco e oito vezes* mais pessoas na prisão do que o Canadá ou a Europa ocidental. Você não acha que as Três Infrações transformaram alguns bairros da Califórnia no equivalente a Brownsville?

Reynolds está convencido de que sua cruzada salvou seis vidas por dia, pois as taxas de criminalidade despencaram na Califórnia após a aprovação das Três Infrações. Mas um exame mais atento mostra que essas reduções começaram antes de a lei entrar

---

sionais penais, na maior parte, não acham que o que estão fazendo irá melhorar as coisas. Eles tentam manter prisões humanas, fazer o melhor que podem. Mas observam o que está ocorrendo. Eles sabem o que acontece e dizem coisas como 'Meus guardas estão maltratando os presos', 'Eles não vão deixar a prisão se sentindo melhor' ou 'Não lhes damos nada do que precisam'. Trata-se de uma experiência realmente amarga para eles."

* Em sua formulação mais simples, a tese de Clear é: "Retirar um grande número de homens jovens de um local específico para ficarem encarcerados e depois devolvê-los a tal local não é benéfico às pessoas que vivem no local."

em vigor. E, embora as taxas de criminalidade despencassem na Califórnia na década de 1990, também despencaram em muitas outras partes dos Estados Unidos no período, mesmo em lugares que não reprimiram a criminalidade.

Quanto mais a Lei das Três Infrações era estudada, mais enganosos pareciam seus efeitos. Alguns criminologistas concluíram que ela reduziu os crimes. Outros disseram que funcionou, mas que o dinheiro gasto em trancafiar os criminosos teria sido mais bem aplicado em outras áreas. Um estudo recente sustenta que as Três Infrações reduziram o nível geral de criminalidade, mas, paradoxalmente, aumentaram o número de crimes violentos. O maior grupo de estudos não conseguiu encontrar absolutamente efeito algum, e existe até um conjunto de estudos que sustenta que a Lei das Três Infrações *aumentou* as taxas de crimes.* O estado da Califórnia conduziu o maior experimento penal da história americana e, após 20 anos e dezenas de bilhões de dólares gastos, ninguém conseguiu descobrir se o experimento produziu algum benefício.** Em novembro de 2012, a Califórnia enfim entregou os pontos. Num referendo estadual, a lei foi radicalmente abrandada.***

---

* Por exemplo, conforme a lei, os promotores podem escolher se vão solicitar as penas das Três Infrações para os criminosos. Algumas cidades, como San Francisco, usam-nas de forma limitada. Em alguns municípios do vale Central da Califórnia – perto da cidade de Mike Reynolds – os promotores têm recorrido a essa lei com uma frequência até 25 vezes maior. Se essa lei realmente impede os crimes, deveria haver uma relação entre a frequência com que um município a aplica e quão rápido a criminalidade cai. Não há. Se ela realmente age como um dissuasor, as taxas de criminalidade deveriam cair mais rápido para os delitos enquadráveis nas penalidades da lei do que para aqueles não enquadráveis, certo? Será que caíram? Não, não caíram.

** Na década de 1980, a Califórnia gastou 10% de seu orçamento em educação superior e 3% em prisões. Após duas décadas das Três Infrações, o estado vinha gastando mais de 10% de seu orçamento em prisões – US$50 mil anuais por cada pessoa, homem ou mulher, atrás das grades –, enquanto os gastos em educação haviam caído para menos de 8%.

*** Em novembro de 2012, 68,6% dos eleitores californianos votaram a favor da Emenda 36, pela qual, para ser sentenciado a 25 anos, o terceiro crime de um criminoso reincidente precisa ser de natureza "grave ou violenta". A Emenda 36 também permite que criminosos anteriormente condenados conforme as Três Infrações e atualmente cumprindo prisão perpétua apelem da sentença se o terceiro crime não tiver sido grave.

4.

Wilma Derksen estava em casa, fazendo uma faxina no porão, quando sua filha Candace ligou. Era uma tarde de sexta-feira de novembro, uma década antes de Kimber Reynolds sair da casa dos pais pela última vez. Os Derksen viviam em Winnipeg, Manitoba, nas pradarias da região central do Canadá, e naquela época do ano a temperatura lá fora estava abaixo do ponto de congelamento. Candace tinha 13 anos. Estava dando risadinhas bobas, flertando com um menino de sua escola. Queria que a mãe fosse buscá-la. Wilma fez uma série de cálculos na sua cabeça. Os Derksen tinham um só carro. Wilma precisava apanhar seu marido, Cliff, no trabalho, mas ele só sairia dali a uma hora. Ela tinha dois outros filhos, de 2 e 9 anos. Teria que agasalhá-los primeiro, apanhar Candace, depois ir buscar o marido. Seria uma hora no carro com três crianças famintas. Havia a opção de pegar ônibus. Candace tinha 13 anos, não era mais criança. A casa estava uma bagunça.

– Candace, tem dinheiro para o ônibus?
– Tenho.
– Não vai dar para pegar você – avisou a mãe.

Wilma voltou à sua faxina. Dobrou a roupa lavada. Correu para cá e para lá. Depois parou. Algo parecia errado. Olhou o relógio. Candace já devia ter chegado. O tempo lá fora subitamente esfriara. Estava nevando. Lembrou que Candace não estava bem agasalhada. Começou a andar entre a janela na frente da casa e a janela da cozinha nos fundos, que dava para o beco. Candace poderia chegar de qualquer um dos dois lados. Os minutos se passaram. Estava na hora de buscar o marido. Apanhou seus dois outros filhos, entrou no carro e percorreu devagar a Talbot Avenue, que ligava o bairro dos Derksen à escola de Candace. Espiou pela janela da loja de conveniência onde a filha às vezes fazia hora. Foi até a escola. Os portões estavam trancados.

"Mãe, onde será que ela está?", sua filha de 9 anos perguntou. Foram até o escritório de Cliff.

"Não consigo achar Candace", Wilma disse ao marido. "Estou preocupada."

Os quatro voltaram para casa, esquadrinhando os dois lados da rua. Começaram a ligar para os amigos da filha, um por um. Ninguém a havia visto desde aquela tarde. Wilma Derksen foi à casa do menino com quem Candace estava flertando antes de ligar para casa. Ele disse que a última vez que a vira ela estava descendo pela Talbot Avenue. Os Derksen ligaram para a polícia. Às 11 da noite, dois policiais bateram na sua porta. Sentaram-se à mesa da sala de jantar e perguntaram a Wilma e seu marido se Candace era feliz, se tinha problemas em casa.

Os Derksen formaram um comitê de busca, recrutando pessoas de sua igreja e da escola da menina e quaisquer outras que viessem à cabeça. Afixaram cartazes por toda a Winnipeg, realizando a maior busca civil da história da cidade. Rezavam. Choravam. Não conseguiam dormir.

Em janeiro, sete semanas após o desaparecimento de Candace Derksen, a família estava na delegacia de polícia local quando os dois sargentos designados para o caso pediram para falar a sós com Cliff. Após alguns minutos, levaram Wilma à sala onde seu marido estava aguardando e fecharam a porta. Ele esperou e então falou:

"Wilma, encontraram Candace."

Seu corpo havia sido abandonado em uma cabana a uns 400 metros da casa dos Derksen. As mãos e os pés tinham sido amarrados. Havia morrido congelada.

5.

Os Derksen receberam o mesmo golpe que Mike Reynolds. A cidade de Winnipeg reagiu ao desaparecimento de Candace da mesma forma que Fresno reagiu ao assassinato de Kimber Reynolds. Os Derksen sofreram, tal como Mike Reynolds. Mas em determinado ponto as duas tragédias começaram a divergir.

Quando os Derksen voltaram da delegacia, sua casa começou a lotar de amigos e parentes, que permaneceram lá o dia inteiro. Às 10 da noite, restavam somente os pais de Candace e uns poucos amigos mais chegados. Estavam sentados na cozinha, comendo torta de cereja. A campainha soou.

"Lembro que achei que alguém esquecera suas luvas ou algo assim", Wilma contou. Estava sentada no quintal de sua casa em Winnipeg numa cadeira de jardim quando conversamos. Falava pausada e lentamente, ao recordar o dia mais longo de sua vida. Ela abriu a porta. Um estranho estava postado ali. Disse simplesmente: "Também sou o pai de uma criança assassinada."

O homem tinha 50 e poucos anos, uma geração acima da dos Derksen. Sua filha havia sido morta em uma loja de donuts alguns anos antes. O caso chamou a atenção em Winnipeg. Um suspeito chamado Thomas Sophonow havia sido preso pelo crime e julgado três vezes. Cumprira quatro anos de prisão antes de ser inocentado por um tribunal de apelação. O homem sentou-se na cozinha. Ofereceram-lhe uma fatia de torta de cereja – e ele começou a falar.

"Ficamos todos sentados ao redor da mesa, fitando-o", Wilma Derksen contou. "Lembro-me dele descrevendo todos os julgamentos – três no total. Carregava uma caderneta preta – como um repórter. Repassou cada detalhe. Tinha até as contas que pagara. Empilhou todas elas. Conversou sobre Sophonow, os julgamentos, sua raiva com a falta de justiça, a incapacidade do sistema de atribuir o crime a alguém. Queria algo claro. Aquele processo todo o havia destruído, arrasara sua família. Ele não conseguia mais trabalhar. Mencionou todos os remédios que vinha tomando, e pensei que teria um ataque cardíaco na minha frente. Não acho que tenha se divorciado da esposa, mas, do jeito que falou, parecia que o casamento acabara. Não comentou muito sobre sua filha. Era só aquela imensa obsessão em obter justiça."

Seu refrão constante era: "Estou lhes contando isso para que saibam o que vem pela frente." Finalmente, bem após a meia-noite, o homem parou. Olhou seu relógio. Terminara a história. Levantou-se e partiu.

"Foi um dia aterrorizante", Wilma disse. "Ficamos loucos. Quero dizer, estávamos... meio entorpecidos. Mas aquela experiência rompeu o torpor, porque foi muito forte. Tive a sensação de que era importante. Não sei como explicar. Pensei: anote tudo, isto é importante. Você está passando por um período difícil, mas preste atenção nisto."

O estranho apresentou o próprio destino como algo inevitável. *Estou lhes contando isso para que saibam o que vem pela frente.* Porém, para os Derksen, o que o homem estava dizendo não era uma previsão, mas um alerta. Aquilo era o que *poderia* vir pela frente. Eles poderiam perder a saúde física e a mental, além de um ao outro, se permitissem que o assassinato de sua filha os consumisse.

"Se àquela altura ele não houvesse aparecido, a coisa poderia ter sido diferente", Wilma comentou. "Olhando para trás, vejo que ele nos forçou a considerar outra opção. Dissemos um ao outro: 'Como podemos escapar disso?'"

Os Derksen foram dormir – ou pelo menos tentaram. No dia seguinte foi o funeral de Candace. Depois a família concordou em conversar com os jornalistas. Praticamente todos os órgãos de imprensa da província estavam lá. O desaparecimento de Candace Derksen comovera a cidade.

– O que vocês sentem por quem quer que tenha feito isso com Candace? – perguntou um repórter aos Derksen.

– Gostaríamos de saber quem são essas pessoas para podermos compartilhar um amor que parece estar faltando na vida delas – respondeu Cliff.

Wilma falou a seguir:

– Nossa preocupação principal era achar Candace. Nós a achamos – continuou ela. – Não posso dizer a esta altura que perdoo o assassino. Todos já fizemos algo terrível em nossa vida, ou sentimos o impulso de fazê-lo.

6.

Será Wilma Derksen mais – ou menos – heroica do que Mike Reynolds? Sentimo-nos tentados a fazer essa pergunta. Mas não é justo: cada um agiu com a melhor das intenções e optou por um caminho profundamente corajoso.

A diferença entre os dois foram seus sentimentos distintos em relação ao que poderia ser conseguido com o uso da força. Os Derksen combateram cada instinto de contra-atacar que tinham como pais por não saberem direito o que conseguiriam com aquilo. Não estavam convencidos do poder dos gigantes. Foram criados na tradição religiosa cristã menonita. A família de Wilma emigrou da Rússia, onde muitos menonitas se fixaram no século XVIII. Durante a Revolução Russa e o período stalinista, a seita foi perseguida – agressiva e repetidamente. Aldeias inteiras foram exterminadas. Centenas de homens foram enviados à Sibéria. Suas fazendas foram saqueadas e incendiadas, e comunidades inteiras foram forçadas a fugir para os Estados Unidos e o Canadá. Wilma me mostrou uma foto de sua tia-avó, tirada anos atrás na Rússia. Contou que se lembrava de sua avó falando sobre a irmã enquanto olhava a mesma foto e chorava. Sua tia-avó havia sido professora de uma escola dominical, e durante a revolução homens armados invadiram sua igreja e massacraram-na com suas crianças. Wilma falou sobre seu avô acordando no meio da noite com pesadelos sobre o que acontecera na Rússia, e depois levantando de manhã e indo trabalhar. Ela se lembrou de seu pai decidindo não processar alguém que lhe devia muito dinheiro, preferindo deixar para lá. "É nisto que acredito, e é assim que vivemos", costumava dizer.

Alguns movimentos religiosos têm como heróis grandes guerreiros ou profetas. Os menonitas têm Dirk Willems, detido por suas crenças religiosas no século XVI e mantido preso numa torre. Com o auxílio de uma corda feita de trapos amarrados, ele desceu pela janela e escapou pelo fosso coberto de gelo do castelo, perseguido por um guarda. Willems chegou incólume ao outro lado, mas o guarda, não, caindo na água quase congelada. Willems então parou, retornou e salvou seu perseguidor. Por esse ato de compaixão, foi levado de volta à prisão, torturado e depois queimado vivo lentamente enquanto repetia "Ó Senhor, meu Deus" 70 vezes.*

"Ensinaram-me que havia um meio alternativo de lidar com a injustiça", Wilma disse. "Aprendi na escola. Ensinaram-nos a

---

* No livro *Amish Grace* (Graça, Amish) existe uma história de uma jovem mãe amish cujo filho de 5 anos foi atropelado e gravemente ferido por um carro em alta velocidade. Os amish, à semelhança dos menonitas, são herdeiros da tradição de Dirk Willems e também sofreram nos primórdios de sua religião. Nas tradições menonita e amish, existem inúmeras histórias como esta:

> Quando o investigador pôs o motorista do carro na viatura da polícia para levá-lo aonde faria o teste do bafômetro, a mãe da criança ferida aproximou-se da viatura para falar com o policial. Com uma filha pequena puxando seu vestido, a mãe disse: "Por favor, cuide bem do menino." Pensando que ela se referia ao filho ferido, o policial respondeu: "O pessoal da ambulância e o médico farão o melhor possível. O resto cabe a Deus." A mãe apontou para o suspeito na traseira do carro da polícia. "Eu me referi ao motorista. Nós o perdoamos."

história da perseguição. Tínhamos aquela visão do martírio que retrocedia até o século XVI. Toda a filosofia menonita se baseia em perdoar e seguir em frente."

Para os menonitas, o perdão é um imperativo religioso: *Perdoai aqueles que nos têm ofendido*. Mas é também uma estratégia bem prática baseada na crença de que existem limites profundos ao que os mecanismos formais de vingança intentam conseguir. Os menonitas acreditam na curva em U invertido.

Mike Reynolds não tinha essa mesma compreensão dos limites. Acreditava, como uma questão de princípio, que o Estado e a lei poderiam proporcionar justiça pela morte de sua filha. A certa altura, Reynolds mencionou o deplorável caso de Jerry DeWayne Williams, envolvendo um homem jovem detido por arrancar uma fatia de pizza de quatro crianças no cais de Redondo Beach, ao sul de Los Angeles. Como Williams tivera cinco condenações anteriores por todo tipo de delito, desde assalto e posse de drogas a violação da liberdade condicional, o roubo da fatia de pizza contou como sua terceira infração. Ele foi condenado a 25 anos.* Williams teve uma sentença maior do que seu colega de cela, que era um assassino.

Em retrospecto, o caso de Williams foi o princípio do fim da cruzada de Mike Reynolds. Realçou tudo que havia de errado com as Três Infrações. A lei não conseguia distinguir entre ladrões de pizza e assassinos. Mas Mike Reynolds nunca entendeu por que o caso Williams provocou tamanha indignação pública. Para ele, o criminoso tinha violado um princípio fundamental: repetidamente havia rompido as regras da sociedade e portanto perdera seu direito à liberdade. Simples assim.

---

* Williams foi solto alguns anos depois quando um juiz reduziu sua sentença, e seu caso tornou-se o brado de convocação para o movimento anti-Três Infrações.

"Veja bem", Reynolds me contou, "aqueles que estão sendo presos realmente pela terceira infração chegaram ali da maneira tradicional: eles mereceram."

O que importava para ele era que a lei fizesse dos infratores seriais um exemplo de como não agir.

"Cada vez que a mídia fez uma matéria sobre algum idiota cuja terceira infração fora roubar uma fatia de pizza", ele prosseguiu, "isso contribuiu para deter a criminalidade mais do que qualquer outra coisa no estado."

Os britânicos agiram baseados no mesmo princípio nos primórdios do conflito irlandês. Não se pode permitir que as pessoas fabriquem bombas, guardem armas automáticas e atirem umas nas outras em plena luz do dia. Nenhuma sociedade civil consegue sobreviver sob tais circunstâncias. O general Freeland tinha toda a razão em dar uma dura nos baderneiros e pistoleiros.

O que Freeland não entendeu, porém, foi a mesma coisa que Reynolds não entendeu: chega um ponto em que a mais bem--intencionada aplicação de poder e autoridade começa a falhar. Revistar a primeira casa em Lower Falls fez sentido. Saquear o bairro inteiro apenas piorou as coisas. Em meados da década de 1970, cada casa católica na Irlanda do Norte havia sido revistada, em média, duas vezes. Em alguns bairros, esse número chegou a 10 ou mais. Entre 1972 e 1977, um em cada quatro homens católicos na Irlanda do Norte com idade entre 16 e 44 anos havia sido preso ao menos uma vez. Ainda que todas aquelas pessoas tivessem cometido uma ilegalidade, tal nível de rigor não pode dar certo.*

---

* Em meados da década de 1990, o IRA vinha organizando excursões de ônibus diárias à prisão na periferia de Belfast, como se lá fosse um parque de diversões. "Quase todo mundo nos guetos católicos tinha um pai, irmão, tio ou primo na prisão", escreveu o cientista político John Soule no auge do conflito. "Os jovens que crescem nessa atmosfera chegam à conclusão de que a prisão é um distintivo de honra, e não uma desonra."

Essa lição final sobre os limites do poder não é fácil de aprender. Requer que aqueles em posição de autoridade aceitem que o que consideram sua maior vantagem – o fato de poder revistar tantas casas quantas quiserem e prender pessoas pelo tempo que desejarem – possui limitações reais. Caroline Sacks enfrentou uma versão desse fato quando percebeu que o que considerava uma vantagem na verdade a deixava em desvantagem. Mas uma coisa é reconhecer as limitações das próprias vantagens se você se defronta com a escolha entre uma ótima universidade e uma universidade excelente. Outra coisa é você segurar a mão de sua filha agonizante no leito de um hospital. "O papai consegue consertar tudo, e, quando aquilo aconteceu com a Kimber, não pude consertar", Reynolds disse. O que ele prometeu à filha foi que se levantaria e diria: "Basta!" Não pode ser culpado por isso. Mas a tragédia de Mike Reynolds foi que, ao realizar aquela promessa, deixou a Califórnia ainda pior do que antes.

No decorrer dos anos, muitas pessoas têm ido a Fresno conversar com Reynolds sobre as Três Infrações: a longa viagem por terra de Los Angeles até os campos planos do vale Central tornou-se uma espécie de peregrinação. Ele tem o hábito de levar seus visitantes ao Daily Planet – o restaurante onde sua filha comeu antes de ser morta do outro lado da rua. Ouvi falar sobre uma daquelas visitas antes de fazer a mesma viagem. Reynolds se envolvera numa discussão com a dona do restaurante. Ela pedira que parasse de levar pessoas em excursões, pois estava prejudicando seu negócio. "Quando isto vai terminar?", ela perguntara. Reynolds ficou furioso.

"Claro, prejudicou seu negócio", ele disse, "mas arruinou nossa vida. Respondi que terminará quando minha filha retornar."

Ao final de nossa entrevista, Reynolds disse que queria me mostrar onde sua filha fora assassinada. Recusei o convite. Seria demais. Então Reynolds estendeu o braço sobre a mesa e tocou o meu.

"Você usa carteira?", ele perguntou. E entregou-me uma foto da menina. "Esta foto foi tirada um mês antes de Kimber ser assassinada. Talvez você possa colocar lá e pensar a respeito quando abri-la. Às vezes é preciso encarar algo assim."

Mike Reynolds sempre estará de luto.

"Aquela jovem tinha uma vida pela frente. Um acontecimento assim, alguém matá-la a sangue-frio... isso é horrível. Não pode continuar."

7.

Em 2007, os Derksen receberam uma ligação da polícia.

"Levei dois meses para ligar de volta", Wilma Derksen disse.

Sobre o que poderia ser? Haviam passado 20 anos desde o desaparecimento de Candace. Eles tinham tentado ir em frente. Que bem poderia advir de abrir velhas feridas? Finalmente entraram em contato. Os policiais informaram ter encontrado a pessoa que matara Candace.

As evidências da cabana onde o corpo de Candace fora encontrado ficaram guardadas aqueles anos todos num depósito da polícia, e o DNA do local do crime havia sido agora comparado ao de um homem chamado Mark Grant. Ele vinha morando perto dos Derksen. Tinha um histórico de delitos sexuais e passara grande parte da vida adulta atrás das grades. Em janeiro de 2011, Grant foi levado a julgamento.

Wilma disse que ficou apavorada. Não sabia como reagiria ao vê-lo. A lembrança da filha se acomodara em sua mente, e agora tudo seria revolvido. Ela compareceu ao tribunal. Grant estava inchado, o olhar vazio. Tinha cabelos brancos e parecia doente e enfraquecido.

"Sua raiva contra nós, sua hostilidade eram muito estranhas", ela disse. "Eu não sabia por que estava irritado conosco, quando nós é que deveríamos estar irritados com ele. Acho que só no fim da audiência preliminar foi que enfim olhei para ele e pensei: *Você é a pessoa que matou Candace.* Lembro-me de nós dois olhando um para o outro e o absurdo daquilo: *Quem é você? Como pôde fazer isso? Como pode ser assim?* O pior momento para mim foi quando... vou chorar... foi quando eu..."

Ela parou e pediu desculpas pelas lágrimas.

"Quando lembrei que ele havia imobilizado Candace e pensei no que aquilo significara. A sexualidade assume diferentes formas, e eu não tinha entendido..." Parou de novo. "Sou uma menonita ingênua. E perceber que seu prazer veio de amarrar Candace e vê-la sofrer, que obteve prazer torturando-a... Não sei se isso faz algum sentido. Para mim, é ainda pior que luxúria ou estupro, sabe? É desumano. Posso entender o desejo sexual descontrolado. Mas isso é Hitler. É horrível. É o pior."

Uma coisa era perdoar no mundo das ideias. Quando Candace foi morta, eles não conheciam seu assassino: ele era alguém sem nome nem rosto. Mas agora conheciam.

"Como você pode perdoar alguém assim?", ela prosseguiu. "Minha história agora era bem mais complicada. Tive que enfrentar todos aqueles desejos de que ele morresse ou fosse morto por alguém. Isso não é saudável. É vingança. E de alguma forma eu o estaria torturando também, mantendo seu destino em minhas mãos. Um dia eu me descontrolei um pouco na igreja. Estava com um grupo de amigas e critiquei a insanidade sexual daquilo. Na manhã seguinte, uma delas me ligou e me chamou para tomar café da manhã no seu apartamento. Então fui até lá e ela falou sobre seu vício em pornografia, submissão sexual e sadomasoquismo. Ela estivera naquele mundo, portanto o entendia. Contou-me tudo a respeito. Aí lembrei que eu a amava. Havíamos atuado juntas na igreja. Toda aquela perturbação, todo aquele lado dela, estivera oculto de mim."

Wilma havia falado por muito tempo e estava começando a ficar emocionada. Pronunciava as palavras devagar e suavemente agora.

"Ela estava muito preocupada", Wilma prosseguiu. "Havia visto a minha raiva. Será que eu ficaria presa naquele sentimento e o voltaria contra ela? Eu a rejeitaria?"

Para perdoar sua amiga, ela percebeu que teria que perdoar Grant. Não podia abrir exceções visando sua conveniência moral.

"Lutei contra aquilo", ela continuou. "Eu estava relutante. Não sou santa. Nem sempre perdoo. É a última coisa que você quer fazer. Teria sido bem mais fácil percorrer outro caminho, porque haveria muito mais pessoas do meu lado. Provavelmente eu seria uma grande ativista agora. Poderia ter uma enorme organização por trás de mim."

Wilma Derksen poderia ter sido Mike Reynolds, e iniciado a própria versão das Três Infrações. Optou por não fazê-lo.

"Teria sido mais fácil no princípio", ela disse. "Mas depois ficaria mais difícil. Acho que teria perdido Cliff, meus filhos. Em certos aspectos, eu estaria fazendo com outras pessoas o que o assassino fez com Candace."

Um homem emprega o pleno poder do Estado em sua dor e acaba mergulhando o governo num experimento dispendioso e inútil. Uma mulher que abre mão da promessa do poder encontra força para perdoar – e salva sua amizade, seu casamento e sua saúde mental. O mundo está de cabeça para baixo.

CAPÍTULO NOVE

André Trocmé

"SENTIMO-NOS OBRIGADOS A INFORMÁ-LOS DE QUE EXISTE ENTRE NÓS CERTO NÚMERO DE JUDEUS."

1.

Com a queda da França em junho de 1940, o Exército alemão permitiu que os franceses estabelecessem um governo na cidade de Vichy. Ele foi encabeçado pelo herói francês da Primeira Guerra Mundial, o marechal Philippe Pétain, que recebeu os plenos poderes de um ditador. Pétain cooperou ativamente com os alemães, privou os judeus de seus direitos e impediu-os de exercerem suas profissões. Revogando leis contra o antissemitismo, prendeu os judeus franceses, colocando-os em campos de prisioneiros, e tomou vários outras medidas autoritárias, grandes e pequenas, incluindo uma exigência de que todas as manhãs os alunos franceses fizessem a saudação fascista à bandeira da pátria: braço direito estendido, palma da mão para baixo. Na escala dos ajustes necessários sob a ocupação alemã, saudar a bandeira todas as manhãs era uma ninharia. A maioria das pessoas obedeceu – mas não aqueles que viviam na cidade de Le Chambon-sur-Lignon.

Le Chambon é uma das dezenas de aldeias no planalto de Vivarais, uma região montanhosa perto das fronteiras com a Itália e a Suíça, no centro-sul da França. Os invernos são rigorosos, com neve. A área é remota, e as cidades grandes mais próximas estão bem abaixo da montanha, a quilômetros de distância. A região é predominantemente agrária, com fazendas ao redor de florestas de pinheiros. Por vários séculos, Le Chambon abrigou uma variedade de seitas protestantes dissidentes, sendo a principal a dos huguenotes. O pastor huguenote local era um homem chamado André Trocmé, um pacifista. No domingo seguinte à rendição da França aos alemães, Trocmé proferiu um sermão no templo.

"Amar, perdoar e fazer o bem aos nossos adversários é nosso dever", ele disse. "Mas temos que fazê-lo sem esmorecer e sem sermos covardes. Resistiremos sempre que nossos adversários exigirem uma obediência contrária às leis do Evangelho. Nós o faremos sem temor, mas também sem orgulho e sem ódio."

Fazer a saudação fascista estendendo o braço ao regime de Vichy constituía, na cabeça de Trocmé, um ótimo exemplo de "obediência contrária às leis do Evangelho". Ele e seu auxiliar, Édouard Theis, haviam fundado vários anos antes uma escola em Le Chambon chamada Collège Cévenol. Decidiram que não haveria mastro nem saudações fascistas ali.

O próximo passo de Vichy foi exigir que todos os professores franceses assinassem juramentos de lealdade ao Estado. Trocmé, Theis e toda a equipe de Cévenol se recusaram a fazer isso. Pétain determinou que um retrato seu fosse pendurado em todas as escolas francesas. Trocmé e Theis ignoraram o pedido. No primeiro aniversário do regime de Vichy, em 1º de agosto, o ditador ordenou que as escolas do país soassem os sinos de suas igrejas ao meio-dia. Trocmé informou à zeladora da igreja, uma mulher chamada Amélie, que não se preocupasse com isso. Duas pessoas que passavam o verão na cidade foram reclamar.

"O sino não pertence ao marechal, mas a Deus", Amélie respondeu categoricamente. "Soa para Deus, ou não soa."

Ao longo do inverno e da primavera de 1940, as condições dos judeus por toda a Europa foram piorando cada vez mais. Uma mulher apareceu à porta de Trocmé, apavorada e tremendo de frio. Disse ser uma judia, que sua vida corria perigo e que ouvira dizer que Le Chambon era um local acolhedor.

"Eu disse: 'Entre'", recordou a mulher de André Trocmé, Magda, anos depois. "E foi assim que tudo começou."

Logo mais e mais refugiados judeus começaram a aparecer na cidade. Trocmé pegou o trem até Marselha para se encontrar com um quacre chamado Burns Chalmers. Os quacres forneciam ajuda humanitária nos centros de internamento que haviam sido criados no sul da França. Esses campos eram locais aterradores, infestados de ratos, piolhos e doenças. Num único campo, 1.100 judeus morreram entre 1940 e 1944. Muitos dos sobreviventes foram depois enviados para o leste e assassinados nos campos de concentração nazistas. Os quacres conseguiam retirar pessoas – especialmente crianças – desses lugares, mas não tinham para onde enviá-las. Trocmé ofereceu Le Chambon. O filete de judeus subindo a montanha subitamente virou uma torrente.

No verão de 1942, Georges Lamirand, o ministro de Vichy incumbido dos assuntos relativos aos jovens, fez uma visita de Estado a Le Chambon. Pétain queria que ele criasse campos de jovens por toda a França tendo por modelo os da Juventude Hitlerista na Alemanha.

Lamirand subiu a montanha com seu séquito, resplandecente no uniforme azul-marinho. Sua agenda incluía um banquete, depois uma marcha ao estádio da cidade, seguida de uma recepção formal. Mas o banquete não deu certo. A comida foi insuficiente. A filha de Trocmé "acidentalmente" derramou sopa nas costas do uniforme de Lamirand. Durante a marcha, as ruas ficaram desertas. No estádio, nada foi organizado: as crianças perambulavam, dando empurrões e olhando feito bobas. Na recepção, um morador ergueu-se e leu, do Livro dos Romanos, capítulo 13, versículo 8: "Não devam nada a ninguém, a não ser o amor de uns pelos outros, pois aquele que ama seu próximo tem cumprido a lei."

Depois um grupo de alunos dirigiu-se a Lamirand e, diante da cidade inteira, entregou-lhe uma carta que havia sido redigida com a ajuda de Trocmé. Naquele mesmo verão, a polícia de Vichy havia prendido 12 mil judeus em Paris a pedido dos nazistas. Os detidos foram mantidos em condições horrendas no Vélodrome d'Hiver, ao sul de Paris, antes de serem enviados ao campo de concentração de Auschwitz. As crianças deixaram claro que Le Chambon não queria participar de nada daquilo. A carta começava assim:

> Sr. Ministro,
> Ficamos sabendo das cenas assustadoras ocorridas três semanas atrás em Paris, quando a polícia francesa, sob ordens da força de ocupação, retirou todas as famílias judias de suas casas, detendo-as no Vél d'Hiv. Os pais foram separados de suas famílias e enviados à Alemanha; as crianças, separadas de suas mães, que sofreram o mesmo destino dos maridos. [...] Tememos que as medidas de deportação dos judeus logo venham a ser aplicadas no sul.
> Sentimo-nos obrigados a informá-los de que existe entre nós certo número de judeus. Mas não fazemos distinção entre judeus e não judeus. É contra os ensinamentos do Evangelho.
> Se nossos companheiros, cujo único problema é terem nascido em outra religião, recebessem a ordem de se deixarem deportar, ou mesmo examinar, não a obedeceriam, e tentaríamos escondê-los da melhor forma possível.
> Nós temos judeus. Vocês não vão pegá-los.

2.

Por que os nazistas não foram a Le Chambon e aplicaram uma punição exemplar nos moradores? O número de alunos na escola fundada por Trocmé e Theis aumentou de 18, na véspera da guerra, para 350 em 1944. Não é preciso grande poder de dedução para descobrir quem eram aquelas 332 crianças extras. Tampouco a cidade mantinha segredo do que vinha fazendo. *Sentimo-nos obrigados a informá-los de que existe entre nós certo número de judeus.* Uma trabalhadora de ajuda humanitária descreveu suas viagens de trem de Lyon até lá várias vezes por mês acompanhada de cerca de uma dezena de crianças judias. Ela as deixava no Hotel May, junto à estação ferroviária, e depois percorria a cidade até achar lares para elas. Na França, sob as leis de Vichy, transportar e esconder refugiados judeus era sabidamente ilegal. Em outros locais, durante a guerra, os nazistas haviam demonstrado que não estavam dispostos à conciliação na questão dos judeus. A certa altura, a polícia de Vichy se instalou em Le Chambon por três semanas, revistando a cidade e a zona rural circundante em busca de refugiados judeus. Só conseguiram prender duas pessoas – uma das quais depois soltaram. Por que não reuniram a cidade inteira e enviaram todo mundo para Auschwitz?

Philip Hallie, que escreveu a história definitiva de Le Chambon, argumentou que a cidade foi protegida no final da guerra pelo major Julius Schmehling, um alto oficial nazista na região. Havia também muitas pessoas favoráveis aos judeus na polícia local de Vichy. Às vezes, André Trocmé recebia uma ligação no meio da noite alertando para uma batida policial no dia seguinte. Outras vezes, um contingente da polícia local chegava, para investigar uma denúncia de refugiados escondidos, e parava antes para tomar um bom café na lanchonete local, para que todos na cidade ficassem sabendo de suas intenções. Os alemães já tinham problemas suficientes, particularmente em 1943, quando a guerra na Frente Oriental começou a piorar para o lado deles. Talvez não quisessem comprar briga com um grupo de aldeões da montanha briguentos e pouco amigáveis.

Mas a melhor resposta é uma que *Davi e Golias* vem tentando deixar clara: eliminar uma cidade, um povo ou um movimento nunca é tão simples quanto parece. Os poderosos não são tão poderosos quanto pensamos – nem os fracos são tão fracos assim. Os huguenotes de Le Chambon eram descendentes da população protestante original da França, e a verdade era que pessoas haviam tentado – sem sucesso – eliminá-los antes. Os huguenotes romperam com a Igreja Católica durante a Reforma, tornando-se proscritos aos olhos do Estado francês. Um rei após outro tentou fazer com que se reconciliassem com a Igreja Católica. O movimento huguenote foi proibido. Houve perseguições públicas e massacres. Milhares de homens huguenotes foram enviados às masmorras. Mulheres foram aprisionadas pelo resto da vida. Crianças foram entregues a lares católicos para serem convertidas. O reino de terror durou mais de um século. No final do século XVII, 200 mil huguenotes haviam fugido da França para outros países da Europa e para a América do Norte. Os poucos que permaneceram foram forçados a viver clandestinamente. Realizavam seus cultos religiosos em segredo, em florestas remotas. Retiraram-se para aldeias no alto das montanhas no planalto de Vivarais. Criaram um seminário na Suíça e contrabandearam clérigos pela fronteira. Aprenderam as artes da evasão e do disfarce. Permaneceram e descobriram – como fizeram os londrinos durante a Blitz – que não tinham realmente medo. Tinham apenas medo de ter medo.*

---

* A historiadora Christine van der Zanden chama aquela área de planalto da Hospitalidade. A região tem uma longa história de aceitar refugiados. Em 1790, a Assembleia Francesa declarou que todo clérigo católico, sob o risco de prisão, deveria fazer um jura-

"O povo em nossa aldeia já sabia o que era ser perseguido", Magda Trocmé disse. "Falavam com frequência sobre seus ancestrais. Muitos anos se passaram e eles esqueceram, mas, quando os alemães vieram, lembraram-se de tudo e conseguiram entender a perseguição aos judeus talvez melhor do que as pessoas em outras aldeias, pois já haviam sido preparadas."

Quando o primeiro refugiado apareceu à sua porta, Magda Trocmé disse que não lhe passou pela cabeça dizer não. "Eu não sabia que seria perigoso", ela contou. "Ninguém pensou naquilo."

Eu não sabia que seria perigoso. Ninguém pensou naquilo. No resto da França, as pessoas só pensavam em quão perigosa era a vida. Mas a população de Le Chambon estava além daquilo. Quando os primeiros refugiados judeus chegaram, o povo da cidade providenciou documentos falsos para eles – algo não muito difícil se sua comunidade passou um século escondendo suas verdadeiras crenças do governo. Abrigaram os judeus nos lugares onde vinham escondendo refugiados por gerações e os contrabandearam pela fronteira para a Suíça ao longo das mesmas trilhas que haviam usado por 300 anos. Magda Trocmé continuou:

"Às vezes as pessoas me perguntam: 'Como você tomou essa decisão?' Não houve decisão a tomar. A questão era: você acredita que somos todos irmãos ou não? Acha injusto entregar os judeus ou não? Então vamos tentar ajudar!"

Na tentativa de eliminar os huguenotes, os franceses criaram um bolsão em seu próprio país, impossível de eliminar.

---

mento ao Estado, subordinando a Igreja ao governo. Aqueles que se recusaram a assinar o juramento fugiram para salvar a própria vida. Para onde foram muitos deles? Para o planalto de Vivarais, uma comunidade já experiente nas artes do desafio. O número de dissidentes aumentou. Durante a Primeira Guerra Mundial, a população do planalto acolheu refugiados. Durante a Guerra Civil Espanhola, aceitaram fugitivos do Exército fascista do general Franco. Receberam socialistas e comunistas da Áustria e da Alemanha durante o início do terror nazista.

Como André Trocmé certa vez disse: "Como os nazistas poderiam esgotar os recursos de um povo como aquele?"

3.

André Trocmé nasceu em 1901. Alto, de constituição forte, tinha um nariz comprido e olhos azuis vivos. Trabalhava incansavelmente, percorrendo Le Chambon de uma extremidade à outra. Sua filha, Nelly, escreveu que "uma sensação de dever exalava de seus poros". Ele se considerava um pacifista, apesar de não ter essa característica. Ele e sua mulher, Magda, eram famosos por seus entreveros aos gritos. Costumava ser descrito como *un violent vaincu par Dieu* – um homem violento vencido por Deus. "Amaldiçoado seja quem começa pela gentileza", escreveu em seu diário. "Terminará na insipidez e na covardia, e nunca adentrará a grande corrente libertadora do cristianismo."

Seis meses após a visita do ministro Lamirand, Trocmé e Édouard Theis foram detidos e aprisionados num campo de internamento (onde, de acordo com Hellie, "suas posses pessoais lhes foram retiradas e o nariz de cada um foi medido para avaliarem se eram ou não judeus"). Após um mês, os dois foram informados de que seriam soltos – mas somente sob a condição de que jurassem "obedecer sem questionar às ordens dadas pelas autoridades do governo para a segurança da França e em prol da Revolução Nacional do marechal Pétain". Trocmé e Theis se recusaram. O diretor do campo foi vê-los, incrédulo. Quase todos os internos acabariam mortos numa câmara de gás. Em troca de assinarem seus nomes numa folha de papel contendo uma fórmula patriótica estereotipada, os dois ganhariam uma passagem grátis para casa.

"Que negócio é este?", o diretor do campo gritou com eles. "Este juramento nada tem de contrário às suas consciências! O marechal só quer o bem da França!"

"Ao menos num ponto discordamos do marechal", Trocmé retrucou. "Ele entrega os judeus aos alemães. [...] Quando chegarmos em casa, com certeza continuaremos nos opondo, e desobedecendo às ordens do governo. Como poderíamos assinar isso agora?"

Finalmente as autoridades da prisão desistiram e os enviaram para casa.

Mais tarde na guerra, quando a Gestapo aumentou o controle sobre Le Chambon, Trocmé e Theis viram-se forçados a fugir. Theis aderiu à resistência e passou o restante da guerra transportando judeus pelos Alpes para a segurança na Suíça. ("Não foi sensata", falou a Hallie sobre sua decisão. "Mas veja bem, tive que tomá-la.") Trocmé mudou-se de uma cidade para outra, portando documentos falsos. Apesar das precauções, foi detido numa batida policial na estação ferroviária de Lyon. Ficou transtornado – não apenas com a perspectiva de ser descoberto, mas também, e mais crucialmente, com a questão de o que falar sobre os documentos falsos. Hallie escreveu:

> Sua carteira de identidade dizia que seu nome era Béguet, e eles perguntariam se aquilo era verdade. Ele teria que mentir para ocultar quem era de fato, mas era incapaz disso. Mentir, especialmente para salvar a própria pele, seria "apelar para aquelas concessões que Deus não pediu que eu fizesse", ele escreveu nas notas autobiográficas sobre aquele incidente. Salvar a vida dos outros – e mesmo a própria vida – com carteiras de identidade falsas era uma coisa, mas estar diante de outro ser humano e dizer mentiras visando apenas a autopreservação era algo diferente.

Existe realmente uma diferença moral entre se atribuir um nome falso na carteira de identidade e confirmá-lo a um policial? Talvez não. Trocmé, na época, viajava com um de seus filhos. Ainda estava envolvido na atividade de ocultar refugiados. Dispunha de circunstâncias atenuantes suficientes, digamos assim, para justificar uma mentirinha.

Mas essa não é a questão. Trocmé era "inadequado", da mesma forma magnífica que o médico Jay Freireich e os ativistas Wyatt Walker e Fred Shuttlesworth. E a vantagem dos inadequados é que eles não avaliam as situações como o restante de nós. Walker e Shuttlesworth nada tinham a perder. Se sua casa foi atacada com bombas e a Ku Klux Klan cercou seu carro e espancou você, como as coisas podem piorar? Jay Freireich recebeu ordens de parar o que estava fazendo e foi advertido de que estava arriscando a carreira. Foi importunado e abandonado pelos colegas. Segurava crianças agonizantes nos braços e enfiava uma agulha grossa em suas tíbias. Mas ele passara por coisa pior. Os huguenotes que colocaram o próprio interesse na frente tinham se convertido para outra religião, desistido ou mudado de cidade tempos atrás. O que restou foi obstinação e desafio.

O policial que o deteve acabou nem pedindo os documentos. Trocmé convenceu-o a levá-lo de volta à estação ferroviária, onde se encontrou com o filho e escapou por uma porta lateral. Mas e se o policial perguntasse se ele era Béguet? Já havia decidido dizer a verdade: "Eu não sou o senhor Béguet. Sou o pastor André Trocmé." *Ele não se importava.* Se você é Golias, como faz para derrotar alguém que pensa assim? Poderia matá-lo, é claro. Mas isso não passa de uma variante da mesma abordagem que falhou espetacularmente no caso dos britânicos na Irlanda do Norte e no da campanha das Três Infrações na Califórnia. O uso excessivo da força cria problemas de legitimidade, e a força sem legitimidade leva ao desafio, não à submissão. Você poderia matar André Trocmé. Mas provavelmente isso significaria apenas o surgimento de outro André Trocmé em seu lugar.

Quando Trocmé tinha 10 anos, certa vez sua família viajou de carro até uma casa de campo. Ele estava no banco traseiro com os dois irmãos e uma prima. Seus pais estavam na frente. O pai se enfureceu com um carro lento demais na frente e tentou ultrapassá-lo. "Paul, Paul, devagar. Vai acabar acontecendo um acidente!", sua mãe gritou. O carro se desgovernou. O jovem André conseguiu sair dos destroços. Seu pai, os irmãos e a prima ficaram bem. Sua mãe, não. Viu-a deitada, sem vida, a 9 metros de distância. Confrontar um oficial nazista não era nada comparado a ver o cadáver de sua mãe à beira da estrada. Como Trocmé escreveu para sua mãe morta, anos depois:

> Se pequei tanto assim, se fui, desde então, tão solitário, se minha alma adotou um movimento tão vertiginoso e solitário, se duvidei de tudo, se fui um fatalista, se fui uma criança pessimista que aguarda a morte diariamente e que quase a busca, se me abri lenta e tardiamente à felicidade e se continuo sendo um homem sombrio, incapaz de se entregar ao riso fácil, é porque você me deixou naquele 24 de junho, naquela estrada.
>
> Mas se acreditei nas realidades eternas [...] se me lancei na direção delas, também foi porque estava sozinho, porque você não estava mais presente para ser meu Deus, para encher meu coração com sua vida abundante.

Não foram os privilegiados e os afortunados que protegeram os judeus na França. Foram os marginais e os prejudicados, o que deveria nos lembrar que existem limites reais ao que o mal e o infortúnio conseguem realizar. Se você retira o dom da leitura, cria o dom da audição. Se você bombardeia uma cidade, deixa para trás morte e destruição, mas cria uma comunidade de remotamente atingidos. Se você leva embora uma mãe ou um pai, causa sofrimento e desespero, porém, em uma dentre 10 vezes, daquele desespero surge uma força indomável. Você vê o gigante e o pastor no vale de Elá e seu olho é atraído para o homem com espada, escudo e armadura reluzente. Mas muito do que é bonito e valioso no mundo vem do pastor, que tem mais força e propósito do que conseguimos imaginar.

O filho mais velho de Magda e André Trocmé era Jean-Pierre, um adolescente sensível e talentoso. André Trocmé o adorava. Certa noite, quase no final da guerra, a família foi ver um recital do poema de François Villon "Balada dos enforcados". Na noite seguinte, ao chegarem em casa depois de jantarem fora, encontraram Jean-Pierre enforcado no banheiro. Trocmé correu para a mata, gritando: "Jean-Pierre! Jean-Pierre!" Mais tarde, escreveu:

> Mesmo hoje carrego uma morte dentro de mim, a morte de meu filho, e sou como um pinheiro decapitado. Os pinheiros não regeneram seus topos. Permanecem torcidos, estropiados.

Mas deve ter feito uma pausa ao escrever essas palavras, porque tudo que aconteceu em Le Chambon sugere que a história foi além. Depois ele escreveu:

> Eles aumentam em espessura, talvez, e é isso que está acontecendo comigo.

Notas

INTRODUÇÃO: GOLIAS

A literatura especializada sobre a batalha entre Davi e Golias é extensa. Aqui está uma fonte: John A. Beck, "David and Goliath, a Story of Place: The Narrative-Geographical Shaping of 1 Samuel 17", *Westminster Theological Journal* 68 (2006), pp. 321-330.

O relato de Cláudio Quadrigário do combate corpo a corpo é de Ross Cowan, em *For the Glory of Rome* (Greenhill Books, 2007), p. 140. Ninguém nos tempos antigos teria duvidado da vantagem tática de Davi se soubesse que ele era um expert em fundas. Eis o que diz o historiador militar romano Vegécio (*Compêndio da arte militar*, Livro I):

> Aos recrutas deve ser ensinada a arte de lançar pedras com a mão e a funda. A invenção das fundas e seu emprego com uma destreza surpreendente são atribuídos aos habitantes das ilhas Baleares por causa da forma como criam seus filhos. As crianças só podiam receber comida da mãe depois de atingi-la com sua funda. Os soldados, não obstante suas armaduras defensivas, costumam se irritar mais com as pedras redondas da funda do que com as flechas disparadas pelo inimigo. Pedras matam sem

mutilar o corpo, e a contusão é mortal, sem perda de sangue. Sabe-se universalmente que os antigos empregavam fundibulários em todos os seus combates. Não faltam motivos para instruir todas as tropas, sem exceção, nesse exercício, já que a funda não representa estorvo algum, e costuma ser da maior utilidade, especialmente quando utilizada para lutas em lugares pedregosos, uma montanha ou uma elevação para defesa, ou para repelir um inimigo no ataque a uma fortificação ou uma cidade.

O capítulo de Moshe Garsiel "The Valley of Elah Battle and the Duel of David with Goliath: Between History and Artistic Theological Historiography" aparece em *Homeland and Exile* (Brill, 2009).

A discussão de Baruch Halpern sobre a funda aparece em *David's Secret Demons* (Eerdmans Publishing, 2001), p. 11.

Para os cálculos de Eitan Hirsch, ver Eitan Hirsch, Jaime Cuadros e Joseph Backofen, "David's Choice: A Sling and Tactical Advantage", *International Symposium on Ballistics* (Jerusalém, 21 a 24 de maio de 1995). O artigo de Hirsch está repleto de parágrafos como:

> Experimentos com cadáveres e modelos de simulação híbridos indicam que uma energia de impacto de 72 joules é suficiente para perfurar (mas não atravessar) um crânio quando atingido na parte parietal por um projétil de aço de 6,35 mm de diâmetro a 370 m/s. Um projétil não precisa perfurar o crânio, bastando afundar uma parte do osso frontal para produzir uma fratura deprimida (na melhor hipótese) ou um golpe atordoante capaz de deixar uma pessoa inconsciente. Um impacto como esse, na frente do crânio, produz pressão nos vasos sanguíneos e nos tecidos

do cérebro [...] porque o movimento do cérebro ocorre depois do movimento do crânio. A energia de impacto necessária para obter esses dois efeitos é bem menor, da ordem de 40 a 20 joules, respectivamente.

Hirsch apresentou sua análise em um encontro científico. Em um e-mail para mim, acrescentou:

> Um dia após a palestra ser proferida, um participante me procurou contando que no riacho onde ocorreu o duelo encontravam-se pedras de sulfato de bário com uma densidade de 4,2 gramas/cm³ (em comparação com os cerca de 2,4 nas pedras normalmente achadas). Se Davi escolheu uma delas para usar contra Golias, aquilo proporcionou uma vantagem significativa, além dos números calculados constantes nas tabelas.

O artigo de Robert Dohrenwend "The Sling: Forgotten Firepower of Antiquity" (*Journal of Asian Martial Arts* 11, nº 2 [2002]) é uma excelente introdução ao poder da funda.

O ensaio de Moshe Dayan sobre Davi e Golias, "Spirit of the Fighters", aparece em *Courageous Actions – Twenty Years of Independence* 11 (1968), pp. 50-52.

A ideia de que Golias sofria de acromegalia parece ter sido sugerida pela primeira vez em C. E. Jackson, P. C. Talbert e H. D. Caylor, "Hereditary Hyperparathyroidism", *Journal of the Indiana State Medical Association* 53 (1960), pp. 1.313-1.316, e depois por David Rabin e Pauline Rabin em uma carta para o *New England Journal of Medicine* em 20 de outubro de 1983. Subsequentemente muitos outros especialistas médicos chegaram à mesma conclusão. Em carta à revista *Radiology* (julho de 1990), Stanley Sprecher escreveu:

Sem dúvida, o tamanho avantajado de Golias devia-se à acromegalia secundária a um macroadenoma pituitário, que aparentemente era grande o suficiente para induzir deficiências no campo visual por sua pressão sobre o quiasma óptico, incapacitando Golias de acompanhar o jovem Davi enquanto este circulava à sua volta. A pedra penetrou na abóbada craniana através de um osso frontal notadamente afinado, que resultou do alargamento do seio paranasal frontal, uma característica frequente da acromegalia. A pedra alojou-se na pituitária inchada de Golias e causou uma hemorragia pituitária, resultando em herniação transtentorial e morte.

O relato mais completo sobre a deficiência de Golias é do neurologista israelense Vladimir Berginer. É ele quem enfatiza a natureza suspeita do escudeiro de Golias. Ver Vladimir Berginer e Chaim Cohen, "The Nature of Goliath's Visual Disorder and the Actual Role of His Personal Bodyguard", *Ancient Near Eastern Studies* 43 (2006), pp. 27-44. Berginer e Cohen escreveram:

> Portanto supomos que o termo "escudeiro" foi originalmente usado pelos filisteus como um título eufemístico honorário para o indivíduo que servia como guia ao visualmente deficiente Golias, para que a reputação militar do heroico guerreiro filisteu não fosse denegrida. Podem até ter dado a ele um escudo para carregar a fim de camuflar sua verdadeira função!

CAPÍTULO UM: VIVEK RANADIVÉ

O livro de Ivan Arreguín-Toft sobre azarões vitoriosos é *How the Weak Win Wars* (Cambridge University Press, 2006).

"Não era fácil apanhar água após escurecer" é de T. E. Lawrence, *Os sete pilares da sabedoria* (Record, 2000).

A história da guerra não convencional de William R. Polk é contada em *Violent Politics: A History of Insurgency, Terrorism, and Guerrilla War, from the American Revolution to Iraq* (Harper, 2008).

CAPÍTULO DOIS: TERESA DEBRITO

Talvez o estudo mais conhecido dos efeitos da redução das turmas seja o Projeto STAR (Student-Teacher Achievement Ratio) conduzido no Tennessee na década de 1980. O STAR pegou 6 mil crianças, colocou-as aleatoriamente em turmas pequenas ou grandes e depois as acompanhou durante o primeiro ciclo do ensino fundamental. O estudo mostrou que o desempenho das crianças nas turmas menores superou o daquelas nas turmas maiores por uma margem pequena, porém significativa. Os países e estados americanos que subsequentemente despenderam bilhões de dólares na redução do tamanho das turmas adotaram a medida em grande parte por causa desses resultados. Mas o STAR estava longe de ser perfeito. Existem fortes indícios, por exemplo, de uma movimentação incomum entre os grupos das turmas grandes e pequenas do estudo. Parece que um grande número de pais altamente motivados pode ter conseguido transferir seus filhos para as turmas pequenas – e as crianças com mau desempenho podem ter deixado aquelas mesmas turmas. O mais problemático foi que o estudo não foi "duplo-cego", ou seja, os professores das turmas menores *sabiam* que suas turmas é que estariam sob escrutínio. Normalmente, os resultados de experimentos científicos "não cegos" são considerados dúbios. Para uma crítica convincente do STAR, ver Eric Hanushek, "Some Findings from an Independent Investigation of the Tennessee STAR Experiment and from Other Investigations of Class Size Effects", *Educational Evaluation and Policy Analysis* 21, nº 2 (verão de 1999), pp. 143-163. Um "experimento natural" do tipo feito por Caroline Hoxby é bem mais valioso. Para as constatações dela, ver Caroline Hoxby, "The Effects of Class Size on Student Achievement: New Evidence from Population Variation", *Quarterly Journal of Economics* 115, nº 4 (novembro de 2000), pp. 1.239-1.285. Para mais discussões sobre tamanho de turmas, ver Eric Hanushek, *The Evidence on Class Size* (University of Rochester Press, 1998); Eric Hanushek e Alfred Lindseth, *Schoolhouses, Courthouses and Statehouses: Solving the Funding-Achievement Puzzle in America's Public Schools* (Princeton University Press, 2009), p. 272; e Ludger Wössmann e Martin R. West, "Class-Size Effects in School Systems Around the World: Evidence from Between-Grade Variation in TIMSS", *European Economic Review* (26 de março de 2002).

Para estudos sobre dinheiro e felicidade, ver Daniel Kahneman e Angus Deaton, "High Income Improves Evaluation of Life but Not Emotional Well-Being", *Proceedings of the National Academy of Sciences* 107, nº 38 (agosto de 2010), p. 107. Barry Schwartz e Adam Grant discutem a felicidade em termos de uma curva em U invertido em "Too Much of a Good Thing: The Challenge and Opportunity of the Inverted U", *Perspectives on Psychological Science* 6, nº 1 (janeiro de 2011), pp. 61-76.

Em "Using Maimonides' Rule to Estimate the Effect of Class Size on Scholastic Achievement" (*Quarterly Journal of Economics* [maio de 1999]), Joshua Angrist e Victor Lavy reconhecem a possibilidade de que o que estão vendo é um fenômeno que ocorre no lado esquerdo da curva:

> Vale a pena refletir se os resultados para Israel tendem a ser relevantes para os Estados Unidos ou outros países desen-

volvidos. Além das diferenças culturais e políticas, Israel tem um padrão de vida mais baixo e gasta menos em educação por aluno do que os Estados Unidos e alguns países da OCDE, um órgão internacional que reúne os países mais industrializados do mundo e também alguns emergentes. E, como observado acima, Israel tem também classes maiores do que Estados Unidos, Reino Unido e Canadá. Portanto, os resultados apresentados aqui podem estar mostrando indícios de um retorno marginal para reduções de turmas cujos números de alunos não são característicos da maioria das escolas americanas.

Para uma discussão sobre a relação entre alcoolismo e saúde demonstrada em uma curva em U invertido, ver Augusto Di Castelnuovo et al., "Alcohol Dosing and Total Mortality in Men and Women: An Updated Meta-analysis of 34 Prospective Studies", *Archives of Internal Medicine* 166, nº 22 (2006), pp. 2.437-2.445.

A pesquisa de Jesse Levin sobre o tamanho das turmas e seu desempenho é "For Whom the Reductions Count: A Quantile Regression Analysis of Class Size and Peer Effects on Scholastic Achievement", *Empirical Economics* 26 (2001), p. 221. A obsessão com as turmas pequenas tem consequências reais. Aquilo com que todos os pesquisadores educacionais concordam é que a qualidade do professor importa bem mais que o número de alunos por classe. Um ótimo professor consegue ensinar ao seu filho um ano e meio de matéria em um só ano. Um professor abaixo da média pode levar um ano para lecionar meio ano de matéria. Trata-se de um ano de diferença em aprendizado, *em apenas um ano*. O que sugere que se pode ganhar bem mais visando a pessoa à frente da turma do que o número de pessoas sentadas na sala de aula. O problema é que ótimos professores são raros. Simplesmente inexistem pessoas suficientes com o conjunto de habilidades específicas e complexas necessárias para inspirar grandes grupos de crianças a cada ano que passa.

Então, o que deveríamos fazer? Despedir os maus professores. Ou treiná-los para melhorarem seu desempenho. Ou pagar mais aos professores melhores em troca de ensinarem para mais alunos. Ou aumentar o prestígio dessa profissão para tentar atrair mais o tipo de pessoa especial capaz de se destacar em sala de aula. A última coisa que devemos fazer em resposta ao problema do excesso de professores ruins e da falta de professores bons, porém, é contratar mais desses profissionais. Mas isso é precisamente o que muitos países industrializados têm feito nos últimos anos, na obsessão de reduzir o tamanho das turmas. Também vale a pena observar que *nada* custa mais do que reduzir o tamanho das turmas. É tão dispendioso contratar professores extras e construir novas salas de aula que sobra pouco dinheiro precioso para pagar aos professores. Como resultado, os salários dos professores, proporcionalmente às demais profissões, têm caído constantemente nos últimos 50 anos.

Na última geração, o sistema educacional americano decidiu não procurar os melhores professores, colocá-los para dar aulas em classes com um grande número de crianças e pagar-lhes mais – o que mais ajudaria as crianças. Decidiu contratar todos os professores que conseguisse atrair e pagar-lhes menos. (O crescimento dos gastos com educação pública no decorrer do século XX nos Estados Unidos foi impressionante: entre 1890 e 1990, em dólares constantes, a conta subiu de US$2 bilhões para US$187 bilhões por ano, com o gasto acelerando perto do fim do século. A maior parte desse dinheiro foi usada para a contratação de mais professores visando reduzir as turmas. Entre 1970 e 1990, a relação alunos/funcionários nas escolas públicas caiu de 20,5 para 15,4, e o pagamento de todos esses professores extras representou a maior parte das dezenas de bilhões de dólares em gastos educacionais extras naqueles anos.)

Por que isso aconteceu? Uma resposta está na política do mundo educacional – no poder dos professores e seus sindicatos e nas peculiaridades de como as escolas são financiadas. Mas essa não é uma explicação totalmente satisfatória. O povo americano – e os povos canadense, britânico, francês e assim por diante – não foi *forçado* a gastar todo esse dinheiro na redução do tamanho das turmas. Ele *quis* turmas menores. Por quê? Porque os povos e países ricos o suficiente para pagar por coisas como turmas realmente pequenas têm dificuldade em entender que as coisas que sua riqueza consegue comprar nem sempre melhoram sua situação.

CAPÍTULO TRÊS: CAROLINE SACKS

O debate sobre os impressionistas baseia-se em diversos livros, principalmente: John Rewald, *História do impressionismo* (Martins Editora, 1991); Ross King, *The Judgment of Paris* (Walker Publishing, 2006), com uma descrição maravilhosa do mundo do Salon; Sue Roe, *The Private Lives of the Impressionists* (Harper Collins, 2006); e Harrison White e Cynthia White, *Canvases and Careers: Institutional Change in the French Painting World* (Wiley & Sons, 1965), p. 150.

O primeiro artigo acadêmico a levantar a questão da privação relativa no tocante à escolha da universidade foi de James Davis em "The Campus as Frog Pond: An Application of the Theory of Relative Deprivation to Career Decisions of College Men", *The American Journal of Sociology* 72, nº 1 (julho de 1966). Davis concluiu:

> No nível do indivíduo, [minhas constatações] desafiam a ideia de que entrar na "melhor universidade possível" é o caminho mais eficiente para a mobilidade ocupacional.

Orientadores e pais deveriam considerar as desvantagens, tanto quanto as vantagens, de enviar um estudante a uma universidade "de elite", se com isso for quase certo que ele acabará entre os piores alunos de sua turma. O aforismo "antes um sapo grande em uma lagoa pequena do que um sapo pequeno em uma lagoa grande" não é o conselho perfeito, mas tampouco é trivial.

O estudo de Stouffer (tendo por coautores Edward A. Suchman, Leland C. DeVinney, Shirley A. Star e Robin M. Williams Jr.) aparece em *The American Soldier: Adjustment During Army Life*, vol. 1 de *Studies in Social Psychology in World War II* (Princeton University Press, 1949), p. 251.

Para estudos sobre os chamados países felizes, ver Mary Daly, Andrew Oswald, Daniel Wilson e Stephen Wu, "Dark Contrasts: The Paradox of High Rates of Suicide in Happy Places", *Journal of Economic Behavior and Organization* 80 (dezembro de 2011); e Carol Graham, *Happiness Around the World: The Paradox of Happy Peasants and Miserable Millionaires* (Oxford University Press, 2009).

Herbert Marsh leciona no Departamento de Educação da Universidade de Oxford. Sua produção acadêmica no decorrer da carreira tem sido extraordinária. Somente sobre o tema do "Peixe Grande/Lagoa Pequena" escreveu inúmeros artigos. Um bom ponto de partida é H. Marsh, M. Seaton, et al., "The Big-Fish-Little-Pond-Effect Stands Up to Critical Scrutiny: Implications for Theory, Methodology, and Future Research", *Educational Psychology Review* 20 (2008), pp. 319-350.

Para estatísticas sobre os programas STEM, ver Rogers Elliott, A. Christopher Strenta, et al., "The Role of Ethnicity in Choosing and Leaving Science in Highly Selective Institutions", *Research in Higher Education* 37, nº 6 (dezembro de 1996);

e Mitchell Chang, Oscar Cerna, et al., "The Contradictory Roles of Institutional Status in Retaining Underrepresented Minorities in Biomedical and Behavioral Science Majors", *The Review of Higher Education* 31, nº 4 (verão de 2008).

Os artigos revolucionários de John P. Conley e Ali Sina aparecem em "An Empirical Guide to Hiring Assistant Professors in Economics", *Vanderbilt University Department of Economics Working Papers Series*, 28 de maio de 2013.

A referência ao "quarto inferior feliz" de Fred Glimp vem do livro fascinante de Jerome Karabel *The Chosen: The Hidden History of Admission and Exclusion at Harvard, Yale, and Princeton* (Mariner Books, 2006), 291. Karabel comentou:

> Seria melhor, [Glimp] insinuou, se os piores estudantes estivessem satisfeitos por estarem lá? Assim surgiu a renomada (alguns diriam notória) prática de admissão de Harvard conhecida como a "política do quarto inferior feliz". [...] O objetivo de Glimp foi identificar "os estudantes do quarto inferior certos – pessoas que tenham a perspectiva, a força do ego ou atividades extracurriculares suficientes para conservar seu autorrespeito (ou seja o que for) enquanto extraem o máximo de suas oportunidades no nível mediano."

Vale a pena examinar mais detidamente a questão da ação afirmativa. Dê uma olhada na seguinte tabela da obra de Richard Sander e Stuart Taylor, *Mismatch: How Affirmative Action Hurts Students It's Intended to Help, and Why Universities Won't Admit It* (Basic Books, 2012). Ela mostra as posições dos negros americanos de acordo com seu desempenho em turmas de direito comparadas com estudantes brancos. As posições das turmas vão de 1 a 10, com 1 sendo o décimo inferior da turma e 10, o superior.

Posição	Negros (%)	Brancos (%)	Outros (%)
1.	51,6	5,6	14,8
2.	19,8	7,2	20
3.	11,1	9,2	13,4
4.	4	10,2	11,5
5.	5,6	10,6	8,9
6.	1,6	11	8,2
7.	1,6	11,5	6,2
8.	2,4	11,2	6,9
9.	0,8	11,8	4,9
10.	1,6	11,7	5,2

Existem muitos números nessa tabela, mas somente duas linhas realmente importam – a primeira e a segunda, mostrando a distribuição racial dos piores alunos da turma de direito americana típica.

Posição	Negros	Brancos	Outros
1.	51,6	5,6	14,8
2.	19,8	7,2	20

Eis como Sander e Taylor analisam os custos dessa estratégia. Imagine dois estudantes negros de direito com a mesma classificação e as mesmas notas nas provas. Ambos são admitidos em uma faculdade de elite dentro de um programa de ação afirmativa. Um aceita e o outro declina. Este último decide – por razões logísticas, financeiras ou familiares – por sua segunda opção, uma faculdade de direito menos prestigiosa e menos seletiva. Sander e Taylor observaram uma grande amostra desses tipos de "pares concatenados" e compararam seu desempenho em quatro indicadores: índice de graduação na faculdade de direito, aprovação no exame da Ordem dos Advogados na primeira tentativa, chegar a ser aprovado no exame da Ordem e realmente praticar a profissão. A semelhança nem sequer é próxima. Todos os indicadores mostram que os estudantes negros que não vão para a "melhor" faculdade em que são aceitos superam o desempenho daqueles que vão.

Sucesso na carreira	Negros	Brancos	Negros (Ação Afirmativa)
Porcentagem dos que se graduam em direito	91,8	93,2	86,2
Aprovação na Ordem na primeira tentativa	91,3	88,5	70,5
Aprovação no exame da Ordem	96,4	90,4	82,8
Porcentagem dos que praticam direito	82,5	75,9	66,5

Sander e Taylor argumentam de forma bem convincente que se você for negro e realmente quiser virar advogado, deve fazer o que os impressionistas fizeram e se afastar da Lagoa Grande. Não aceite oferta alguma de uma faculdade que queira elevá-lo um nível acima. Vá para aquela que você escolheria normalmente. Sander e Taylor são bem diretos: "Em qualquer faculdade de direito, estar entre os piores da turma é péssimo."

Aliás, quem leu meu livro *Fora de série*, em que também discuti ação afirmativa e faculdade de direito, sabe que naquele livro eu estava interessado em defender um argumento bem diferente: que a utilidade do QI e da inteligência começa a se estabilizar em certo ponto, indicando que os tipos de distinção feitos pelas instituições de elite entre os estudantes não são necessariamente úteis. Em outras palavras, está errado pressupor que um advogado com menos credenciais admitido numa faculdade de direito excelente será um advogado menos capaz do que aqueles com ótimas credenciais. Para respaldar isso, usei dados da faculdade de direito da Universidade de Michigan que mostram que seus graduados negros pela ação afirmativa na faculdade de direito tiveram carreiras tão brilhantes quanto os graduados brancos.

Se ainda acredito nisso? Sim e não. Acho que o argumento geral sobre os benefícios da estabilização da inteligência na extremidade superior da curva em U invertido continua válido. Mas agora creio que o argumento específico sobre as faculdades de direito em *Fora de série*, em retrospecto, foi ingênuo. Eu não estava familiarizado com a teoria da privação relativa na época. Hoje em dia sou bem mais cético quanto aos programas de ação afirmativa.

CAPÍTULO QUATRO: DAVID BOIES

Uma boa introdução geral ao problema da dislexia: Maryanne Wolf, *Proust and the Squid: The Story and Science of the Reading Brain* (Harper, 2007).

Os Bjork escreveram ampla e brilhantemente sobre o tema da dificuldade desejável. Eis uma boa síntese de seu trabalho: Elizabeth Bjork e Robert Bjork, "Making Things Hard on Yourself, But in a Good Way: Creating Desirable Difficulties to Enhance Learning", *Psychology and the Real World*, M. A. Gernsbacher et al., orgs. (Worth Publishers, 2011), cap. 5.

Os problemas do taco e a bola e das máquinas vêm de Shane Frederick, "Cognitive Reflection and Decision Making", *Journal of Economic Perspectives* 19, nº 4 (outono de 2005). Os resultados do experimento de Adam Alter e Daniel Oppenheimer com o TRC em Princeton são descritos em Adam Alter, et al., "Overcoming Intuition: Metacognitive Difficulty Activates Analytic Reasoning", *Journal of Experimental Psychology: General* 136

(2007). Alter acabou de publicar um maravilhoso livro sobre essa linha de pesquisa chamado *Drunk Tank Pink* (Penguin, 2013).

O artigo de Julie Logan sobre a dislexia entre empresários é "Dyslexic Entrepreneurs: The Incidence; Their Coping Strategies and Their Business Skills", *Dyslexia* 15, nº 4 (2009), pp. 328-346.

A melhor história da Ikea: Ingvar Kamprad e Bertil Torekull, *Leading by Design: The Ikea Story* (Collins, 1999). Incrivelmente, não há nada nas entrevistas de Torekull com Kamprad que sugira que este teve algum momento de hesitação sobre fazer negócios com um país comunista no auge da Guerra Fria. Pelo contrário, Kamprad parece indiferente em relação a isso: "De início, tivemos um pouco de progresso contrabandeando. Ilegalmente, levamos ferramentas como arquivos, peças sobressalentes e até papel carbono para máquinas de escrever antigas."

CAPÍTULO CINCO: EMIL "JAY" FREIREICH

As fontes sobre o bombardeio de Londres incluem Tom Harrisson, *Living Through the Blitz* (Collins, 1976). "Winston Churchill antes descreveu Londres como 'o maior alvo do mundo'" aparece, na página 22; "Fiquei me sentindo indescritivelmente contente e triunfante", na página 81; e "O quê? E perder tudo isto?" na página 128. Outras fontes incluem Edgar Jones, Robin Woolven, et al., "Civilian Morale During the Second World War: Responses to Air-Raids Re-examined", *Social History of Medicine* 17, nº 3 (2004); e J. T. MacCurdy, *The Structure of Morale* (Cambridge University Press, 1943). "Em outubro de 1940, tive a oportunidade de dirigir meu carro pelo sudeste de Londres" aparece na página 16; "o moral da comunidade depende da reação dos sobreviventes", páginas 13-16; e "Quando a primeira sirene soou", na página 10.

A pesquisa informal sobre os poetas e escritores famosos é de Felix Brown, "Bereavement and Lack of a Parent in Childhood", *Foundations of Child Psychiatry*, Emanuel Miller, org. (Pergamon Press, 1968). "Este não é um argumento a favor da orfandade" aparece na página 444. O estudo de J. Marvin Eisenstadt é detalhado em "Parental Loss and Genius", *American Psychologist* (março de 1978), p. 211. As descobertas de Lucille Iremonger sobre os antecedentes dos primeiros-ministros da Inglaterra podem ser encontradas em *Fiery Chariot: A Study of British Prime Ministers and the Search for Love* (Secker and Warburg, 1970), p. 4. Lucille cometeu um erro nos seus cálculos, que foi corrigido pelo historiador Hugh Berrington no *British Journal of Political Science* 4 (julho de 1974), p. 345. A literatura científica sobre a associação entre a perda de pai ou mãe e o desenvolvimento de determinadas habilidades é considerável. Entre outros estudos estão S. M. Silverman, "Parental Loss and Scientists", *Science Studies* 4 (1974); Robert S. Albert, *Genius and Eminence* (Pergamon Press, 1992); Colin Martindale, "Father's Absence, Psychopathology, and Poetic Eminence", *Psychological Reports* 31 (1972), p. 843; Dean Keith Simonton, "Genius and Giftedness: Parallels and Discrepancies", *Talent Development: Proceedings from the 1993 Henry B. and Jocelyn Wallace National Research Symposium on Talent Development*, vol. 2, N. Colangelo, S. G. Assouline e D. L. Ambroson, orgs., pp. 39-82 (Ohio Psychology Publishing).

Duas excelentes fontes sobre a história da luta contra a leucemia infantil são John Laszlo, *The Cure of Childhood Leukemia: Into the Age of Miracles* (Rutgers University Press, 1996) e Siddhartha Mukherjee, *O imperador de todos os males* (Companhia das Letras, 2012). "Havia um hematologista veterano" é citado no livro de Laszlo na página 183. Laszlo realizou uma série de entrevistas com cada figura-chave daquele período – e cada capítulo do livro é uma história oral separada.

Os experimentos de Stanley Rachman envolvendo pessoas com fobias são descritos em "The Overprediction and Underprediction of Pain", *Clinical Psychology Review* 11 (1991).

"Uma voz se elevou dos destroços" aparece na página 97 de Diane McWhorter, *Carry Me Home: Birmingham, Alabama; The Climactic Battle of the Civil Rights Revolution* (Touchstone, 2002); "Nós vamos, sim, pegar esse ônibus", página 98; "Para espanto da criança", página 109; "Hoje foi a segunda vez em um ano", página 110; "Garrafas de Coca-Cola estilhaçaram", página 215.

As memórias de Eugen Kogon estão em *The Theory and Practice of Hell* (Berkley Windhover, 1975). "Quanto mais compassiva a consciência, mais difícil era tomar tais decisões" aparece na página 278.

CAPÍTULO SEIS: WYATT WALKER

A história da fotografia – e de todas as fotografias icônicas dos direitos civis – é brilhantemente contada por Martin Berger em *Seeing Through Race: A Reinterpretation of Civil Rights Photography* (University of California Press, 2011). O livro de Berger é a fonte para toda discussão da fotografia e do impacto que ela causou. O argumento principal do autor – que dá o que pensar – é que os americanos brancos, predominantes na década de 1960, *precisavam* que os ativistas negros parecessem passivos e "virtuosos". Sua causa parecia mais aceitável assim. A denúncia do uso de jovens e crianças nos protestos por King e Walker está nas páginas 82-86. A explicação de Gadsden de suas ações ("Automaticamente lancei meu joelho") está na página 37.

O melhor relato individual da campanha de King em Birmingham – e o livro a que este capítulo muito deve – é de Diane McWhorter, *Carry Me Home: Birmingham, Alabama; The Climactic*

Battle of the Civil Rights Revolution (Touchstone, 2002). Se você acha que a história de Walker é extraordinária, deveria ler o livro de Diane, um dos melhores livros de história que já li. "Em Birmingham considerava-se um fato da ciência criminal" aparece em nota de rodapé na página 340; "Um dos participantes do encontro foi a esposa do presidente", página 292; "um judeu não passa de um negro ao avesso", página 292; "Certo dia, um negro de Chicago acorda", página 30; "Ficaram pasmos ao verem King", página 277; "Temos que usar aquilo de que dispomos", página 363; "O K-9 Corps", página 372; e "É claro que pessoas foram mordidas por cães", página 375. O relato de Diane sobre o confronto no parque Kelly Ingram é extraordinário. Eu o condensei bastante.

O pseudoelogio fúnebre de King aparece em Taylor Branch, *Parting the Waters: America in the King Years 1954–63* (Simon and Schuster, 1988), p. 692. Para a descrição de Branch por Wyatt Walker ("adquiriu óculos com armação escura"), ver página 285. "Como um princípio geral, Walker afirmava que tudo tem que aumentar" está na página 689. As palavras de King aos pais cujos filhos haviam sido presos aparecem nas páginas 762 a 764.

"Quando beijei minha esposa e meus filhos ao me despedir deles" é de uma entrevista de Wyatt Walker a Andrew Manis na Canaan Baptist Church of Christ, Nova York, em 20 de abril de 1989. Uma transcrição da conversa é mantida na Biblioteca Pública de Birmingham, Alabama. Da mesma entrevista são: "Esse ficou maluco", página 14, e "Eles só conseguem enxergar [...] através de olhos de brancos", página 22.

"O coelho é o animal mais ágil que Deus criou" é citado em Lawrence Levine, *Black Culture and Black Consciousness: Afro--American Folk Thought from Slavery to Freedom* (Oxford University Press, 2007), p. 107. Também de Levine são: "O coelho, como os escravos que teciam lendas sobre ele", página 112; "histórias dolorosamente realistas", página 115; e "Os registros deixados por observadores da escravidão do século XIX", página 122. A história da tartaruga marinha está na página 115.

"Não é difícil conviver comigo, querida" é da entrevista feita por John Britton com Wyatt Walker que faz parte do Civil Rights Documentation Project, cuja trancrição está no Moorland-Spingarn Research Center, na Universidade Howard. Ver página 35. Também da entrevista são: "Se você me atrapalhar, eu vou atropelar você", página 66; "Se eu portasse minha navalha", página 15; "Às vezes eu tinha que me adaptar ou alterar minha moralidade", página 31; "Ah, foi uma época ótima", página 63; "Abrir o jogo", página 59; "Liguei para o Dr. King", página 61; e "Estava quente em Birmingham", página 62.

Robert Penn Warren realizou várias entrevistas com ativistas e líderes dos direitos civis como parte de sua pesquisa para seu livro *Who Speaks for the Negro?* Essas entrevistas estão reunidas no Robert Penn Warren Civil Rights Oral History Project e guardadas no Louie B. Nunn Center for Oral History, da Universidade de Kentucky. "Puro prazer" vem da fita 1 de sua entrevista com Wyatt Walker em 18 de março de 1964.

O argumento de que as histórias de embusteiros permearam o movimento dos direitos civis já foi levantado antes. Por exemplo: Don McKinney, "Brer Rabbit and Brother Martin Luther King, Jr: The Folktale Background of the Birmingham Protest", *The Journal of Religious Thought* 46, nº 2 (inverno-primavera de 1989-1990), pp. 42-52. McKinney escreveu (página 50):

> Assim como a astúcia do Coelho Brer convenceu o Tigre Brer a fazer exatamente o que os animais pequenos queriam (a saber, ele implorou para ser amarrado), as técnicas não violentas aplicadas por King e seu núcleo de conselheiros espertos teve um efeito semelhante ao atingirem seu intento de levar Bull Connor a fazer o que queriam, a saber:

prender manifestantes negros em quantidade tão grande que não apenas chamasse a atenção nacional, mas também praticamente imobilizasse a cidade de Birmingham.

Ver também Trudier Harris, *Martin Luther King, Jr., Heroism and African American Literature* (University of Alabama Press, a ser lançado).

Os detalhes da conversa entre Pritchett e King sobre o aniversário de casamento de Pritchett são citados em Howell Raines, *My Soul Is Rested: The Story of the Civil Rights Movement in the Deep South* (Penguin, 1983), pp. 363-365.

A explicação de Walker de por que o movimento precisava da oposição de Bull Connor ("Não haveria movimento, nem publicidade") é citada em Michael Cooper Nichols, "Cities Are What Men Make Them: Birmingham, Alabama, Faces the Civil Rights Movement 1963", tese sênior, Brown University, 1974, p. 286.

A reação de Walker ao uso de unidades K-9 ("Conseguimos um movimento") aparece em James Forman, *The Making of Black Revolutionaries: A Personal Account* (Macmillan, 1972).

A repreensão de King ao fotógrafo da *Life* ("O mundo não sabe que isto aconteceu") é descrita em Gene Roberts e Hank Klibanoff, *The Race Beat: The Press, the Civil Rights Struggle, and the Awakening of a Nation* (Random House, 2006).

CAPÍTULO SETE: ROSEMARY LAWLOR

"Pelo amor de Deus, tragam uma boa dose de uísque" é de Peter Taylor, *Brits* (Bloomsbury, 2002), p. 48.

O relato de Nathan Leites e Charles Wolf Jr. de como lidar com insurreições é de *Rebellion and Authority: An Analytic Essay on Insurgent Conflicts* (Markham Publishing Company, 1970). "Fundamental à nossa análise" aparece à página 30.

A descrição de Ian Freeland é de James Callaghan em *A House Divided: The Dilemma of Northern Ireland* (Harper Collins, 1973), página 50. A comparação de Freeland e de autoridades e jornalistas com "o Raj britânico caçando tigres" é de Peter Taylor, *Provos: The IRA and Sinn Fein* (Bloomsbury, 1998), p. 83.

A citação de Seán Mac Stíofáin sobre revoluções sendo causadas pela estupidez e pela brutalidade dos governos aparece em Richard English, *Armed Struggle: The History of the IRA* (Oxford University Press, 2003), p. 134.

O princípio da legitimidade foi enunciado por uma série de estudiosos, mas três merecem uma menção especial: Tom Tyler, autor de *Why People Obey the Law* (Princeton University Press, 2006); David Kennedy, que escreveu *Deterrence and Crime Prevention* (Routledge, 2008); e Lawrence Sherman, coeditor de *Evidence-Based Crime Prevention* (Routledge, 2006). Vejamos outro exemplo do mesmo princípio. Segue-se uma lista de países do mundo desenvolvido classificados pela porcentagem de sua economia que é informal – ou seja, a quantia que é deliberadamente ocultada pelos cidadãos para fugirem dos impostos – em 2010. Trata-se de uma das melhores maneiras de comparar a honestidade dos contribuintes em diferentes países.

Estados Unidos	7,8	Finlândia	14,3
Suíça	8,34	Dinamarca	14,4
Áustria	8,67	Alemanha	14,7
Japão	9,7	Noruega	15,4
Nova Zelândia	9,9	Suécia	15,6
Países Baixos	10,3	Bélgica	17,9
Reino Unido	11,1	Portugal	19,7
Austrália	11,1	Espanha	19,8

França	11,7	Itália	22,2
Canadá	12,7	Grécia	25,2
Irlanda	13,2		

A lista é de Friedrich Schneider, "The Influence of the Economic Crisis on the Underground Economy in Germany and other OECD-countries in 2010" (artigo inédito, edição revisada, janeiro de 2010). A lista não surpreende. Os contribuintes americanos, suíços e japoneses são bastante honestos. Assim é na maioria das outras democracias europeias ocidentais. Na Grécia, Espanha e Itália, não. Na verdade, o nível de evasão fiscal na Grécia é tanto que o déficit do país – que vem fazendo com que a Grécia esteja à beira da falência total há anos – desapareceria por completo se os cidadãos gregos cumprissem a lei e pagassem o que devem. Por que os Estados Unidos são tão mais cumpridores da lei no tocante aos impostos do que a Grécia?

Leites e Wolf atribuiriam isso ao fato de que os custos da evasão fiscal nos Estados Unidos são bem maiores do que os benefícios: se os americanos trapaceiam, existe uma boa chance de serem pegos e punidos. Mas esta é uma total inverdade. Nos Estados Unidos, pouco mais de 1% das declarações de rendimentos são auditadas a cada ano. Isso é pouquíssimo. E se o contribuinte for pego subinformando sua renda, a penalidade mais comum é simplesmente pagar os impostos devidos acrescidos de uma multa relativamente modesta. Ir para a cadeia é raro. Se os contribuintes americanos se comportassem racionalmente – de acordo com a definição de Leites e Wolf da palavra –, a evasão fiscal no país seria generalizada. Nas palavras do economista fiscal James Alm:

> Em países com taxas de auditoria efetivas de 1%, você *deveria* observar níveis de sonegação de 90% ou mais. Se você declara um dólar adicional de renda, paga 30, 40 *cents* em impostos. Se não declará-lo, conservará a quantia, e exis-

tem chances de ser pego. Mas elas são de 1% ou menos. E, se você for detectado, a Receita tem que descobrir se o erro foi intencional. Se não foi, você paga de volta o imposto acrescido de 10% do valor devido; se realmente tiver sido uma fraude, pagará o imposto acrescido de 75%. Portanto o custo esperado de ser pego não é tão grande assim. O cálculo se inclina fortemente a favor da sonegação.

Então por os americanos não sonegam? *Porque acreditam que seu sistema é legítimo.* As pessoas aceitam a autoridade quando veem que ela trata todos igualmente, quando conseguem se manifestar e ser ouvidas e quando existem regras assegurando que amanhã não serão tratadas de forma radicalmente diferente da de hoje. A legitimidade baseia-se na justiça, na voz ativa e na previsibilidade, e o governo americano, por mais que os americanos gostem de reclamar dele, satisfaz muito bem todos os três quesitos.

Na Grécia, a economia informal é proporcionalmente três vezes maior que a dos Estados Unidos. Mas não porque os gregos sejam menos honestos que os americanos. É porque o sistema grego é menos legítimo do que o sistema americano. A Grécia é um dos países mais corruptos de toda a Europa. Seu código fiscal é uma bagunça. Os ricos conseguem negociatas com base em informações privilegiadas, e se você e eu vivêssemos num país onde o sistema fiscal fosse tão gritantemente ilegítimo – onde nada parecesse justo, nossas vozes não fossem ouvidas e as regras mudassem de um dia para outro –, tampouco pagaríamos nossos impostos.

A discussão das paradas na temporada das marchas na Irlanda vem de Dominic Bryan, *Orange Parades: The Politics of Ritual, Tradition and Control* (Pluto Press, 2000).

O relato de Desmond Hamill sobre o Exército britânico na Irlanda do Norte está em *Pig in the Middle: The Army in Northern Ireland 1969-1984* (Methuen, 1985). "O [IRA] retaliou" está na página 32.

As estatísticas sobre mortes e violência na Irlanda do Norte em 1969 são de John Soule, "Problems in Applying Counterterrorism to Prevent Terrorism: Two Decades of Violence in Northern Ireland Reconsidered", *Terrorism* 12 (1989), p. 33.

A história de quando o General Freeland atacou Lower Falls é contada por Seán Mac Stíofáin em *Seán Óg Ó Fearghaíl's Law (?) and Orders: The Story of the Belfast Curfew* (Central Citizens' Defense Committee, 1970). Os detalhes sobre a morte de Patrick Elliman aparecem na página 14. Uma boa fonte sobre o toque de recolher é *Provos*, de Taylor. O detalhe sobre o homem de pijama vem de Nicky Curtis, *Faith and Duty: The True Story of a Soldier's War in Northern Ireland* (André Deutsch, 1998).

CAPÍTULO OITO: WILMA DERKSEN

A história das Três Infrações baseia-se em diversas fontes, as principais sendo: Mike Reynolds, Bill Jones e Dan Evans, *Three Strikes and You're Out! The Chronicle of America's Toughest Anti--Crime Law* (Quill Driver Books/Word Dancer Press, 1996); Joe Domanick, *Cruel Justice: Three Strikes and the Politics of Crime in America's Golden State* (University of California Press, 2004); Franklin Zimring, Gordon Hawkins e Sam Kamin, *Punishment and Democracy: Three Strikes and You're Out in California* (Oxford, 2001); e George Skelton, "A Father's Crusade Born from Pain", *Los Angeles Times*, 9 de dezembro de 1993.

As entrevistas de Richard Wright e Scott Decker com assaltantes à mão armada condenados aparecem em *Armed Robbers in Action: Stickups and Street Culture* (Northeastern University Press, 1997). Os comentários citados estão na página 120. O livro de Wright e Decker é fascinante. Eis um pouco mais do que eles escreveram sobre a psicologia da criminalidade:

Alguns dos assaltantes à mão armada também tentavam não pensar na possibilidade de serem presos, porque tais pensamentos geravam um nível desconfortavelmente alto de angústia mental. Eles acreditavam que a melhor forma de impedir que isso ocorresse era esquecer o risco e entregar as coisas ao destino. Um deles exprimiu isso nestes termos: "Eu realmente não penso em ser preso, cara, porque isso só deixa você preocupado." Dado que quase todos aqueles infratores percebiam a si mesmos como não apenas sob pressão para obter dinheiro rapidamente, mas também como não dispondo de meios legais para tal, isso faz sentido. Onde inexiste uma alternativa viável ao crime, claramente faz pouco sentido ficar pensando nas consequências potencialmente negativas do delito. Não deve surpreender, então, que os infratores em geral prefiram ignorar o possível risco, concentrando-se na recompensa prevista: "Acho isso [sobre o risco de ser pego]: antes me arriscar a ser pego e preso do que ficar por aqui duro e não correr risco algum de tentar obter dinheiro."

A discussão de David Kennedy acerca das motivações criminosas aparece em seu livro *Deterrence and Crime Prevention* (Routledge, 2008). A análise de Anthony Doob e Cheryl Webster dos estudos sobre punições está em "Sentence Severity and Crime: Accepting the Null Hypothesis", *Crime and Justice* 30 (2003), p. 143.

Os gráficos mostrando a relação entre idade e criminalidade são de Alfred Blumstein, "Prisons: A Policy Challenge", *Crime: Public Policies for Crime Control*, James Q. Wilson e Joan Petersilia, orgs. (ICS Press, 2002), pp. 451-482.

O livro de Todd Clear sobre os efeitos das prisões em massa em lugares pobres é *Imprisoning Communities: How Mass Incarceration Makes Disadvantaged Neighborhoods Worse* (Oxford University Press, 2007). Você encontrará o artigo "Backfire: When Incarceration Increases Crime", que Clear teve dificuldade para publicar, no *Journal of the Oklahoma Criminal Justice Research Consortium* 3 (1996), pp. 1-10.

Existe vasto material a respeito dos efeitos das Três Infrações sobre a taxa de criminalidade da Califórnia. O melhor trabalho acadêmico, do tamanho de um livro, é o já citado *Punishment and Democracy*, de Zimring. A seguir, uma amostra de uma das mais recentes análises acadêmicas da lei. É de Elsa Chen, "Impacts of 'Three Strikes and You're Out' on Crime Trends in California and Throughout the United States", *Journal of Contemporary Criminal Justice* 24 (novembro de 2008), pp. 345-370:

> Os impactos das Três Infrações sobre a criminalidade na Califórnia e nos Estados Unidos são estudados usando-se uma análise intersecional de séries temporais de dados no nível do estado de 1986 a 2005. O modelo mede os efeitos de dissuasão e incapacitação, que controlam tendências criminosas preexistentes, e fatores econômicos, demográficos e políticos. Apesar da aplicação limitada fora da Califórnia, a presença de uma Lei das Três Infrações parece estar associada a declínios ligeiros mas significativamente mais rápidos das taxas de assaltos, arrombamentos, furtos e roubos de veículos em todo o país. As Três Infrações também estão diretamente ligadas a uma queda mais lenta das taxas de homicídios. Embora a lei seja mais ampla e frequentemente usada, na Califórnia ela não produziu efeitos de redução maiores sobre o crime do que as leis bem mais limitadas dos outros estados. As análises indicam que a política de sentenças mais duras não é necessariamente a opção mais eficaz.

Existem dois excelentes relatos do caso de Candace Derksen: Wilma Derksen, *Have You Seen Candace?* (Tyndale House Publishers, 1992); e Mike McIntyre, *Journey for Justice: How Project Angel Cracked the Candace Derksen Case* (Great Plains Publications, 2011). A história da mãe amish cujo filho ficou gravemente ferido depois de ter sido atropelado por um carro é contada em Donald B. Kraybill, Steven Nolt e David Weaver-Zercher, *Amish Grace: How Forgiveness Transcended Tragedy* (Jossey-Bass, 2010), p. 71.

Sobre o uso britânico do poder e da autoridade na Irlanda do Norte durante o conflito sectário, ver Paul Dixon, "Hearts and Minds: British Counter-Insurgency Strategy in Northern Ireland", *Journal of Strategic Studies* 32, nº 3 (junho de 2009), pp. 445-475. Dixon disse (página 456):

> Paddy Hillyard estima que um entre cada quatro homens católicos entre os 16 e 44 anos havia sido detido ao menos uma vez de 1972 a 1977. Em média, cada domicílio católico na Irlanda do Norte havia sido revistado duas vezes, mas, como muitas casas estavam sob suspeita, algumas delas em certos distritos teriam sido revistadas "talvez até 10 ou mais vezes". Um relato afirma que o Exército realizava revistas rotineiras quadrimestrais dos ocupantes de certas casas em áreas selecionadas. "Estima-se que, em meados de 1974, o Exército dispunha de detalhes sobre entre 34% e 40% da população adulta e jovem da Irlanda do Norte." Entre 1º de abril de 1973 e 1º de abril de 1974, 4 milhões de veículos foram parados e revistados.

O artigo de John Soule escrito no auge do conflito é "Problems in Applying Counterterrorism to Prevent Terrorism: Two Decades of Violence in Northern Ireland Reconsidered", *Terrorism* 12, nº 1 (1989).

Li sobre Reynolds levando visitantes ao Daily Planet em Joe Domanick, *Cruel Justice*, p. 167.

CAPÍTULO NOVE: ANDRÉ TROCMÉ

Para um excelente panorama da aldeia de Le Chambon-sur-Lignon e sua cultura, ver Christine E. van der Zanden, *The Plateau of Hospitality: Jewish Refugee Life on the Plateau Vivarais-Lignon* (tese inédita, Clark University, 2003). Para livros sobre os Trocmé, ver Krishana Oxenford Suckau, *Christian Witness on the Plateau Vivarais-Lignon: Narrative, Nonviolence and the Formation of Character* (tese inédita, Boston University School of Theology, 2011); Philip Hallie, *Lest Innocent Blood Be Shed: The Story of the Village of Le Chambon and How Goodness Happened There* (Harper, 1994); e Carol Rittner e Sondra Myers, orgs., *The Courage to Care: Rescuers of Jews During the Holocaust* (New York University Press, 2012).

"Amar, perdoar e fazer o bem aos nossos adversários" é de *Christian Witness*, p. 6.

De *Lest Innocent Blood Be Shed*: "O sino não pertence ao marechal", p. 96; "Lamirand subiu a montanha", p. 99; "Uma sensação de dever exalava de seus poros", p. 146; "Amaldiçoado seja quem começa pela gentileza", p. 266; "Que negócio é este?", p. 39; "Não foi sensata", p. 233; "Sua carteira de identidade dizia que seu nome era Béguet", p. 226; "Quando Trocmé tinha 10 anos", p. 51; e "Jean-Pierre! Jean-Pierre!", p. 257.

De *The Courage to Care*: "Eu disse: 'Entre'", p. 101; "O povo em nossa aldeia já sabia", p. 101.

A pergunta de Trocmé "Como poderiam os nazistas esgotar os recursos de um povo como aquele?" é citada em Garret Keizer, *Help: The Original Human Dilemma* (HarperOne, 2005), p. 151.

AGRADECIMENTOS

Davi e Golias se beneficiou muito da sabedoria e da generosidade de muita gente: meus pais; minha agente, Tina Bennett; meu editor na *The New Yorker*, Henry Finder; Geoff Shandler, Pamela Marshall e toda a equipe na Little, Brown; Helen Conford da Penguin na Inglaterra; e um número grande demais de amigos para que eu possa listar aqui. Eis alguns: Charles Randolph, Sarah Lyall, Jacob Weisberg, os Lyntons, Terry Martin, Tali Farhadian, Emily Hunt e Robert McCrum. Agradecimentos especiais aos apuradores Jane Kim e Carey Dunne e ao meu consultor teológico Jim Loepp Thiessen, da Gathering Church, em Kitchener, no Canadá. E a Bill Phillips, como sempre. Você é o maestro.

CONHEÇA OS LIVROS DE MALCOLM GLADWELL

Fora de série – Outliers

O ponto da virada

Davi e Golias

O que se passa na cabeça dos cachorros

Blink

Falando com estranhos

Para saber mais sobre os títulos e autores da Editora Sextante,
visite o nosso site e siga as nossas redes sociais.
Além de informações sobre os próximos lançamentos,
você terá acesso a conteúdos exclusivos
e poderá participar de promoções e sorteios.

sextante.com.br